Biblioteca di Cultura Moderna
1158

Prima edizione 2002

Mauro Zonta

La filosofia ebraica medievale

Storia e testi

Editori Laterza

Finito di stampare nel gennaio 2002
Poligrafico Dehoniano -
Stabilimento di Bari
per conto della
Gius. Laterza & Figli Spa
CL 20-6521-5
ISBN 88-420-6521-8

Premessa

La filosofia ebraica medievale rappresenta probabilmente una delle più interessanti, ma anche delle meno conosciute, manifestazioni del pensiero e della produzione letteraria della cultura ebraica post-biblica, che si presenta molto spesso, soprattutto ai non specialisti, appiattita sulla sola dimensione della «mistica», la *qabbalah*. Eppure, nella filosofia si rivelano con evidenza gli aspetti più significativi del rapporto tra la cultura ebraica e le culture prossime (quella greca antica, quella arabo-islamica e quella latino-cristiana medievale), e specialmente la capacità di rifondere temi e testi ripresi da altri ambienti, adattandoli alle proprie esigenze nazionali e religiose. La lettura dei testi della filosofia ebraica medievale, infatti, consente di vedere riflesso, come in uno specchio, l'avvicendarsi delle diverse tendenze del pensiero e della letteratura di area mediterranea tra l'800 e il 1500, mostrando quella ebraica non come una cultura puramente esoterica, chiusa in se stessa, ma come una cultura aperta alle più differenti influenze – quale, al di là dell'approccio più miope diffuso in certi studi anche recenti, essa è stata riconosciuta fin dagli inizi della giudaistica moderna, nel secolo XIX.

Le linee storiche generali e le figure dei principali protagonisti di questa filosofia sono, per il vero, stati resi ampiamente noti al lettore italiano, soprattutto dopo la recente pubblicazione della versione italiana di un'opera di Colette Sirat (*La filosofia ebraica medievale secondo i testi editi e inediti*, ed. it. a cura di Bruno Chiesa, Brescia 1990). Manca però al grande pubblico del nostro paese la possibilità di un approccio diretto ai testi: in effetti, al di fuori dei brevi brani citati nell'opera della stessa Sirat, di poche versioni integrali (quella dell'*Introduzione ai doveri dei cuori* di Baḥya Ibn Paqūda, e quella del *Libro del Cazaro* di Yehudah ha-Levi), e di una buona antologia dell'opera di Maimonide, non esistono ancora traduzioni italiane moderne ed affidabili della maggioranza, se non della totalità, della produzione letteraria della filosofia ebraica medievale, sia di quella redatta in lingua ebraica, sia di quella redatta nell'altra importante lingua letteraria del pensiero ebraico del Medioevo: l'arabo. Basti pensare che, di quello che è considerato il capolavoro della filosofia ebraica, *La guida dei perplessi* di Maimonide, è reperibile in italiano, a tutt'oggi, solo una incompleta traduzione (copre grosso modo la prima metà dell'opera) della versione francese di Salomon Munk, risalente peraltro a circa centotrenta anni fa[1].

Scopo di quest'opera è, quindi, quello di fornire al lettore italiano non specialista un'antologia ragionata, con concise introduzioni e annotazioni, di alcuni tra i più significativi scritti della letteratura filosofica ebraica medievale, in traduzione italiana. I testi in questione, tradotti per circa un terzo dall'arabo (laddove il testo originale in questa lingua è ancora disponibile) e per il resto dall'ebraico, sono stati scelti anche sulla base del loro interesse contenutistico, privilegiando quelli nei quali si rivela in misura maggiore l'influenza del pensiero filosofico antico e medievale non ebraico; talora si è preferito tradurre alcuni testi perché di essi non è disponibile neppure una versione in una lingua straniera moderna (tale è il caso di buona parte del *Libro degli elementi* di Isaac Israeli, del *Libro del microcosmo* di Yosef Ibn Ṣaddiq, del *Libro del giardino* di Mosheh Ibn 'Ezra – che è tuttora inedito –, ma anche dei passi qui tradotti di Shem Tov Ibn Falaquera, di Abraham Bibago e di Yehudah Messer Leon). Va sottolineato che i riferimenti bibliografici, dato lo scopo anche didattico dell'opera, non intendono essere esaustivi, ma mirano soprattutto a fornire un quadro sintetico degli scritti recenti, in italiano o almeno in una delle principali lingue moderne, con cui il pubblico può eventualmente perfezionare la sua conoscenza degli autori e dei temi qui sommariamente presentati.

Devo un ringraziamento particolare a mia moglie Francesca, che mi ha aiutato nella revisione generale del testo, e specialmente nella redazione degli indici.

Mauro Zonta

Pavia, maggio 2001

[1] Per un elenco delle poche traduzioni italiane dei classici della letteratura filosofica ebraica medievale risalenti al secolo XIX, cfr. Tamani 1999.

La filosofia ebraica medievale

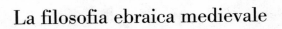

Capitolo primo
Le premesse storiche e culturali

1. *Il giudaismo classico e la civiltà greca*

La filosofia compare per la prima volta nel mondo ebraico sotto le vesti che conserverà sostanzialmente per tutto il Medioevo: quelle di una *ḥokmah zarah*, una «sapienza straniera», o, meglio ancora, di *ḥokmat ha-Yawwanim*, «sapienza dei greci». Essa verrà infatti sempre percepita come una disciplina non nazionale e non tradizionale, mutuata da una civiltà straniera (quella greca, appunto) e non completamente conciliabile con le strutture religiose del giudaismo. Il confronto tra la cultura ebraica, incarnata dalla tradizione del giudaismo classico, e la cultura greca, incarnata dalla filosofia e dalla scienza, viene avviato sin dall'epoca talmudica (secoli II-V d.C.) e continuerà sino alla sostanziale sconfitta della seconda, alla fine del Medioevo.

Con «giudaismo classico»[1] si intende il periodo di formazione delle strutture della religione degli ebrei così come oggi le conosciamo; e la data d'inizio del periodo può essere individuata nel 70 d.C. Il trauma rappresentato dalla distruzione – avvenuta in quell'anno – del tempio di Gerusalemme, che era stato fino ad allora uno, se non l'unico centro del culto ebraico, comportò un sostanziale, anche se non immediato mutamento di prospettiva: come centro di culto, al tempio si sostituì la sinagoga; come oggetto di venerazione, al Santo dei Santi (il cuore del tempio stesso) si sostituirono i rotoli della Bibbia, e in particolare della *Torah* (ossia, il Pentateuco, la Legge religiosa ebraica per eccellenza); come pratica cultuale, ai sacrifici officiati dai sacerdoti nel tempio si sostituì la rigorosa osservanza dei precetti da parte di tutta la popolazione ebraica in grado di adempierli; come classe dirigente e guida religiosa degli ebrei, ai sacerdoti, ormai forzatamente inattivi, si sostituirono i

[1] Riprendo questa classificazione storica da Stemberger 1991, che rappresenta una delle migliori introduzioni disponibili in lingua italiana ai temi sommariamente presentati in questo capitolo.

rabbini, ossia gli studiosi della Legge stessa. A guidare questo fenomeno di ristrutturazione dell'antica religione ebraica furono i rappresentanti di quella che era stata, prima del 70, una delle principali sette dell'ebraismo: i farisei, dalle cui file provenivano i rabbini più autorevoli.

Il giudaismo, così come si forma nei primi secoli dopo la distruzione del tempio, si presenta come una religione essenzialmente pratica, dedita a definire non tanto un insieme di credenze teoretiche (i dogmi), quanto un insieme di atti (i precetti, in ebraico *miṣwot*) che il pio ebreo dovrebbe compiere quotidianamente, così da mantenere vivo il patto stretto tra la nazione ebraica e Dio. Non a caso, se la tradizione del giudaismo classico non si è preoccupata di formulare una professione di fede ebraica paragonabile al *Credo* cristiano, essa si è però dedicata a precisare una lunga serie di norme (secondo la tradizione, 613 precetti, di cui 248 positivi e 365 negativi), il cui insieme costituisce la *halakah*, il «diritto» ebraico; e questo diritto regola non solo gli aspetti della vita religiosa, ma anche diversi ambiti della vita sociale del popolo ebraico. Il codice normativo più importante di questa *halakah* è il *Talmud* (alla lettera, «insegnamento»), costituito da un insieme di sentenze e pareri emessi dai rabbini dei primi secoli d.C., raccolti in due testi: la *Mishnah*, «ripetizione» della Legge (detta anche *Torah she-be-'al-peh*, «legge orale», in contrapposizione alla legge scritta stabilita dal Pentateuco), e la *Gemarah*, «completamento», ossia il commento alla *Mishnah*. Secondo la tradizione, la *Mishnah* si formò in Palestina nel periodo detto dei tannaiti, chiuso nel 220 con la morte di colui che avrebbe dato al codice il suo assetto definitivo: Yehudah ha-Nassi, il *rabbi* per eccellenza; scritta in lingua ebraica, essa consta di sei parti, dette «ordini» (in ebraico, *sedarim*), che trattano in modo non sistematico questioni di diritto agricolo, matrimoniale, civile e penale, la regolazione del calendario, e le norme relative ai sacrifici e alla purità rituale dei sacerdoti, raccogliendo una serie di tradizioni orali in proposito che risalirebbero sino all'epoca di Mosè. Nel periodo successivo, quello degli amorei (220-500 circa), intorno alla *Mishnah* si formarono due commenti, in lingua aramaica, che andarono a costituire i due *Talmudim*: il *Talmud babilonese*, composto dai rabbini della Mesopotamia, che è ancora oggi il testo normativo vincolante del giudaismo, e il *Talmud palestinese*, incompleto e di importanza minore. La redazione materiale dei *Talmudim* sarebbe però stata compiuta solo nel corso del periodo dei saborei (500-600 circa o forse più, a seconda delle fonti), forse in voluta contrapposizione alla contemporanea stesura, da parte dell'autorità politica imperiale romana, del *Corpus iuris civilis* giustinianeo, la summa del diritto romano. A fianco del *Talmud*, la letteratura ebraica dei secoli II-VI è poi costituita da una serie di testi di carattere ora giuridico, ora mistico e apocalittico, ora esegetico (i *midrashim*, interpretazioni simboliche di passi e racconti biblici).

Fin dall'inizio, la letteratura talmudica propone agli ebrei una cultura in aperto contrasto con i princìpi e le dottrine della cultura allora dominante nell'area del Mediterraneo orientale, dove le comunità ebraiche in buona parte risiedevano: la cultura greca. La contrapposizione ai greci si estrinseca essenzialmente a quattro livelli:

1. *a livello di educazione*: in alternativa alla *paidèia* greca, diffusa attraverso i ginnasi e le scuole di diritto, di retorica e di filosofia, agli ebrei viene proposto lo studio della Legge, da compiersi nelle scuole rabbiniche;
2. *a livello letterario*: la letteratura greca di intrattenimento, incarnata soprattutto dai poemi omerici, viene svalutata, perché considerata potenziale portavoce di credenze idolatriche e politeistiche incompatibili con il monoteismo esclusivo del giudaismo;
3. *a livello linguistico*: il greco, che pure era la lingua di cultura di tutto il Mediterraneo orientale, viene sostituito come lingua di espressione sia dall'ebraico, sia dall'aramaico;
4. *a livello di pensiero*: gli ebrei vengono spesso messi in guardia contro lo studio della filosofia greca, che avrebbe sottratto tempo prezioso a quello della Legge e che viene talora interdetto ai giovani. Non a caso, l'unico filosofo greco elogiato esplicitamente nel *Talmud* è probabilmente Enomao di Gadara, un cinico del secolo II d.C. autore di uno scritto contro gli oracoli (che rappresentavano uno dei capisaldi del politeismo greco antico), mentre Epicuro è identificato come l'ateo e miscredente per antonomasia. È vero che, prima del 70, il platonismo aveva avuto un adepto nel mondo ebraico nella persona di Filone Alessandrino, il quale, anticipando conclusioni che ritorneranno nella filosofia ebraica medievale con Abraham Ibn 'Ezra e Maimonide, aveva postulato la fondamentale concordanza dottrinale tra la filosofia e il significato allegorico (e non solo) dei testi biblici; ma l'esperienza di Filone, che scriveva in greco e che era portavoce di quell'ebraismo egiziano sotto tanti aspetti diverso da quello palestinese, rimase un caso isolato, a lungo dimenticato nel mondo ebraico, e valorizzato solo dalla patristica cristiana.

In realtà, a tutti questi livelli, il giudaismo classico rivela più o meno palesi indizi dell'influenza della civiltà greca:

1. *a livello di educazione*: le scuole rabbiniche (*yeshivot*) sembrano aver preso a modello alcuni metodi delle scuole greche di diritto e di filosofia diffuse nel Vicino Oriente, a cominciare dal sistema di inse-

gnamento in forma di domande e risposte (*she'elot u-teshuvot*), che è analogo al sistema di *aporìai kài lỳseis* in uso alla scuola di Alessandria;

2. *a livello letterario e di metodi di analisi testuale*: la critica biblica e l'ermeneutica giuridica dei rabbini del *Talmud* sembra aver deliberatamente ripreso alcuni aspetti della critica omerica da una parte, dell'ermeneutica del diritto romano dall'altra. Non a caso, la tradizione rabbinica parla della fissazione di un canone biblico (i 24 libri della Bibbia ebraica) parallelo al canone omerico fissato dai filologi alessandrini (24 libri per ognuno dei due poemi, *Iliade* e *Odissea*), mentre le regole esegetiche applicate nel *Talmud* (che circolano in diverse versioni, attribuite a rabbi Hillel, a rabbi Ishma'el e a rabbi Eli'ezer) rifletterebbero norme interpretative proprie dell'esegesi omerica e del diritto romano;

3. *a livello linguistico*: non pochi sono i grecismi presenti nell'ebraico mishnico e nell'aramaico del *Talmud*, anche nel caso di termini tecnici del diritto;

4. *a livello di pensiero* (cfr. Fischel 1973): già il modello, proposto dal *Talmud*, del rabbino come predicatore itinerante, capace di affrontare una pubblica discussione per propagandare il suo verbo, ed uso ad esprimersi mediante aforismi di carattere moraleggiante, ricalca apparentemente il modello del filosofo di scuola stoico-cinica assai diffuso nell'Oriente greco in epoca imperiale, riprendendone diversi tratti, la sentenziosità etica, le diatribe pubbliche (le «crie»). In effetti, anche il rifiuto deciso dell'epicureismo che appare qua e là nella letteratura rabbinica (dove detti e termini di marca epicurea sarebbero volutamente presentati in chiave negativa) potrebbe facilmente essere interpretato come il risultato della propaganda antiepicurea degli stoici. Infine, non pochi dei contenuti ideologici del giudaismo talmudico – dal rifiuto del politeismo idolatrico all'indifferenza nei confronti dell'autorità politica, dall'ascesi al suicidio etico – appaiono riecheggiare analoghe posizioni assunte dallo stoicismo di età imperiale: un generico monoteismo, il cosmopolitismo, ecc.

Per quanto surrettiziamente, dunque, non pochi aspetti della cultura greca penetrano nella letteratura del giudaismo classico, ponendo indirettamente le basi sulle quali si appoggerà la filosofia ebraica medievale, nel suo tentativo di dimostrare il proprio sostanziale collegamento alla tradizione giudaica più antica.

2. *Filosofia, religione, «qabbalah» nel giudaismo medievale*

Il giudaismo medievale, che del giudaismo classico è la naturale continuazione storica, presenta i caratteri non di una ortodossia – paragonabile al cristianesimo – bensì di una ortoprassi, di un codice di comportamento personale e sociale sostanzialmente disgiunto da una vera e propria sostanza teoretica (cfr. Zonta 1999). In effetti, al di là della comune adesione a questo codice e alle tradizioni che esso tramanda, nonché del sentimento di appartenenza ad una stessa nazione (quella ebraica, appunto), ad unire gli ebrei nel Medioevo non c'è un insieme di dogmi, né tantomeno una fede misterica paragonabile a quella cristiana. Le uniche tracce di una teologia ebraica si trovano, nella letteratura talmudica, sotto forma di *haggadah*, di racconto edificante carico di una o più valenze simboliche, e pressoché mai sotto forma di esposizione logica – con l'uso di una precisa terminologia filosofica – dei contenuti della credenza (com'è per esempio nel *Credo* cristiano). Infine, il giudaismo non presentava un'autorità riconosciuta che potesse imporre a tutti i suoi adepti una serie di definizioni dogmatiche o almeno di credenze comuni – specialmente dopo la chiusura del *Talmud* e la caduta definitiva, nel 425, di quel patriarcato che era stato, dopo il 70, il vertice civile e religioso degli ebrei della Palestina. Inevitabilmente, una religione così sguarnita dal punto di vista teoretico e organizzativo non poté che trovarsi in difficoltà quando dovette competere – come fu nel Vicino e Medio Oriente dopo il 634 – non solo con il cristianesimo, ma anche con l'agguerrita e nuova religione islamica, allora dotata di un'autorità centrale abbastanza solida (il califfato), la quale, benché anch'essa inizialmente sfornita di un sistema teologico e dogmatico, seppe presto crearsene uno (cfr. anche *infra*, pp. 12 sgg.).

La reazione del giudaismo medievale di fronte a questo stato di cose, che rischiava di metterlo in condizioni di inferiorità rispetto alle altre religioni monoteistiche dell'area mediterranea, fu tutto sommato lenta e non sistematica; e a portarla avanti furono, spesso, proprio i filosofi. In assenza di una teologia solidamente ancorata alla tradizione religiosa, infatti, nella cultura ebraica medievale il suo posto venne occupato, almeno a partire dal secolo XI, dalla filosofia, che aspirò a diventare – pur senza mai riuscire nel suo intento – il braccio teoretico di quella religione tutta schiacciata sul versante pratico. Furono perlopiù i filosofi, dunque, ad elaborare e a proporre alle diverse comunità ebraiche una serie di dogmi che potessero distinguere, anche teoreticamente, il giudaismo dal cristianesimo e dall'islam[2]. Nel giudaismo ortodosso, almeno quattro sono stati i più importanti tentativi di creare un sistema di teologia dogmatica:

[2] Sulle elaborazioni dogmatiche nel giudaismo medievale, cfr. in generale Kellner 1986; per un breve quadro generale di questi tentativi, cfr. anche Cassuto 1932.

1. Saadia Gaon (cfr. *infra*, pp. 25 sgg.), che nei primi decenni del secolo X elaborò una serie di dieci dogmi caratteristici del giudaismo, riscoperta solo di recente;

2. Mosè Maimonide (cfr. *infra*, pp. 129 sgg.), che nel suo *Commento alla Mishnah* propose, intorno al 1160-1170, una lista di tredici princìpi (*'iqqarim*) del giudaismo, destinata ad avere una certa fortuna soprattutto nel Vicino Oriente, ma mai adottata come normativa da tutte le comunità ebraiche;

3. Ḥasdai Crescas (cfr. *infra*, pp. 211 sgg.), che nel 1410 propose, in contrapposizione a Maimonide, otto dogmi per il giudaismo, rimasti apparentemente senza seguito;

4. Yosef Albo (cfr. *infra*, p. 209), che nel 1425 semplificò ulteriormente lo schema di Maimonide e Crescas postulando un sistema di soli tre dogmi base.

Nel complesso, alla pagina seguente, una sintesi sinottica dei dogmi proposti da questi autori.

Ma le elaborazioni dogmatiche di questi ed altri filosofi lasceranno sostanzialmente indifferente il giudaismo ufficiale che, alla fine del Medioevo, metterà senz'altro da parte la filosofia – troppo legata ad una tradizione culturale ritenuta straniera – preferendovi la *qabbalah*, la «tradizione» giudaica per antonomasia. Quest'ultima, in realtà, sorta alla fine del secolo XII tra Catalogna e Provenza sulla scorta di una preesistente tradizione mistica e gnostica già presente nel giudaismo classico e manifestatasi nella letteratura delle *Hekalot* e nel *Libro della formazione* (*Sefer yeṣirah*), è innanzitutto una teosofia, ossia una forma di conoscenza di verità superiori, avvolte in vesti esoteriche, la cui corretta comprensione è riservata a pochi eletti; e in essa confluiscono, seppure camuffati, diversi aspetti del neoplatonismo ebraico del primo Medioevo (il concetto di Dio come uno, dal quale promana una serie di enti spirituali, l'idea del ritorno dell'anima umana a Dio, il teopanismo, ecc.). Divenuta di fatto, dopo il 1500, l'ideologia ufficiosa del giudaismo, la *qabbalah* è dunque distinta dalla filosofia non tanto nei contenuti quanto nelle forme: si presenta infatti come la corretta interpretazione di verità già presenti nella tradizione ebraica più antica, e non come lo studio razionale di temi e dottrine di origine greca[3].

[3] Per un quadro dei contenuti della *qabbalah*, si rimanda il lettore italiano alla recente sintesi di Busi 1999; per i testi, cfr. l'antologia in lingua italiana offerta in Busi-Loewenthal 1995.

Saadia Gaon	Mosè Maimonide	Ḥasdai Crescas (cfr. Cassuto 1932)	Yosef Albo
	1. Dio esiste		1. Dio esiste
	2. Dio è unico	1. Dio è unico e incorporeo	
	3. Dio è incorporeo		
1. Dio è eterno	4. Dio è eterno		
	10. Dio è onnisciente	2. Dio è onnisciente	
2. Dio fa sussistere l'universo	3. Dio è provvidente		
3. Dio ha creato l'universo	4. Dio è onnipotente		
4. Dio è legislatore	8. La *Torah* proviene da Dio	8. La *Torah* proviene da Dio	2. La *Torah* proviene da Dio
	9. La *Torah* è immutabile		
		6. L'uomo dispone del libero arbitrio	
5. Dio va obbedito	5. Solo Dio dev'essere adorato		
6. Dio ha trasmesso ordini attraverso i profeti	6. La profezia è veridica	5. La profezia è veridica	
	7. La profezia di Mosè è superiore ad ogni altra		
7. Dio salverà Israele	12. Il messia verrà		
8. Dio difenderà Israele dai gentili			
9. Dio premierà eternamente i buoni nell'aldilà	11. Vi saranno premi e pene nell'aldilà		3. Vi saranno premi e pene nell'aldilà
10. Dio punirà duramente i malvagi nell'aldilà			
		7. Il fine dell'uomo è amare Dio e raggiungere la beatitudine eterna	
	13. I morti risorgeranno		

Capitolo secondo
Il «kalām» ebraico

1. *Contesto storico e caratteri generali*[1]

L'ambito culturale e politico del pensiero ebraico in Palestina e in Mesopotamia – ossia in quelle che furono, nell'alto Medioevo, le due aree più importanti e più feconde per il suo sviluppo – subì un fondamentale mutamento a partire dal 634, quando progressivamente, nel corso di una ventina d'anni, tutto il Vicino e Medio Oriente (dalla Persia all'Egitto) venne invaso e stabilmente occupato dai musulmani d'Arabia, che vi crearono un impero sotto l'alta sovranità di un califfo risiedente prima a Damasco (661-750), poi a Bagdad (dopo il 762), sostituendo così le due grandi potenze di questa zona (l'impero romano-bizantino e l'impero sassanide). Il passaggio dei centri culturali ebraici più rilevanti sotto il dominio islamico ebbe conseguenze di non poco peso per la storia, anche religiosa, del giudaismo: ebbe infatti inizio, in questo periodo, quella simbiosi tra cultura araba e cultura ebraica (cfr. Goitein 1980) che caratterizzò tutta la filosofia ebraica medievale, facendo sì che ogni fenomeno culturale verificatosi nel mondo islamico producesse analoghi fenomeni, non solo di imitazione ma anche di emulazione, nel mondo ebraico vicino-orientale e mediterraneo (cfr. Zonta 1997a).

Le autorità politiche arabe tolleravano la sopravvivenza, nelle aree da loro dominate, della religione giudaica, in virtù dello status degli ebrei, riconosciuto dallo stesso Corano, come popolo del libro, ossia come possessori di una rivelazione scritta precedente a quella di Mao-

[1] Per una presentazione storica generale del tema trattato in questo capitolo (con una più dettagliata bibliografia), cfr. Sirat 1990, pp. 35-84 e 541-49; Frank-Leaman 1997, pp. 93-114 (Steven M. Wasserstrom) e 115-48 (Ḥaggai Ben-Shammai); Nasr-Leaman 1996, vol. I, pp. 677-95 (Arthur Hyman), e in generale tutte le pp. 673-781 (dedicate al tema della tradizione filosofica ebraica nel mondo culturale islamico).

metto. Tuttavia, la propaganda religiosa islamica e le pressioni del potere politico contribuivano a provocare, nelle regioni occupate, una notevole massa di conversioni dalle religioni preesistenti all'islam – un fenomeno, questo, che coinvolse naturalmente anche il giudaismo, sconvolgendone le file e creando di contraccolpo, anche tra gli ebrei rimasti fedeli, nuove esigenze religiose.

A subire le critiche più violente fu, in questi frangenti, la vecchia struttura sclerotizzata del giudaismo rabbinico, concentrata ormai in massima parte sull'interpretazione di una tradizione giuridica tardiva (quella del *Talmud*) e sentita come priva di quell'afflato ideologico e salvifico offerto dall'islam; e queste critiche potrebbero essere state favorite dalla riscoperta di testi e dottrine di quella setta degli Esseni che, diversi secoli prima, si erano opposti al sacerdozio di Gerusalemme. Venne così creandosi, all'interno del giudaismo altomedievale, una frattura che fu alla radice di importanti fenomeni culturali: lo scisma dei caraiti.

Le origini del movimento caraita si perdono nell'oscurità: è vero che la tradizione vuole che lo scisma sia sorto nel 765 ad opera di 'Anan ben David, il quale avrebbe fondato la setta per sostenere la propria candidatura alla successione alla massima autorità del giudaismo babilonese, l'esilarca; tuttavia, il primo autore ebreo chiaramente connotato come caraita fu Binyamin al-Nahāwandī, vissuto intorno all'850: il che fa pensare che solo in questo periodo il caraismo abbia assunto la sua fisionomia definitiva, ossia quella di una sorta di «riforma protestante» interna al giudaismo. Al centro del caraismo sta infatti l'idea di una squalifica della tradizione talmudica, e di un ritorno alla sola *Torah* scritta. L'importanza attribuita alla Bibbia comportò, sia tra i caraiti sia per reazione tra gli stessi rabbaniti (così vennero chiamati gli ebrei che invece difendevano la tradizione rabbinica), un risorgere di studi sul testo biblico, che era stato quasi trascurato durante l'epoca talmudica: studi che sfociarono, proprio nel corso dei secoli IX-X, nella progressiva fissazione del cosiddetto «testo masoretico» (la redazione ufficiale dell'Antico Testamento ebraico), ma anche in una rinnovata attività esegetica della Bibbia stessa, sia come fonte giuridica sia come portatrice di un'interpretazione del mondo fisico e metafisico.

Un altro fenomeno che ebbe echi nel mondo ebraico dell'epoca fu quello della *zandaqa*. Esso si verificò in conseguenza della rapida acculturazione[2] cui furono sottoposti i seguaci delle religioni preislamiche (cristiani, ebrei, ma anche manichei, mazdei, ecc.): convertendosi

[2] Cfr. al riguardo Van Ess 1991-92, vol. I, pp. 423-26.

all'islam, una religione che non presentava ancora una solida struttura teoretico-dogmatica, essi portarono in quest'ultimo una serie di esigenze e di credenze proprie delle loro religioni d'origine, assumendo nei confronti della loro nuova religione una posizione a volte critica o comunque non ortodossa, con non poche punte polemiche nei confronti delle credenze ufficiali. La *zandaqa*, fenomeno tipicamente islamico, portò tuttavia ad alcune manifestazioni critiche anche nei confronti del giudaismo ufficiale: in questo senso va intesa l'opera di un pensatore ebreo, di lingua araba, del secolo IX, Ḥīwī (Ḥayyawayh) al-Balkhī, autore di duecento questioni sulla Bibbia, nelle quali, attraverso una serrata critica razionalistica e riutilizzando argomentazioni di origine cristiana, gnostica e mazdea, avanzava obiezioni su diversi punti della tradizione ebraica (l'onniscienza divina, la creazione del mondo, la precettistica).

Ma la nuova situazione politica e religiosa del Vicino e Medio Oriente ebbe anche altre conseguenze sul pensiero ebraico. La conversione in massa di tanti cristiani all'islam aveva spinto infatti i teologi della chiesa melchita (la confessione religiosa ufficiale prima dell'invasione araba) a reagire, scrivendo opere che avessero ad un tempo una funzione apologetica del cristianesimo nei confronti dell'islam, e una funzione di sistematizzazione razionale della complessa dogmatica cristiana. Si cercava, in una parola, di dimostrare la verità del cristianesimo mediante l'uso di una metodologia filosofica ispirata innanzitutto al pensiero aristotelico: opera nella quale si distinse, in particolare, il teologo greco Giovanni Damasceno (morto nel 749) con la sua monumentale *summa theologica*, il *De fide orthodoxa* (in greco, *Pegé gnòseos*), che venne presto tradotta anche in arabo. Quest'opera suscitò, come reazione, una fioritura di sistematizzazioni teologiche non solo nelle chiese cristiane non ortodosse del Vicino Oriente (monofisiti e nestoriani), che si esprimevano per lo più, all'epoca, in lingua siriaca, ma anche all'interno del mondo islamico e giudaico. Per questa ed altre cause concomitanti (non ultima, il bisogno del califfato abbaside di Bagdad di costruirsi una propria ideologia, solidamente edificata sulle basi proposte dalla filosofia greca, che gli arabi stavano cominciando a riscoprire: cfr. Gutas 1998), prese forma, tra i musulmani, la letteratura del *kalām*.

Con il termine *kalām* (in arabo, alla lettera, «discorso») si intende innanzitutto la produzione teologica islamica medievale, che assume le forme di un'apologia dei punti caratterizzanti della religione musulmana condotta per lo più mediante un metodo razionale, logico-dimostrativo, ossia sfruttando argomentazioni ispirate, indirettamente, al pensiero antico. Non si tratta, propriamente, di una forma di filosofia: infatti, i metodi filosofici impiegati dal *kalām* non sono finalizzati al puro raggiungimento della conoscenza di per sé, bensì sono strumenti per difendere postulati già dati per veri *a priori*, perché desunti dalla rivelazione; le parti di interesse propriamente filosofico dei testi dei teologi del *kalām* (in arabo detti *mutakallimūn*, letteralmente «parlanti») sono dunque relativamente circoscritte.

Nel mondo islamico, il *kalām* ebbe inizio intorno alla metà del secolo VIII: uno dei suoi primi esponenti, Wāṣil Ibn 'Aṭā', è anche considerato il fondatore della scuola teologica che ebbe più influenza sul pensiero teologico ebraico medievale, quella mutazilita. Il *kalām* mutazilita, che ebbe notevole successo nei primi secoli del Medioevo (dall'800 al 1000), salvo cedere poi il passo alla scuola asharita[3], è principalmente imperniato su cinque princìpi fondamentali, detti in arabo «radici» (*uṣūl*): la «scienza dell'unità (divina)» (in arabo, *'ilm al-tawḥīd*); la «scienza della giustizia (divina)» (in arabo, *'ilm al-'adl*); «la promessa e la minaccia» (in arabo, *al-wa'd wa-l-wa'īd*); «lo stato intermedio»; «ordinare il bene e vietare il male». I precetti religiosi sono divisi dai mutaziliti in razionali (arabo *'aqliyya*) e tradizionali (arabo *sam'iyya*): i primi sono spiegabili alla luce della ragione umana, i secondi vanno accettati per rivelazione.

Il *kalām* mutazilita è una teologia islamica sì, ma molto vicina a certe posizioni del deismo razionalista aristotelico, dove Dio è, in quanto causa prima e primo motore, vincolato dalle leggi di necessità che regolano l'universo. Dall'aristotelismo il *kalām* si distacca però per le sue posizioni nettamente atomistiche in fisica, riprese da fonti tanto greche quanto indiane (cfr. Pines 1936): secondo i mutaziliti, i corpi si compongono di una mescolanza di atomi di sostanza, che ne costituiscono l'essenza fondamentale, e di atomi di accidenti, che conferiscono loro diverse qualità (si hanno per esempio atomi di calore, di umidità, ecc.) differenziandoli.

Accanto e in reazione al *kalām* islamico, nella Mesopotamia del secolo IX si formò gradatamente anche un *kalām* ebraico. Esso era espresso in testi teologici ebraici, sia caraiti sia rabbaniti, quasi tutti in lingua araba, nei quali gli autori impiegavano liberamente dottrine e metodi impiegati dai loro colleghi islamici applicandoli però (con gli opportuni adattamenti) ad una difesa non dell'islam, ma del giudaismo. In generale, si può parlare, per questi scritti, di una sorta di mutazilismo ebraico: in effetti, le dottrine di questi autori corrispondono

[3] Per una presentazione dei caratteri costitutivi del *kalām* di scuola asharita, si legga Bausani 1987, pp. 15-36.

praticamente a quelle di questa scuola, al punto che alcune opere del *kalām* ebraico (in particolare, quelle di Yūsuf al-Baṣīr) potrebbero essere utilizzate oggi per ricostruire testi e dottrine dei mutaziliti andate perdute per via diretta. Solo su un punto appare, soprattutto nel *kalām* rabbanita, una divergenza fondamentale rispetto all'islam: il rifiuto dell'atomismo e la sua sostituzione con dottrine più conformi alla fisica aristotelica. Naturalmente, i teologi ebrei dovettero inserire nello schema dei cinque princìpi mutaziliti le dottrine, tipicamente ebraiche, della centralità del ruolo della Legge, della funzione privilegiata ed esclusiva attribuita, nella loro teologia, al popolo eletto, della redenzione finale di Israele ad opera del messia; essi dovettero così compiere un'operazione più complessa di quella svolta dai teologi islamici, i quali non si trovavano di fronte una religione già irrigidita in una complessa codificazione giuridica come il giudaismo. In questo senso, il compito dei *mutakallimūn* caraiti era certo più facile: e questo può essere uno dei motivi per cui, dopo i primi secoli, il *kalām* ebraico ebbe una continuazione solo all'interno del caraismo, finendo per venire identificato con quest'ultimo. Infine, caratteristica dei teologi giudeo-arabi è quella di aver spesso presentato le loro dottrine non in forma sistematica, sotto forma di trattati, bensì di averle divulgate introducendole nelle loro opere di esegesi biblica.

Lo sviluppo storico del *kalām* ebraico si identifica con la produzione teologica di una serie di autori, attivi nel Vicino Oriente a partire dall'800 circa. Il primo nell'ordine cronologico è Dāwūd al-Muqammiṣ, un personaggio vissuto nella prima metà del secolo IX e autore di diverse opere, purtroppo in massima parte perdute: egli però sembra testimoniare semmai un periodo embrionale del *kalām*, nel quale era ancora debole il riferimento alla scuola mutazilita (di cui egli pare non conoscere le dottrine più caratterizzanti), ed era invece forte il modello fornito dalla teologia cristiana siriaca, impregnata di aristotelismo. Circa mezzo secolo dopo al-Muqammiṣ si collocherebbe invece Daniel al-Qūmisī, un teologo caraita attivo verso il 900: di lui resta, in una traduzione ebraica medievale, un sermone originariamente redatto in arabo nel quale egli espone, con una terminologia e secondo uno schema ripreso dai mutaziliti, i princìpi fondamentali del giudaismo, cercando – con una tecnica tipicamente caraita – di dedurli direttamente dalla lettura della Bibbia. Egli riprende dunque dal *kalām* islamico i temi dell'unità e della giustizia di Dio, ma vi aggiunge il tema ebraico dell'esclusività della *Torah* e quello caraita della normatività della sola Legge scritta (il Pentateuco).

Sono ancora caraiti, peraltro, i rappresentanti più influenti e originali del *kalām* ebraico del secolo X (che ne fu l'età dell'oro): Abū Yūsuf Ya'qūb al-Qirqisānī e Yefet ben 'Elī. Al secondo si attribuiscono soprattutto traduzioni e commenti arabi alla Bibbia, nonché la composizione di un *Libro dei precetti* (opera, questa, abbastanza specifica dei caraiti che, non trovando i precetti nel *Talmud*, dovevano ricostruirseli da sé). Al primo, attivo nella prima metà del 900 in Mesopotamia, si devono invece due grandi opere esegetiche, che funzionano l'una da esposizione pratica del diritto caraita, l'altra da presentazione teoretica delle dottrine filosofiche della setta: si tratta, rispettivamente, del *Libro delle luci e delle torri di guardia* (*Kitāb al-anwār wa-l-marāqib*), un commento alle parti giuridiche del Pentateuco, edito nel 1943 da Leon Nemoy, e del *Libro dei giardini* (*Kitāb al-riyāḍ*)[4], un commento alle parti narrative dello stesso, ricco di elementi e di *excursus* scientifici e filosofici, che dimostrano fino a che punto il *kalām* ebraico avesse assorbito, direttamente o indirettamente, aspetti del pensiero greco, dall'atomismo alla psicologia aristotelica (che al-Qirqisānī mutua attraverso la lettura di al-Kindī e di scritti della tarda patristica). All'azione svolta da questi due autori rispose, nel campo rabbanita, Saadia Gaon (882-942), la cui opera teologica, come meglio vedremo, è profondamente influenzata tanto dalla lezione dei mutaziliti quanto da quella della filosofia greca: anch'egli, tuttavia, conosce quest'ultima attraverso compendi e rielaborazioni di epoca tardoantica, in traduzione araba, e non esita a introdurre negli schemi del *kalām* islamico elementi originali.

Dopo Saadia, il *kalām* procedette gradualmente verso una sempre maggiore fossilizzazione, ricalcando sempre più da vicino il percorso seguito dal mutazilismo e in particolare dalla più influente delle scuole mutazilite, quella di Bassora. In ambiente rabbanita, questo mutazilismo ebraico legò le sue sorti a quelle delle accademie rabbiniche di Mesopotamia, dove la teologia di Saadia trovò dei continuatori in alcuni dei suoi successori: prima, in Shemuel ben Ḥofni Gaon (morto nel 1013), autore di una *summa theologica*, il *Libro della guida* (*Kitāb al-hidāya*), della quale restano solo alcuni frammenti, ed elaboratore di un originale tentativo di applicare i criteri teologico-razionali del *kalām* anche allo studio del diritto ebraico; poi, nel genero di questi, Hay Gaon (morto nel 1038), che impiega i metodi del *kalām* per formulare le risposte (*teshuvot*) ai quesiti sui quali viene interpellato come giurista. Con l'estinguersi del prestigio di queste accademie, tutta-

[4] Il *Libro dei giardini* era rimasto quasi completamente sconosciuto sino a pochi anni fa, quando alcuni manoscritti, contenenti buona parte dell'opera, sono stati ritrovati nella biblioteca pubblica di San Pietroburgo. Il testo, ora inedito, è attualmente in corso di pubblicazione: cfr. Chiesa-Lockwood 1992.

via, anche l'uso del *kalām* decadde nel mondo rabbanita: è vero che i metodi dei *mutakallimūn* non furono immediatamente dimenticati, e – come vedremo – vennero ripresi, sia pure in modo non sistematico, anche in Occidente, da molti degli autori del neoplatonismo ebraico (Baḥya Ibn Paqūda, Mosheh Ibn 'Ezra, Yosef Ibn Ṣaddiq), ma è anche vero che, progressivamente, l'uso di questi metodi venne identificato con l'appartenenza alla setta caraita.

Proprio ad autori caraiti si devono infatti le ultime manifestazioni letterarie del *kalām* ebraico che presentano qualche interesse. Spicca tra di essi, innanzitutto, la figura di Yūsuf al-Baṣīr (1000-1050 circa), un contemporaneo più giovane di Shemuel ben Ḥofni, che potrebbe dirsi aderente alla scuola mutazilita di Bassora: nelle sue *summae* (la maggiore, dal titolo di *Libro onnicomprensivo*, *Kitab al-muḥtawī*, e la minore, dal titolo di *Libro della distinzione*, *Kitab al-tamyīz*), che sono state studiate da Georges Vajda (cfr. Vajda 1985), egli riprenderebbe molti dei contenuti degli scritti principali del capo di questa scuola, 'Abd al-Giabbār al-Hamadhānī (morto nel 1025); e una linea non diversa segue il suo allievo Yeshua' ben Yehudah (*alias* Abū l-Farağ Furqān). L'opera di al-Baṣīr venne peraltro tradotta dall'originale giudeo-arabo in ebraico dopo il 1100 dai caraiti di area bizantina, e contribuì a trasmettere a questi ultimi i metodi e le dottrine del *kalām*. Fu così che, nei secoli XII-XIV, autori caraiti come Yehudah ha-Dassi (morto nel 1148) e Aharon di Nicomedia (morto nel 1369) continuarono a redigere testi teologici di successo in lingua ebraica, che riprendevano, anche attraverso al-Baṣīr, le argomentazioni e la terminologia di una scuola, quella mutazilita, che era stata ormai soppiantata da alcuni secoli, nel mondo islamico, dall'ormai trionfante *kalām* asharita.

2. *Dāwūd al-Muqammiṣ*

Il più antico autore giudeo-arabo conosciuto che abbia trattato temi di carattere teologico è Dāwūd Ibn Marwān al-Raqqī, noto come al-Muqammiṣ («il sarto»). Secondo le testimonianze biografiche lasciateci su di lui da al-Qirqisānī, al-Muqammiṣ, originario della cittadina di Raqqa nel nord-est della Siria e vissuto tra l'825 e l'850 (cfr. Chiesa 1996), avrebbe da giovane compiuto i suoi studi a Nisibi, nella Mesopotamia settentrionale, sotto la guida del filosofo, teologo e medico cristiano monofisita Nonno (morto dopo l'862). Questi studi gli avrebbero consentito di conoscere bene, e di prima mano, la teologia cristiana di lingua siriaca; egli anzi, forse proprio per compiere i suoi studi, si sarebbe inizialmente convertito al cristianesimo, tornando solo più tardi al giudaismo.

L'opera di al-Muqammiṣ mostra due aspetti concomitanti: da una parte, l'eredità della filosofia antica, e in particolare della logica aristotelica, tema prediletto dagli autori cristiani di lingua siriaca dei secoli VI-VIII, i quali la consideravano una necessaria propedeutica allo studio della teologia cristiana (si pensi all'importante ruolo svolto, in quest'ultima, dal concetto filosofico di sostanza); dall'altra, l'influenza non tanto del *kalām* islamico (ch'era, ai suoi tempi, ancora ai primordi), quanto piuttosto della teologia patristica. Sarah Stroumsa, che ha pubblicato la maggiore opera superstite di al-Muqammiṣ, ha rilevato la sua profonda consonanza, sia nella struttura letteraria sia, almeno in parte, nei contenuti dottrinali, con le *summae theologicae* scritte dagli autori siriaci altomedievali, e in particolare con quello che era stato il loro modello: il *De fide orthodoxa*. In realtà, come vedremo dai passi dell'opera qui esaminati, tale consonanza potrebbe essere stata alquanto puntuale: si segnalano, in specie, le corrispondenze con il *De anima* di Giovanni di Dara, un teologo siriaco contemporaneo del nostro (cfr. *infra*, T1, p. 19).

Opere. Ad al-Muqammiṣ sono attribuiti numerosi testi ascrivibili a diversi generi:

– *esegesi biblica*: rientrano in questo genere il *Libro della creazione* (*Kitāb al-khalīqa*), di cui resta forse un solo frammento, e un perduto *Commento all'Ecclesiaste*;

– *polemica interreligiosa*: al-Muqammiṣ scrisse, tra l'altro, una *Confutazione dei cristiani per via dimostrativa* (*Radd 'alà al-Naṣārà min ṭarīq al-qiyās*), raccolta di cinquanta questioni di cui restano alcuni passi, e una *Confutazione dei seguaci del buddismo* (*Radd 'alà aṣḥāb al-Budūd*);

– *logica*: a questo tema sembra essere stato dedicato uno scritto dal titolo *'Arḍ al-maqālāt* (o forse, meglio, *al-maqūlāt*) *'alà al-manṭiq*, che può essere interpretato nel senso di *Il fine delle categorie secondo la logica*; di esso non ci è rimasto nulla – a meno che proprio da quest'opera non siano tratte le citazioni di argomento logico attribuite ad al-Muqammiṣ dalla tradizione ebraica[5];

– *teologia apologetica*: si possono ascrivere a questo genere due scritti di al-Muqammiṣ: il *Libro dell'unità (divina)* (*Kitāb al-tawḥīd*), del quale si ha solo un frammento iniziale, e che sembra essere stato dedicato a commentare i dieci comandamenti; e i *Venti trattati* (*'Ishrūn maqāla*), una vera e propria *summa theologica*.

[5] Cfr. ms. Oxford, Bodleian Library, Mich. 335 (Neubauer 1318), ff. 21-36, *passim*.

Il testo arabo dei *Venti trattati*, la più ampia opera di al-Muqammiṣ tuttora superstite, è stato pubblicato nel 1989 da Sarah Stroumsa. Dell'opera sono rimasti, nell'originale, solo i trattati 1-16 (l'ultimo dei quali è incompleto); alcuni frammenti sono conservati in un'anonima traduzione ebraica. I suoi contenuti sono i seguenti:

trattati 1-2: epistemologia;
trattati 3-7: cosmologia;
trattati 7-11: teologia;
trattati 12-16: antropologia ed escatologia;
trattati 17-20: confutazione delle altre religioni (perduti).

❑ T1. LE QUATTRO QUESTIONI EPISTEMOLOGICHE PRELIMINARI (dai *Venti trattati*, libro I, §§ 2-19)[6]

Al-Muqammiṣ propone qui, a mo' di premessa alla sua opera, l'esame dei quattro modi in cui si può conoscere una cosa, ossia: se essa è; che cosa è; quale è; perché è. L'esame è condotto rifacendosi in massima parte alla terminologia e ai concetti esposti da Aristotele nelle *Categorie* e dal suo commentatore, il neoplatonico Porfirio, nella sua *Isagoge* alla logica aristotelica, filtrati attraverso le interpretazioni della filosofia siriaca; in effetti, uno studio analogo si trovava sempre all'inizio delle numerose introduzioni alla filosofia scritte nel mondo siriaco nei secoli VI-VIII, e si rifà ad un uso tipico dei commentatori di Aristotele della scuola alessandrina (cfr. Hein 1985).

2. I modi nei quali si deve studiare le realtà delle cose sono quattro:

Il primo di essi è l'esistenza della cosa: se essa sia o non sia; e si cerca di conoscere solo ciò che è.

Il secondo è la quiddità[7] della cosa: che cosa sia nella sua natura e nella sua essenza, sostanza o accidente; e poi, che cosa derivi da questo.

Il terzo è la qualità[8] della cosa, o quale delle cose essa sia; e noi cerchiamo di conoscere questo per distinguere tra di essa e le altre cose.

[6] Cfr. Stroumsa 1989, pp. 45.7-57.14.

[7] Traduco così il termine arabo *māhiyya*, che è poi l'antecedente del termine scolastico latino *quidditas*, nome astratto derivato da *quid*, «che cosa».

[8] Il termine – che traduce l'arabo *kayfiyya* – è da intendersi come nome astratto derivato da *kayfa*, «come».

Il quarto è la quarità[9] della cosa: perché sia così, e perché esista così.

3. Ora, dopo [aver elencato] queste quattro cose, passiamo a studiare la definizione di ognuna di esse, e la caratteristica di [ogni] definizione che la distingue dalle altre tre cose; e questa è una specie dello studio e della trattazione di queste quattro cose.

4. Cerchiamo innanzitutto la definizione dell'esistenza; e diciamo che la definizione dell'esistenza [è]: la cosa che è all'opposto della cosa che non è. Se tu vuoi, tu puoi dire che essa è ciò alla quale la risposta affermativa risponde ciò che risponde affermativamente, sia esso vero o falso, e ciò alla quale la risposta negativa risponde ciò che risponde negativamente, sia esso vero o falso, secondo questo schema[10]:

5. Le definizioni dell'esistenza sono due:

L'una è: l'esistenza è la cosa che è all'opposto della cosa che non è, anzi, è [la cosa] che è.

La seconda è: l'esistenza è la cosa alla quale la risposta affermativa risponde ciò che risponde affermativamente, e alla quale la risposta negativa risponde ciò che risponde negativamente, sia esso vero o falso.

6. Cercheremo ora la definizione della quiddità; e diciamo che la definizione della quiddità è: ciò che, quando esiste, fa esistere l'essenza dell'oggetto definito, e che, quando non esiste, la fa venir meno. Se vuoi, puoi dire che la quiddità è la risposta alla domanda di chi chiede: che cos'è questo e quest'altro? Se vuoi, puoi dire che la quiddità è ciò che, nella definizione, distingue tra il genere e la specie, e tra le differenze e gli accidenti generali: infatti, le prime due cose – ossia, il genere e la specie – si predicano di ciò che [una cosa] è, mentre le seconde – ossia, le differenze e gli accidenti generali – si predicano di quale essa sia, secondo questo schema:

7. Le definizioni della quiddità sono tre:

L'una è: la quiddità è ciò che, quando esiste, fa esistere l'essenza dell'oggetto definito, e che, quando non esiste, la fa venir meno.

[9] Anche qui, il termine (in arabo, *lamiyya*) traduce alla lettera, con riferimento al latino scolastico *quaritas* (da *qua re*), il nome astratto derivato da *lam*, «perché».

[10] L'uso di schemi riassuntivi di un'argomentazione era spesso presente nei trattati logici e filosofici siriaci. Si confronti al proposito, per esempio, il *De anima* di Giovanni di Dara (secolo IX), tradotto in italiano in Furlani 1926-28.

❑ La seconda è: la quiddità è la risposta alla domanda di chi chiede: che cos'è questo e quest'altro?

La terza è: la quiddità è ciò che, nella definizione, distingue tra il genere e la specie, e tra le differenze e gli accidenti generali.

8. Cerchiamo la definizione della qualità. Diciamo che la definizione della qualità è la definizione che ne dà il sapiente[11] nelle *Categorie*, dove dice: «la proprietà della qualità è che di essa si predica il 'simile', ossia che questa cosa è simile a quella, o che non è simile». Se vuoi, puoi dire di essa ciò che ne dice Porfirio nell'*Isagoge*[12], e dici che essa è ciò che si predica di quale [una cosa è], non di che cosa [una cosa] è. Se vuoi, puoi dire che essa è ciò che distingue tra le cose che hanno un'identica quiddità; e le differenze degli individui sono le cose che li distinguono quando essi coincidono nella quiddità della loro specie, mentre le differenze delle specie sono le cose che le distinguono quando esse coincidono nella quiddità del loro genere. Se vuoi, puoi dire che essa è la risposta alla domanda di chi chiede: quale è questo e quest'altro? Come in questo schema:

9. Le definizioni della qualità sono quattro:

L'una è: la qualità è ciò di cui si dice «questo è simile a quello», oppure «non è simile ad esso».

La seconda è: la qualità è ciò di cui si dice che è predicato di quale è o di come è [una cosa], non di che cosa è [una cosa].

La terza è: la qualità è ciò che distingue tra le cose che hanno un'identica quiddità.

La quarta è: la qualità è la risposta alla domanda di chi chiede: quale è questo e quest'altro?

10. Cerchiamo ora la definizione della quarità; e diciamo che la definizione della quarità è: la domanda che richiede per risposta la causa della cosa causata. Se vuoi, puoi dire che la quarità è il discorso che studia ciò per cui la quiddità dell'esistenza e la sua qualità sono quel che sono. Se vuoi, puoi dire che la quarità è una questione circa la cosa creata, non circa la cosa eterna che non è mai cessata[13], perché di ogni cosa creata è possibile, anzi neces-

[11] Si tratta qui del «sapiente» per antonomasia, Aristotele, e il riferimento è a *Categorie*, 11a15-16.

[12] Cfr. Porfirio, *Isagoge*, 3.19-21 Busse.

[13] Ossia, di Dio. L'espressione «non è mai cessato» (in arabo, *lam yazal*) allude al fatto che Dio è eterno *a parte ante*, mentre l'espressione «non cesserà mai» (in arabo, *lā yazālu*) impiegata più oltre allude alla sua eternità *a parte post*.

sario chiedere e dire perché sia così, mentre non è possibile dire dell'Eterno perché non è mai cessato, e perché non cesserà mai, perché abbia creato e perché nessuno lo abbia creato, e perché non si altera. Infatti, l'essenza di Dio – sia Egli esaltato – non ha cause; le cause, le hanno solo le cose create, recenti, bisognose e misere, alle quali è connesso il bisogno e la bassezza. È come nel seguente schema:

11. Le definizioni della quarità sono tre:

L'una è: la quarità è la domanda che chiede la causa della cosa causata.

La seconda è: la quarità è il discorso che studia ciò per cui la quiddità dell'esistenza e la sua qualità sono quel che sono.

La terza è: la quarità è una questione circa la cosa creata, non circa la cosa eterna che non è mai cessata.

12. Ora, dopo aver definito queste quattro cose, passiamo a suddividere ognuna di esse. Diciamo che l'esistenza si divide in due tipi: ciò che esiste di per sé, senza bisogno di un'altra cosa, ed è la sostanza; e ciò che esiste in un'altra cosa, e che non sussiste di per sé, ed è l'accidente. La sostanza è o generale, o particolare; l'accidente è o generale, o particolare. La sostanza generale è, per esempio, l'uomo; la sostanza particolare è, per esempio, Mosè. L'accidente generale è, per esempio, la bianchezza; l'accidente particolare è, per esempio, la bianchezza di questa pietra, come in questo schema:

13. L'esistenza è di due tipi:

Ciò che esiste di per sé, senza bisogno di un'altra cosa, ed è la sostanza.
E questo è di due specie:
Generale, come l'uomo generale; particolare, come Mosè.

Ciò che esiste in un'altra cosa, e che non sussiste di per sé, ed è l'accidente.
E questa è di due specie:
L'accidente generale, come la bianchezza tutta; quello particolare, come la bianchezza di questa pietra.

14. Alcuni sapienti, in alcune delle loro opere nelle quali parlano di Dio[14], dividono l'esistenza in altri due tipi: l'una è eterna,

[14] L'autore allude qui, probabilmente, ai trattati teologici siriaci, nei quali si distinguevano anche terminologicamente le due accezioni di «esistenza»: l'esi-

non è mai cessata e mai cesserà, e non ha principio né fine, ossia Dio – sia Egli esaltato; l'altra è creata, [prima] non era e poi è venuta ad essere, ha principio e fine, ed è il Creato, come in questo schema:

15. L'esistenza è di due tipi:

L'una è eterna, non è mai cessata e mai cesserà, e non ha principio né fine, ossia Dio.	L'altra è creata, [prima] non era esistente e poi è venuta ad essere, ha principio e fine, ed è il Creato.

16. Un altro sapiente divise l'esistenza secondo questa divisione, e disse che l'esistenza è di due tipi: eterna e creata. Quella eterna non ha principio e permane sempre, senza avere fine, ed è Dio. Quella creata ha un principio ed ha una fine, ed è di due tipi: sostanza e accidente; e questo è di due tipi: generale e particolare, come in questo schema:

17. L'esistenza è di due tipi:

L'una è eterna, non ha principio e permane senza avere fine, ed è Dio.	L'altra è creata, ha un principio ed ha una fine.	
	Questa è di due tipi:	
	Sostanza	E accidente.
	Essa è di due tipi:	Esso è di due tipi:
	Generale e particolare.	Generale e particolare.

18. Alcuni sapienti fecero un'altra divisione ancora, e dissero che l'esistenza è di due tipi: o un nome, o una cosa chiamata con un nome. La cosa chiamata per nome è di due tipi: o una causa non causata, ed è Dio; o una cosa causata, che non è una causa. La cosa causata che non è una causa è di due tipi: o sussiste di per sé, ed è la sostanza; o sussiste in un'altra cosa, ossia l'accidente, che è di nove tipi. E questi nove tipi sono i seguenti: 1. La quantità; 2. La qualità; 3. La relazione; 4. Il quando; 5. Il dove; 6. La posizione; 7. Lo stato; 8. L'agente; 9. Il paziente. Insieme alla sostanza, sono dieci tipi, ed è il Creato, che è causato. La causa, che è Dio, non è un nome né nella sua totalità, né in parte; infatti il nome rientra in questi tipi [sopra elencati] nella categoria della qualità, perché è una parola e rientra nella categoria della qualità. È come in questo schema:

stenza eterna (detta in siriaco *ītūtā*) e l'esistenza generabile e corruttibile (detta in siriaco *hwāyā*). Cfr. al proposito Furlani 1923, p. 274, n. 1.

19. L'esistenza è di due tipi:

- Un nome
- O una cosa chiamata con un nome.
  La cosa chiamata con un nome è di due tipi:
  - O una causa non causata, ed è Dio, che è la causa delle cause
  - O una cosa causata, che non è una causa
    E questa è di due tipi:
    - O sussiste di per sé, ed è la sostanza
    - O sussiste in un'altra cosa, ed è l'accidente
      E questo è di nove tipi: quantità, qualità, relazione, quando, dove, posizione, stato, agente e paziente.

    La composizione di questi nove tipi con la sostanza è il mondo e l'individuo.

T2. LE QUATTRO VIRTÙ CARDINALI
(dai *Venti trattati*, libro XV, §§ 13-20)[15]

Si tratta di una succinta esposizione di etica, nella quale si fondono la dottrina platonica delle tre anime e delle quattro virtù ad esse connesse, e la dottrina aristotelica della virtù come «giusto mezzo» tra due vizi, secondo uno schema già presente nel platonismo di età imperiale: in effetti, la fonte è un'operetta dello pseudo-Platone, *Le virtù dell'anima*, della quale ci è rimasto il testo integrale solo in una versione araba medievale, e che venne più tardi utilizzata come fonte anche per un celebre scritto etico arabo, la *Correzione dei costumi* (*Tahdhīb al-akhlāq*) di Aḥmad Miskawayh (morto nel 1030): cfr. Daiber 1971-72.

13. Vogliamo ora tornare a trattare del comando e della proibizione, e diciamo che i sapienti dicono, a questo riguardo, cose meravigliose. Dicono i sapienti che l'uomo è composto da un'anima razionale raziocinante e da un corpo spesso e pesante; e assumono che la sua anima governa il suo corpo e che il suo corpo è sottomesso alla sua anima, e che l'anima ha tre facoltà: ragione, desiderio e ira. Con queste tre facoltà l'anima opera tutte le cose che opera, belle e brutte; queste facoltà sono dotate di quattro virtù: la sapienza, la temperanza, la fortezza e la giustizia. Si chiamano virtù perché sono approvate e lodate da tutti.

14. Queste tre facoltà hanno otto difetti; questi difetti, a gruppi di due, sono opposti a ciascuna di queste quattro virtù, e ognu-

[15] Stroumsa 1989, pp. 281.2-287.6.

Una di queste quattro virtù è opposta a due di questi difetti. I difetti della ragione, furbizia e stupidità, sono opposti alla sapienza, che è la virtù della ragione; i difetti del desiderio, impudenza e inappetenza[16], sono opposti alla temperanza, che è la virtù del desiderio; i difetti dell'ira, la follia e la timidezza, sono opposti al coraggio, ossia la fortezza nel prevenire il male e nell'operare in anticipo il bene, che è la virtù dell'ira.

15. Quando il desiderio e l'ira sono sottoposti alla ragione e la ragione li governa, vi è giustizia; ma se il desiderio e l'ira signoreggiano sulla ragione, questo è il risultato della prepotenza e della competizione, e prepotenza e competizione sono opposti e contrari alla giustizia, che è la quarta virtù dell'anima.

16. Diciamo che Dio ha posto a capo di queste tre facoltà l'anima razionale, e ha posto al di sotto di essa il desiderio e l'ira; e quando la ragione è equilibrata, e il desiderio e l'ira sono spinti ad essere equilibrati, l'anima ne consegue il possesso delle quattro virtù. Quando invece la ragione non è equilibrata, e il desiderio e l'ira sono spinti a non essere equilibrati, l'anima ne consegue il possesso dei vizi e la perdita delle virtù. Questo lo comprenda chi ama essere sottomesso al comando e alla proibizione [divina].

17. Riprendiamo dall'inizio, e diciamo che quando le facoltà dell'anima sono tutt'e tre equilibrate, l'uomo è privo di ogni difetto, perfetto nelle virtù e completo nelle buone qualità; quando però le tre [facoltà] non sono equilibrate, l'uomo ha vizi e virtù, e condivide le une e le altre. Però, questo suo condividere entrambe può verificarsi secondo tre modalità: o egli ha in sé tante virtù quanti vizi; o ha in sé più vizi che virtù; o ha in sé più virtù che vizi.

18. Quando egli ha in sé tante virtù quanti vizi, [può essere che] mentre ha in sé la sapienza abbia anche la furbizia e la stupidità, e la sua sapienza è disturbata dalla furbizia e dalla stupidità, mentre la stupidità e la furbizia sono disturbate dalla sua sapienza, ed egli raccoglie in sé i contrari. [Oppure] mentre è temperante, vi sono ciononostante in lui anche impudenza e inappetenza, ossia audacia e timidezza, e la sua temperanza è viziata dall'audacia e dalla timidezza, e la sua audacia e timidezza sono disturbate dalla temperanza, ed egli si trova in mezzo a cose incompatibili tra di loro. [Oppure] mentre ha in sé il coraggio di respingere il male, ha in sé, ciononostante, follia e timidezza, e il suo coraggio è viziato dalla follia e dalla timidezza, mentre la sua follia e timidezza sono disturbate dal suo coraggio, ed egli mescola in sé cose incoerenti. [Oppure] mentre ha in sé la giustizia, ha [in

[16] «Inappetenza» traduce qui, alla lettera, l'espressione araba *infisād al-ḥaraka*, «mancanza di movimento», che è poi una traduzione letterale del siriaco *lā mettzīʿanūtā*, «immobilità» nel senso di mancanza di desiderio, di appetito.

sé] ciononostante l'oppressione e la passività di fronte all'oppressione[17], oppure la prepotenza e la competizione, e la sua giustizia è viziata dall'oppressione, mentre la sua passività di fronte all'oppressione e la sua oppressione sono disturbate dalla sua giustizia, ed egli combina insieme cose contraddittorie.

19. Se in lui le virtù sono nella stessa misura dei suoi vizi, chi lo vede lo loda e lo biasima in egual misura; se le virtù sono in lui maggiori dei vizi, la lode è maggiore del biasimo; se i vizi sono maggiori delle virtù, il biasimo è maggiore della lode. Quando in lui vi sono solo virtù, egli è solo lodato; quando vi sono solo vizi, è solo biasimato.

20. Bisogna che diciamo da dove viene all'anima la tendenza ad arrivare ai vizi senza avere le virtù. Diciamo che la causa di questo sta nell'omettere di educare l'anima e di prendere in mano la sua razionalità, in quanto si lasciano andare le redini ed essa è sciolta dalle inibizioni; le sue facoltà si muovono liberamente e non sono trattenute dal diventare squilibrate, né sono spinte sulla via dell'equilibrio. È possibile che la ragione soltanto si trovi in equilibrio, e che la sapienza si rafforzi, ma non riesca a prendere le redini del desiderio e a ricondurlo all'equilibrio; allora, nonostante la sapienza, il desiderio si volge all'impudenza e all'audacia. È possibile che il desiderio soltanto si trovi in equilibrio, e acquisti temperanza e pudore, ma non riesca a modellare l'ira; allora, nonostante la temperanza e il pudore, l'ira si volge alla follia, all'imprudenza e alla timidezza. Secondo questo stesso schema procedono le combinazioni fondamentali, ossia [quella tra] una ragione equilibrata con i vizi del desiderio e dell'ira, [quella tra] un desiderio equilibrato con i vizi della ragione e dell'ira, e [quella tra] un'ira equilibrata e i difetti della ragione e del desiderio.

3. *Saadia Gaon*

Sa'adyah ben Yosef al-Fayyūmī, noto come Saadia Gaon, è senz'altro il più celebre e uno dei più influenti tra gli autori del *kalām* ebraico[18]. La sua opera appare spesso come il prodotto della reazione rabbanita

[17] Il testo manoscritto ha qui la lezione *yutaẓālimu*, chiaramente erronea; Stroumsa suggerisce di correggerla in *taẓālim*, «ingiustizia», ma io preferisco correggerla in *inẓilām*, letteralmente «il subire ingiustizia, oppressione», ch'è il termine che si legge nel corrispondente passo di Miskawayh e che si adatta meglio al contesto (si tratta, infatti, del difetto opposto all'«oppressione», intesa come spinta a fare ingiustizia). La stessa correzione va estesa, naturalmente, alle successive occorrenze del termine.

[18] Per una sintesi recente su questo autore, cfr. Nasr-Leaman 1996, vol. I, pp. 696-711 (Lenn E. Goodman). Sull'opera di Saadia, si veda ancora Malter 1921.

all'opera dei contemporanei teologi caraiti, al-Qirqisānī e Yefet ben 'Elī. In effetti, le somiglianze nei contenuti tra gli scritti esegetici del primo e quelli del secondo sono sorprendenti, al punto che non è tuttora del tutto chiaro se i due autori abbiano attinto alle stesse fonti, o siano addirittura interdipendenti; inoltre, l'opera di Saadia come traduttore della Bibbia in arabo sembra il risultato di una competizione con l'analoga opera del caraita Yefet. Dal punto di vista filosofico, comunque, se è indubbio che Saadia aveva una conoscenza dei metodi e delle dottrine del *kalām* islamico mutazilita (come potrebbe apparire, per esempio, dalla struttura stessa della sua opera più importante, il *Libro delle credenze e delle convinzioni*), è del pari chiaro che egli non conosceva direttamente i testi e le dottrine del pensiero antico: le sue informazioni al proposito erano mediate attraverso la lettura di scritti dossografici tardoantichi e patristici in traduzione araba (quali i *Placita Philosophorum* dello pseudo-Plutarco o il *De natura hominis* di Nemesio di Emesa).

Nato nell'882 in Egitto (la sua famiglia era originaria della regione di al-Fayyūm, a sud-ovest del Cairo), Saadia abbandonò il suo paese d'origine nel 915, recandosi da lì in Palestina, in Siria e in Iraq. Le sue capacità non solo come astronomo, ma anche come giurista, conoscitore della lingua ebraica ed esegeta, gli fruttarono nel 928 la nomina a *ga'ōn*, ossia «capo», dell'accademia ebraica di Sura in Mesopotamia – carica che tuttavia egli dovette difendere contro i numerosi attacchi ricevuti dai colleghi e dalle autorità ebraiche locali. Deposto e successivamente reintegrato nel titolo, Saadia morì nel 942.

Opere. Saadia fu un poligrafo instancabile, sicché la sua produzione letteraria, non sempre facilmente collocabile cronologicamente, spazia tra i seguenti campi:

– *filologia e linguistica ebraica*: a questo genere si ascrive il più antico dizionario di ebraico tuttora superstite, il *Libro del lessico* (*Sefer Agron*), composto da Saadia intorno al 900 e inteso come uno strumento per lo studio del testo biblico;

– *esegesi biblica*: Saadia realizzò una traduzione araba quasi completa della Bibbia, che includeva glosse intercalate nel testo, sotto il nome di *tafsīr*. Oltre alla sua traduzione commentata di *Giobbe*, pubblicata l'ultima volta da Yosef Qāfiḥ nel 1973, sono state edite le traduzioni e i commenti di Saadia a *Genesi* (da Mosheh Zucker nel 1984; l'opera venne composta prima del 931)[19], *Salmi*, *Daniele*, ai cosiddet-

[19] Per una traduzione italiana di alcuni passi dell'opera, cfr. Chiesa 1989, pp. 82-87, 111-12, 121-33, 137-53, 157-74.

ti *Cinque rotoli* (*Cantico dei cantici*, *Rut*, *Ecclesiaste*, *Ester*, *Lamentazioni*), a *Proverbi* (tutti editi o riediti da Qāfiḥ tra il 1960 e il 1981) e a *Isaia* (pubblicato da Yiṣḥaq Raṣhavi nel 1993). Infine, di Saadia Ḥaggai Ben-Shammai ha recentemente edito un frammento superstite di un *Commento ai dieci cantici*, esegesi di passi poetici della Bibbia, che contiene il più antico tentativo di sistematizzazione conosciuto della dogmatica ebraica (cfr. *supra*, pp. 8 sg.; Ben-Shammai 1996);

– *letteratura religiosa*: Saadia, oltre a redigere un'opera sul calendario religioso ebraico e una perduta cronologia della storia ebraica, dal periodo biblico a quello talmudico, avrebbe scritto studi sull'ermeneutica giuridica (in particolare, sulle tredici regole di rabbi Ishma'el), opere di codificazione del diritto religioso, nonché un commento al *Talmud*; ma di questa opera giuridica ci restano solo alcuni responsi dati su richiesta, nella sua qualità di capo di un'accademia rabbinica. Ha invece avuto notevole diffusione un suo libro di preghiere, il *Siddur di Saadia Gaon*;

– *teologia*: a questo genere si possono ascrivere due scritti di Saadia. Il primo è il *Commento al «Libro della formazione»* (in arabo, *Tafsīr Kitāb al-mabādī*), uno scritto esegetico sull'opera che è una delle più celebri fonti della mistica ebraica, redatto nel 931 (l'ultima edizione è stata pubblicata da Qāfiḥ nel 1972). Il secondo è il *Libro delle credenze e delle convinzioni* (*Kitāb al-āmānāt wa-l-i'tiqādāt*), datato del 933 (l'ultima edizione, a cura di Qāfiḥ, è del 1970), che rappresenta una sintesi della teologia ebraica rabbanita che sembra parzialmente riecheggiare lo schema dei trattati islamici di *kalām*. L'opera, che venne diffusa nel Medioevo soprattutto grazie alla traduzione ebraica composta da Yehudah Ibn Tibbon nel 1186, è così suddivisa:

a. un'introduzione epistemologica, dedicata alle fonti della conoscenza (cfr. i passi tradotti in Sirat 1990, p. 45);

b. una sezione corrispondente grosso modo al primo princìpio della teologia mutazilita, ossia i libri I (la creazione del mondo) e II (l'unità e gli attributi di Dio);

c. una serie di libri il cui tema è paragonabile al secondo principio mutazilita: si tratta dei libri IV (obbedienza e disobbedienza a Dio), V (azioni buone e azioni cattive), IX (premi e pene subite dalle anime nell'aldilà);

d. alcuni libri che trattano tematiche tipicamente ebraiche – come il libro III, intitolato «ordini e proibizioni» e dedicato alla *Torah*, o il libro VII, sulla resurrezione, o il libro VIII, sulla salvezza e la redenzione di Israele – o comunque presenti nella trattatistica teologica siriaca – come il libro VI, dedicato a spiegare la natura dell'anima e il suo destino dopo la morte. Infine, il libro X, dedicato a ciò che è bene all'uomo fare in questo mondo (tema che potrebbe essere posto in corrispondenza al quinto princìpio mutazilita) dà alcuni precetti etici ispirati alla dottrina del giusto mezzo.

❑ T3. LE DIVERSE IPOTESI SULLA FORMAZIONE DEL MONDO (dal *Libro delle credenze e delle convinzioni*, libro I, §§ 1, 3)[20]

Qui, come nel passo seguente (cfr. *infra*, T4, p. 34), Saadia arriva alla dimostrazione della sua tesi (che, nella fattispecie, è quella della creazione del mondo *ex nihilo*) mediante l'elencazione e la progressiva confutazione di tutte le altre tesi proposte per risolvere la questione. L'interesse del passo è dato dal fatto che, così facendo, Saadia passa in rassegna molte delle dottrine cosmologiche elaborate dal pensiero antico, dimostrando così una conoscenza almeno indiretta di diversi aspetti della filosofia greca anche non aristotelica.

Giacché questa premessa è stata già spiegata[21], io dico che Nostro Signore – sia Egli esaltato – ci ha fatto conoscere che tutte le cose sono create, e che Egli le ha create dal nulla, come dice la Scrittura: «In principio Dio creò ecc.» (Gn 1,1), e anche: «Io sono il Signore che ha fatto ogni cosa; che ha disteso da solo i cieli; che ha dato il suo stampo alla terra da sé» (Is 44,24). Questo ci risulta vero dai segni e dalle prove (miracolose), e lo abbiamo accettato.

Poi, io ho studiato se questo concetto risulti vero alla luce della speculazione, così come risulta vero alla luce della profezia, e ho trovato che lo è in molti modi. Da tutti questi modi ho ricavato, in forma sintetica, quattro prove.

La prima di esse è tratta dalle fini. Infatti, giacché risulta vero che i cieli e la terra sono finiti, in quanto che la terra sta nel mezzo e il cielo le gira intorno, bisogna che la loro forza sia finita, giacché non è possibile che una forza infinita si trovi in un corpo finito: ciò che si conosce respinge questa [ipotesi]. Poiché dunque la forza che li conserva è finita, bisogna che essi abbiano un principio e una fine. [...]

La seconda prova è ricavata dall'unione delle parti e dalla composizione delle divisioni. Infatti, ho visto che i corpi consistono di parti combinate e articolazioni composte, ed è chiaro che in essi vi sono i segni dell'opera del Creatore, e della creazione. [...]

[20] Cfr. Qāfiḥ 1970, pp. 35.13-30; 37.9-12, 38.1-6; 38.27-40.8; 44.5-45.11; 49.3-8; 51.11-15; 51.26-52.19; 58.6-15; 60.11-14; 61.15-25; 64.3-14; 65.25-34; 68.8-25; 69.28-70.1; 71.4-16; 72.10-19.

[21] Saadia si riferisce qui all'introduzione al libro I, dove ha chiarito alcune premesse metodologiche sulla questione qui affrontata.

La terza prova è ricavata dagli accidenti. Infatti, io ho trovato che nessuno dei corpi è privo di accidenti, sia intrinseci sia estrinseci. Per esempio, gli animali e le piante crescono e aumentano sino a raggiungere la perfezione, poi si indeboliscono e le loro parti si decompongono. [...]

La quarta prova è tratta dal tempo. Infatti, io ho conosciuto che i tempi sono tre: passato, presente e futuro. Giacché il presente è più piccolo di qualunque attimo, ho posto che l'«ora» sia come un punto, e ho detto: «Se l'uomo con il pensiero cercasse di elevarsi nel tempo da questo punto in avanti, questo non gli sarebbe possibile, perché il tempo è infinito, e il pensiero non può avanzare in ciò che è infinito e attraversarlo». Questo stesso motivo impedirebbe all'essere di avanzare verso il basso e attraversarlo, sino a raggiungerci; e se l'essere non riuscisse a raggiungerci, noi non ci saremmo, e questo ragionamento renderebbe necessario che noi, che siamo l'insieme di coloro che sono, non ci fossimo, e che le cose che esistono non esistessero. Ma, giacché io ho trovato di esistere, io so che l'essere ha attraversato il tempo arrivando sino a me; se il tempo non fosse finito l'essere non l'avrebbe attraversato. Circa il tempo futuro, io ho la stessa convinzione che ho circa il tempo passato, senza esitazione; e ho trovato che la Scrittura si esprime in termini analoghi circa il tempo remoto: «Ogni uomo lo vede, un uomo contempla da lontano» (Gb 36,25), e disse il santo: «Prenderò la mia conoscenza da lontano, e darò giustizia al mio creatore» (Gb 36,3).

Sono venuto a sapere che alcuni miscredenti, incontrando un altro monoteista, contestarono questa prova dicendo: «È possibile che l'uomo attraversi a piedi ciò che ha un numero infinito di parti?». Infatti, ogni miglio o cubito che l'uomo attraversa, se ci facciamo attenzione, è diviso in un infinito numero di parti[22]. Alcuni studiosi, allora, fanno ricorso al discorso sull'atomo, altri alla [teoria del] salto[23], altri ancora alla coincidenza delle molte parti [di spazio] con le molte parti [di tempo][24]. Io ho studiato questa contestazione, e ho trovato che è una distorsione [della realtà]: infatti la cosa si divide all'infinito solo nel nostro pensiero, ma non si divide all'infinito nei fatti, perché è troppo sottile perché ciò av-

[22] Si tratta, forse, di un riferimento al celebre argomento di Zenone di Elea contro il movimento (il paradosso di Achille e della tartaruga).

[23] La teoria, cioè, secondo la quale il movimento consiste di una serie discontinua di salti da un punto ad un altro, per aggirare l'ostacolo rappresentato dall'infinito numero di tali punti.

[24] Vale a dire, l'argomento secondo il quale il movimento è comunque possibile perché alle infinite parti dello spazio da attraversare (i punti) corrispondono infinite parti di tempo disponibile (gli attimi).

venga nei fatti o nella divisione. Se il tempo passato fosse attraversato dall'essere solo nel pensiero, non nei fatti, allora, certo, questa prova potrebbe essere in dubbio; ma se l'essere attraversa il tempo nei fatti, sino a raggiungerci, tale argomentazione non contesta la nostra prova, perché riguarda solo il pensiero.

Oltre a queste quattro, io dispongo di altre prove, alcune delle quali ho dimostrato nel *Commento alla Genesi*, altre nelle *Vie della creazione*[25], e nel *Libro di polemica contro Ḥīwī al-Balkhī*, a parte altri dettagli che si trovano nelle mie altre opere. Ciononostante, gli argomenti con cui io, in questo libro, contesto chi si oppone a questa dottrina sono tutti materia integrante di questa dottrina, che la confermano e la rafforzano. [...]

Ho già raggiunto la verifica di questi tre princìpi mediante il metodo speculativo, così come risultano dal racconto dei profeti e mediante la prova, ossia: che le cose sono create; che sono create da qualcosa di esterno ad esse; che sono create dal nulla. Questa è la prima dottrina di questo libro, che è lo studio dei principi [del mondo]. Bisogna che io vi apponga dodici dottrine di coloro che sono contrari a noi su questa credenza: in tutto, dunque, [le dottrine] sono tredici. Io commenterò gli argomenti allegati da ogni gruppo e ciò che li invalida, e se vi è in essi un'analogia con la Scrittura, la metterò in luce, con l'aiuto di Dio.

Dico che la seconda dottrina[26] è quella di chi afferma che vi è un creatore dei corpi, e insieme a lui vi sono cose spirituali eterne *a parte ante*, e che a partire da esse vengono creati questi corpi composti. Essi adducono a prova di ciò il fatto che una cosa non nasce se non da un'altra cosa. E giacché si sollevano con le loro menti e prendono a immaginare nel loro animo come il Creatore abbia creato le cose composte a partire da quelle spirituali, dicono: «Noi immaginiamo che egli abbia raccolto da esse dei piccoli punti», ossia gli atomi[27], che essi si figurano come i più sottili granelli di polvere, «e abbia realizzato con essi una linea retta; poi, abbia tagliato quella linea in due metà; poi abbia combinato una di esse con l'altra incrociandole fino ad ottenere una cosa a forma della lettera greca *chi*[28], che è come quella della lettera araba *lam-alif* senza la base; poi, le abbia annodate nel punto di incontro; poi, le abbia tagliate nel punto del nodo e abbia fatto con

[25] Con questo nome Saadia allude, probabilmente, al suo *Commento al «Libro della formazione»*.

[26] Si tratta, con ogni evidenza, di una dottrina di origine platonica.

[27] Alla lettera, «le parti che non si dividono».

[28] In realtà, il testo arabo non parla qui della lettera greca *chi* (X), come risulta dal contesto, ma, probabilmente per un errore di Saadia, della lettera *sin* (ossia, *sigma*).

una parte di esse la grande sfera superiore, e con l'altra le sfere minori; poi, abbia plasmato con queste parti spirituali una figura conica, e abbia creato da essa la sfera del fuoco; poi, abbia plasmato da essa una figura ottaedrica e abbia creato da essa la sfera della terra; poi, abbia plasmato da essa una figura dodecaedrica e abbia posto su di essa la sfera dell'aria; poi, abbia plasmato da essa una figura icosaedrica e abbia creato da essa l'insieme dell'acqua». Essi affermano e sono convinti fermamente di questo, e ciò che li spinge a fare questo discorso è che non riconoscono ciò che è contrario all'evidenza: essi forzano queste figure ad assomigliare alle figure delle cose esistenti in natura. [...]

La terza dottrina è la dottrina di chi dice che il creatore dei corpi li ha creati a partire da sé stesso. Ho trovato che questa gente non è pronta a respingere [l'esistenza] del creatore, ma, ciononostante, i loro intelletti non ammettono, a quanto essi pretendono, che una cosa non nasca da un'altra cosa, e, giacché non vi è nulla al di fuori del Creatore, essi sono convinti che Egli abbia creato le cose a partire da sé stesso. [...]

La quarta dottrina è la dottrina di chi unisce insieme queste due prime argomentazioni, e pretende che il Creatore abbia creato gli enti a partire sia da sé stesso, sia da alcune cose a lui coeterne: egli infatti attribuisce [la creazione] degli spiriti al Creatore, e [la creazione] dei corpi alle cose coeterne. [...]

La quinta dottrina[29] è la dottrina di chi dice che ci sono due creatori eterni. Costoro – Dio ti guidi – sono più ignoranti di tutti coloro le cui dottrine abbiamo esposto prima. Infatti, essi negano che da uno stesso agente possano provenire due azioni, e pretendono di non vedere nulla del genere; essi concordano su questo loro punto, e dicono: «Ecco, noi vediamo che tutte le cose hanno in sé del bene e del male, qualcosa di dannoso e qualcosa di benefico. Ora, bisogna che il bene che vi è in esse venga da una radice totalmente buona, mentre il male che è in esse venga da una radice totalmente cattiva». Questo li spinge a dire che la fonte del bene è infinita in cinque direzioni, ossia l'alto, l'est, l'ovest, il sud e il nord, ed è finita verso il basso dove è a contatto con la fonte del male. Parimenti, la fonte del male è infinita in cinque direzioni, ossia il basso, l'est, l'ovest, il sud e il nord, ma è finita verso l'alto dove è a contatto con la fonte del bene. Pretendono inoltre che queste due radici siano distinte dall'eternità, e poi si siano mescolate, e che questi corpi siano stati creati dalla loro mescolanza. Essi si sono differenziati circa la ragione di questa mescolanza: alcuni pretendono che il bene sia la causa, perché attenua i limiti con il male ad esso contiguo, altri pretendono che il

[29] Si tratta evidentemente di una dottrina di origine manichea.

male sia [la causa], a ragione del suo desiderio di godere di ciò che di piacevole vi è nel bene. Essi sono d'accordo sul fatto che questa mescolanza ha una durata: quando essa cessa, il bene trionfa e il male viene schiacciato e cessa la sua azione. [...]

La sesta dottrina[30] è la dottrina di chi parla delle quattro nature. Costoro pretendono che tutti i corpi siano composti di quattro nature: il caldo, il freddo, l'umido, il secco; e che queste quattro [nature] siano ognuna separata fin dall'inizio, poi si mescolino e da esse nascano i corpi. Adducono a prova di questo il fatto che essi vedono che i corpi ricevono dall'esterno il caldo e il freddo dell'aria, e giacché una cosa non riceve altro che ciò che le è simile, bisogna che queste quattro nature si trovino già all'interno dei corpi. [...]

La settima dottrina è la dottrina di chi parla delle quattro nature e della materia. Essi sono più ignoranti di tutti coloro di cui abbiamo parlato prima, perché essi affermano che il creato è creatore, e che le cose non sono né sostanza né accidente. [...]

L'ottava dottrina[31] è la dottrina di chi dice che il cielo è l'agente dei corpi. Essi pongono [il cielo] eterno, ed esso non sarebbe costituito di queste quattro nature, ma di un'altra, quinta cosa; e quando si obietta loro [portando l'argomento] del calore del sole[32], essi pretendono che il corpo del sole non è caldo, ma è l'aria che si riscalda per effetto del suo girare, e il suo calore arriva sino a noi. Costoro adducono a prova del fatto che il cielo è una quinta natura il fatto che si vede che il suo movimento è circolare, diversamente dal movimento del fuoco e dell'aria, che procedono verso l'alto, e diversamente dal movimento dell'acqua e della terra, che procedono verso il basso. [...]

La nona dottrina[33] è quella della casualità. Questa gente pretende che il loro intelletto mostri loro che i cieli e la terra procedano secondo casualità, senza l'intenzione di qualcuno e senza l'azione di un agente, sia volontario sia inanimato. E giacché si chiede loro come possano pensare questo, essi dicono che alcuni corpi, non si sa quali, si riuniscono in questo luogo[34], vi si affol-

[30] Saadia si riferisce qui probabilmente a dottrine che la tradizione ebraica medievale ascriveva ad Ippocrate.

[31] Si tratta della dottrina di Aristotele, nei termini in cui era conosciuta nella filosofia araba medievale.

[32] Ossia, l'argomento che anche il sole appare costituito dal caldo, una delle quattro nature sopraelencate.

[33] Si tratta, in sostanza, della dottrina di Epicuro e della sua scuola, cui la tradizione araba medievale associa sempre il concetto di casualità (in arabo, *ittifāq*).

[34] Ossia, quello occupato ora dal mondo.

lano e vi si comprimono. Ciò che di essi è più sottile, fine e raro [procede] verso l'alto e va a formare il cielo e gli astri; ciò che è pesante precipita in basso, l'umidità galleggia sopra di esso, e la parte rarefatta sta in mezzo tra di esse e le circonda, le equilibra e dà loro sostegno: si tratta dell'aria. [...]

La decima dottrina[35] è la dottrina nota come l'«eternità». Si tratta di una dottrina poliedrica: a volte è associata a quella della materia, a volte a quella delle quattro nature, a volte sta a sé. I suoi seguaci dicono che tutte le cose sono eterne *a parte ante*, perché le cose che noi vediamo – cieli, terra, piante, animali, e il resto degli accidenti – non hanno né inizio né fine; e rafforzano questa loro argomentazione dicendo che essi non ritengono vero se non ciò che cade sotto i loro sensi, e i loro sensi non percepiscono per questi corpi né un inizio né una fine. [...]

L'undicesima dottrina[36] è la dottrina dei seguaci della «resistenza»[37]. Costoro pongono gli enti eterni e creati ad un tempo, perché secondo loro la verità delle cose è solo a seconda delle convinzioni [di ognuno]. Essi sono più ignoranti di tutti quelli di cui abbiamo parlato prima. La prima cosa da spiegare a proposito della loro ignoranza è che le cose non sono in funzione delle convinzioni, ma sono le convinzioni ad essere in funzione delle cose, così da poter capire le cose nella loro realtà. Questi ignoranti, invece, rovesciano la questione e dicono che è la cosa a seguire la convinzione. Già abbiamo spiegato questa questione in modo sintetico nell'introduzione a quest'opera; resta però un ultimo discorso da fare al riguardo, ed io lo farò qui, ossia: se costoro pretendono che le cose non abbiano una realtà veritiera, secondo loro, quando due persone sono in disaccordo su una cosa ed hanno differenti convinzioni, l'uno credendo che la verità sia una e l'altro che sia un'altra, bisogna immaginare che questa cosa abbia due verità insieme. [...]

La dodicesima dottrina[38] è la dottrina dell'«astensione»[39]. Questa gente pretende che la verità sta, per l'uomo, nell'astenersi e nel non convincersi di nulla, perché essi dicono che nella spe-

[35] Si tratta di una dottrina di carattere materialistico, assimilabile ad una di quelle attribuite dalla tradizione teologica araba medievale alla cosiddetta *dahriyya*, alla lettera «eternalismo».

[36] Questa dottrina appare una versione estremamente semplificata e scolastica di quella attribuita dalle fonti antiche ai sofisti.

[37] Arabo *'inād*, un termine che sembra adattarsi agli scettici: ma cfr. la nota precedente.

[38] Questa dottrina sembra rispondere alla dottrina dello scetticismo antico.

[39] La parola «astensione» (in arabo, *wuqūf*) sembra una resa del greco *epoché*, caratteristico della dottrina scettica.

culazione le oscurità sono molte, e noi lo vediamo come un lampo di luce che non può essere né colto né raggiunto, ed è quindi necessario che noi ci asteniamo da ogni convinzione. Essi sono più ignoranti dei seguaci della «resistenza», perché i primi uniscono alle verità esistenti delle falsità, mentre questi si astengono dalla verità e dalla falsità insieme. [...]

La tredicesima dottrina[40] è la dottrina di coloro che affettano l'ignoranza più totale. Sono persone che, mentre rifiutano [di studiare] le scienze, rifiutano anche i dati dei sensi, e dicono che nessuna cosa assolutamente ha una verità, sia essa concepita mediante lo studio della scienza o conosciuta mediante i sensi. Essi sono più ignoranti di tutti quelli che abbiamo menzionato prima, perché, se si dice loro se è possibile che una cosa sia eterna e increata, o creata e non eterna, o creata ed eterna insieme, o né creata né eterna, dicono di sì. Parimenti, se si dice ad uno di essi se è possibile che quest'uomo sia un uomo e non un asino, o un asino e non un uomo, oppure un asino e un uomo insieme, oppure né un asino né un uomo, essi dicono ancora di sì. [...]

Devo spiegare che vi sono altre dottrine oltre a queste dodici, ma non sono fondamentali: alcune di esse sono branche derivate da una stessa radice, altre sono branche derivate da due o tre radici insieme. Però, non c'è bisogno di menzionarle e di confutarle: nel menzionare queste dodici [dottrine] fondamentali e nello spiegarne la confutazione, sono state distrutte [anche] le loro branche e sono state tagliati i loro rami, e si è confermata la prima dottrina fondamentale, ossia che le cose sono create e che sono state create dal nulla secondo quanto abbiamo spiegato.

T4. LE DIVERSE IPOTESI SULLA NATURA DELL'ANIMA
(dal *Libro delle credenze e delle convinzioni*, libro VI, §§ 1-2)[41]

Saadia elenca e confuta qui sei dottrine sulla natura dell'anima, le quali corrispondono in buona parte alle diverse dottrine filosofiche sulla questione elencate in un'opera dossografica greca tardo-antica, i *Placita philosophorum* di Aezio (pseudo-Plutarco; cfr. Davidson 1967), che egli lesse probabilmente non nella versione araba integrale, ma in un compendio scolastico; la settima dottrina elencata è invece quella adottata da Saadia stesso. La trattazione trova alcune corrispondenze nelle *Epistole dei Fratelli della purità*, un'enciclopedia filosofico-scientifica

[40] Non è escluso che, nel confutare questa dottrina, Saadia abbia voluto colpire quegli ebrei che, legati alla sola tradizione rabbinica, rifiutavano *a priori* qualsiasi speculazione intellettuale.

[41] Cfr. Qāfiḥ 1970, pp. 193.3-197.7; 199.2-13.

arabo-islamica redatta nello stesso ambiente e nella stessa epoca in cui Saadia fu attivo (cfr. *infra*, p. 40)[42].

Nostro Signore – sia Egli benedetto ed esaltato – ci ha fatto sapere che il principio dell'anima dell'uomo dentro di lui si ha con la perfezione della forma del suo corpo, come dice la Scrittura: «Profezia: parola del Signore sopra Israele. Dice il Signore che ha teso i cieli e fondato la terra e ha formato lo spirito dell'uomo dentro di lui...» (Zc 12,1); e [ci ha fatto sapere] che Egli ha fissato un limite di tempo per il quale [anima e corpo] fossero uniti insieme, finito il quale Egli li separa, finché non sia compiuto il numero delle anime che la Sua sapienza ha deciso di creare; quando è compiuto, riunisce insieme le anime e i loro corpi e li ricompensa. Egli ha stabilito per noi i nostri profeti per [interpretare] i sensi dei segni e delle prove [miracolose], e noi li abbiamo accolti rapidamente; poi, abbiamo preso a cogliere queste cose per via speculativa, secondo la descrizione che abbiamo seguito negli altri libri precedenti.

La prima cosa da studiare è che cosa sia l'essenza dell'anima: infatti, ho trovato che gli uomini hanno differenti opinioni sulla sua essenza, con differenze strane e preoccupanti. Io ho ritenuto bene di lasciar perdere molte di esse, e di attenermi allo studio di sette dottrine, oltre alle prime quattro menzionate prima[43], sicché saranno undici [in tutto]. Certo, quelle quattro dottrine le ho già esaminate e formulate precisamente, e le ho confutate tutte e quattro: sono la dottrina degli enti spirituali, la dottrina secondo cui le cose provengono dall'essenza del Creatore, la dottrina secondo cui le cose provengono da Lui e da un'altra cosa, e la dottrina dei seguaci dell'esistenza di due [enti primordiali]. Ora, giacché l'anima è una delle cose conosciute per via scientifica, essi l'hanno introdotta in tutti questi [discorsi], e anch'io l'ho introdotta in tutte le confutazioni di queste argomentazioni; non c'è dunque bisogno di ripeterle: parliamo piuttosto di queste sette [altre dottrine].

[42] Cfr. un passo dell'epistola 9 della parte III dell'*Enciclopedia*: «Le divergenze [dei filosofi] sulla quiddità dell'anima sono molte, ma si raggruppano tutte in tre discorsi, ossia: alcuni dicono che l'anima è un corpo sottile, invisibile e impercettibile ai sensi; altri dicono che è una sostanza spirituale incorporea, percepibile con l'intelletto ma non con i sensi, che sopravvive dopo la morte [del corpo]; altri dicono che l'anima è solo un accidente generato dal temperamento del corpo [...] destinata a perire dopo la morte [...]. L'anima è una sostanza celeste, spirituale, vivente di per sé» (cfr. Ikhwān al-ṣafā' 1957, vol. III, pp. 372.3-7; 373.7-8).

[43] Come si vede da quanto segue, Saadia allude qui alle prime quattro dottrine sull'origine del mondo da lui confutate nel capitolo 3 del libro I (cfr. *supra*, T3, pp. 30-31).

❑ Innanzitutto, ho trovato che alcuni pensano che l'anima sia un accidente tra gli altri. Mi pare che coloro che sostengono questo non la vedano, ma vedano solo la sua azione; sembra a loro che essa, giacché è [troppo] sottile per essere [percepita] dai sensi, sia un accidente, perché gli accidenti sono sottili e fini. Ciononostante, essi hanno opinioni differenti su di essa, di cinque tipi[44]: alcuni pensano che essa sia un accidente semovente, altri pensano che sia la perfezione del corpo naturale, altri ritengono che sia un composto delle quattro nature, altri ancora la immaginano come il legame che unisce i sensi, altri ancora valutano che essa sia un accidente nato dal sangue[45]. Ora, quando ho preso a considerare questi discorsi, che sono tutti raccolti nel discorso secondo cui [l'anima] è un accidente – infatti, l'accidente e la perfezione e la composizione e la nascita sono accidenti – ho trovato che sono tutti falsi sotto [diversi] aspetti: innanzitutto, perché dalla cosa accidentale non può procedere questa grande sapienza e la splendida capacità di comprensione grazie alla quale sussiste il mondo, come ho detto nel libro precedente a questo. Inoltre, giacché all'accidente non ineriscono altri accidenti, perché in questo vi sarebbe qualcosa di scorretto, e noi troviamo invece che all'anima ineriscono molti accidenti, perché si parla per esempio di «anima ignorante» e di «anima sapiente», e si dice «anima pura» e «anima malvagia», e si dice che essa ha amore e odio, benevolenza e malevolenza, e le altre qualità morali ben note, non è possibile che, trovandosi in questi stati, sia un accidente; noi vediamo anzi che ciò che si trova in questo stato, ossia quello di accogliere in sé questi contrari, è più degno di essere [semmai] una sostanza.

Seconda [dottrina]: io vedo gente che ritiene che l'anima sia uno spirito. Terza [dottrina]: vedo gente che ritiene che sia un fuoco[46]. E ho trovato che anche questi discorsi sono falsi, perché se l'anima fosse uno spirito la sua natura sarebbe calda e umida, e se fosse un fuoco la sua natura sarebbe calda e secca, ma noi troviamo che le cose non stanno così.

[44] Le cinque diverse opinioni qui elencate sono quelle attribuite dallo pseudo-Plutarco, rispettivamente, a Pitagora, ad Aristotele, a Dicearco (l'anima come combinazione dei quattro elementi), ad Asclepiade di Prusa (medico del secolo I d.C.), e ad Empedocle (ma, per quest'ultima, cfr. la nota successiva).

[45] In realtà, come rileva Davidson 1967, p. 83, lo pseudo-Plutarco afferma che, secondo Empedocle, la respirazione origina dal movimento del sangue; è probabile dunque che l'opinione esposta qui da Saadia derivi da un'erronea lettura della parola araba *tanaffus*, «respirazione», come *nafs*, «anima».

[46] Sono le opinioni sulla natura dell'anima che lo pseudo-Plutarco attribuisce agli stoici (anima come spirito), e a Democrito (anima composta da atomi ignei).

Quarta [dottrina]: c'è chi dice che [l'anima] sia composta da due parti, la prima intellettuale e logica e imperitura, la cui sede è il cuore, e l'altra animale e peritura, che si propaga per tutto il resto del corpo[47]. Io ho verificato che anche questo è errato, poiché la parte logica, se fosse diversa dalla parte propagata nel corpo, non potrebbe essere mescolata a quella, giacché l'una sarebbe eterna e l'altra sarebbe creata, la seconda perirebbe e la prima non perirebbe; e in effetti la parte logica non ode, non vede e non dispone degli altri sensi. Non fa però parte di questa mia confutazione il fatto che i sensi colgono gli uni gli altri, e che la logica ragiona basandosi su tutti i sensi, come ho spiegato nel libro primo; io dico però che da questo discorso risulta chiaramente che le anime sono due, poiché ogni parte sta a sé.

Quinta [dottrina]. C'è chi dice che [l'anima] consta di due [sostanze] aeree: la prima è interna, la seconda è esterna[48]. La situazione di questo discorso è che, stando ad esso, l'anima non sussisterebbe se non inalando l'aria dall'esterno, e si penserebbe che questo vale per metà di essa (?); e infatti solo perché soffia dal calore naturale l'anima risiede nel cuore, come si soffia sul fuoco per espellere il vapore cattivo da esso – ossia, dal fuoco.

Sesta [dottrina]. C'è chi pensa che [l'anima] sia sangue puro, ed è il solo 'Anan [a sostenerlo], come spiega nel suo libro; e in questo discorso coinvolge nel suo errore la *Torah*, [che afferma]: «perché il sangue è l'anima» (Dt 12,23), senza porre attenzione a quel che [la *Torah*] dice prima: «perché l'anima dell'essere vivente è nel sangue» (Lv 17,11). In realtà, questo testimonia [solo] che il sangue è la sua sede e il suo centro, e che la forza [del sangue] mostra la forza [dell'anima], mentre la debolezza del primo mostra la debolezza della seconda. Infatti, quando essa è gioiosa e si rallegra esteriormente di ciò di cui gioisce, il sangue si fa vedere, mentre quando fugge per timore di qualcosa la sua cautela appare all'esterno. La *Torah* dice che «il sangue è nell'anima» solo per convenzione linguistica, perché la cosa viene chiamata con il nome della sua sede, così come la sapienza viene chiamata «cuore» quando [la Bibbia] dice: «ragazzo privo di cuore» (Pro 7,7), perché il cuore è la sua sede, e la lingua viene chiamata «labbro», quando [la Bibbia] dice: «e tutta la terra era un solo labbro» (Gn 11,1), perché la lingua [si esprime] con il labbro.

La settima dottrina è la dottrina corretta, e io la spiegherò con l'aiuto di Dio; l'ho fatta precedere da queste sei dottrine sum-

[47] Potrebbe trattarsi di una versione deformata della dottrina di Democrito e di Epicuro: cfr. al proposito Davidson 1967, pp. 82-83.

[48] Questa dottrina corrisponde, nell'elencazione dello pseudo-Plutarco, alla dottrina di Eraclito.

menzionate solo perché chi legge quest'opera avesse chiaro che la ricerca intorno alla conoscenza dell'anima è una ricerca intorno ad una cosa profonda e sottile, con le stesse caratteristiche della ricerca intorno alla correttezza della creazione dal nulla, e intorno alla questione del Creatore degli enti; tale è anche la sottigliezza di questa questione, al punto che molti degli uomini si confondono su di essa. [...]

Dico che il discorso corretto sull'anima è che è creata, conformemente con quanto ho detto prima circa la creazione degli enti, ed è falso che sia una cosa eterna priva di un Creatore, secondo quanto dice Dio: «E ha formato lo spirito dell'uomo dentro di lui» (Zc 12,1). Nostro Signore l'ha creata insieme alla perfezione della forma dell'uomo, secondo quanto egli dice: «dentro di lui», e i [nostri] padri continuarono a giurare: «per la vita del Signore, che ci ha fatto quest'anima». La sua essenza è certo una sostanza pura, della purezza delle sfere celesti, ed essa accoglie in sé la luce, come la sfera, e diventa più luminosa, perché la sua sostanza è più sottile di quella della sfera – e per questo è razionale.

Capitolo terzo

Il primo neoplatonismo ebraico
(secoli X-XI)

1. *Introduzione storica*[1]

L'inizio di una riflessione filosofica sganciata da preoccupazioni di carattere apologetico e teologico ha inizio, nel mondo ebraico, nei primi decenni del secolo X, ed ha come scenario geografico non più la Mesopotamia, bensì l'Africa settentrionale (Egitto, Tunisia) e, dopo il 1000, l'Andalusia, la Spagna islamica, destinata a restare per centocinquant'anni la culla del pensiero ebraico medievale. I secoli X-XI vedono pertanto lo sviluppo di un primo neoplatonismo ebraico, incarnato da due figure di veri e propri filosofi (Isaac Israeli e Shelomoh Ibn Gabirol: cfr. *infra*, pp. 43 sgg. e 55 sgg.), attorno ai quali ruotano alcune personalità di mistici ed esegeti, che sfruttano nei loro scritti elementi della filosofia di questi due autori.

Questa prima fase della filosofia ebraica, che trova in massima parte espressione in testi in lingua araba, è caratterizzata dal riferimento pressoché esclusivo a temi e scritti del pensiero filosofico islamico iracheno dei secoli IX-X. È vero che quasi mai i neoplatonici ebrei di questo periodo fanno esplicito riferimento a fonti antiche o medievali chiaramente identificabili; ma la comunanza di dottrine e, non di rado, anche le somiglianze letterali spingono a individuare, tra le fonti arabe di questo pensiero, almeno i seguenti testi:

1. la *Teologia di Aristotele*, ossia una parafrasi araba, ampiamente rielaborata rispetto all'originale, di parti delle *Enneadi* IV, V e VI del filosofo greco neoplatonico Plotino, realizzata a Bagdad, nella prima metà del secolo IX, da tale 'Abd al-Masīḥ Ibn Nā'ima al-Ḥimṣī su indicazione del filosofo arabo al-Kindī (morto nell'866). Dell'opera –

[1] Per un quadro storico generale del periodo e degli autori considerati in questo capitolo, cfr. Sirat 1990, pp. 85-113 e 549-52 (bibliografia); Frank-Leaman 1997, pp. 149-87 (Tamar M. Rudavsky).

che propone una metafisica fondata su tre realtà: Dio, intelletto universale, anima universale – esistono due recensioni: una breve, che è probabilmente quella originale ed è stata più volte pubblicata, e una lunga, inedita nel testo arabo e realizzata secondo alcuni entro il 900, secondo altri in Egitto in epoca fatimide (969-1171);

2. il *Liber de causis*, noto in arabo sotto il nome di *Discorso sul bene puro* (*Kalām fī maḥḍ al-khayr*), elaborato a partire da alcuni passi dell'*Elementatio theologica* del neoplatonico greco Proclo, forse dallo stesso al-Kindī o da un personaggio della sua cerchia (cfr. Zonta 1998). L'opera si concentra in particolare sul concetto di «causa prima», identificato con i concetti di «uno» e di «essere»;

3. il *Libro delle cinque sostanze* dello pseudo-Empedocle: si tratta di uno scritto di oscura origine, di cui iniziano a comparire tracce proprio intorno all'850, in un testo gnomologico arabo (il *Libro delle opinioni dei filosofi* dello pseudo-Ammonio) e, dopo il 900, nel *Fine del sapiente* (*Ghāyat al-ḥakīm*) ascritto ad al-Mağrīṭī. L'opera, di cui ci resta un compendio in ebraico, compilato intorno al 1270 da Shem Tov Ibn Falaquera (cfr. *infra*, p. 156), mescola dottrine autenticamente empedoclee (la contrapposizione cosmica tra i princìpi di *philìa*, «amore», e *nèikos*, «odio») ed elementi ripresi proprio dalla *Teologia di Aristotele* e dal *De causis* (postula, in particolare, all'origine del mondo una pentade rappresentata da volontà divina, materia, intelletto, anima e natura). Potrebbe dunque essere stata composta nello stesso ambiente e, forse, nello stesso periodo di questi ultimi due scritti;

4. alcune opere filosofiche dello stesso al-Kindī, e in particolare la sua *Epistola sulle definizioni e descrizioni delle cose* (*Risāla fī ḥudūd al-ashyā' wa-rusūmihā*);

5. l'*Enciclopedia dei Fratelli della purità*, una raccolta, composta in Iraq nel corso del secolo X, di cinquantuno o cinquantadue trattatelli organizzati secondo una struttura enciclopedica (trattano, nell'ordine, di matematica, logica, fisica, metafisica e teologia), che mescolano alle dottrine aristoteliche tesi di origine disparata (neoplatonica, neopitagorica e altro; cfr. Bausani 1978).

L'origine di molti di questi scritti va cercata, come si è accennato, nella cerchia di traduttori e filosofi presente intorno ad al-Kindī, e attiva a Bagdad nel periodo 830-870 (cfr. D'Ancona Costa 1996). Il fatto singolare è che la filosofia ebraica di questi secoli si sia attardata così a lungo nello studio di fonti che, nella filosofia islamica ad essa contemporanea (quella di al-Fārābī e di Avicenna), erano ormai considerate superate. Le possibili spiegazioni di questo fenomeno sono almeno due:

– da una parte, potrebbe avere agito in questo senso un fattore geografico: i neoplatonici ebrei erano attivi tutti in aree relativamente marginali rispetto a quelle dove stavano avvenendo i maggiori sviluppi del pensiero filosofico e teologico islamico (Iraq e Iran), e quindi potrebbero aver semplicemente ignorato le fonti più recenti. Sappiamo, per esempio, che l'aristotelismo arabo di al-Fārābī venne introdotto in Spagna non prima dell'inizio del secolo XII;

– d'altra parte, un qualche ruolo potrebbe essere stato svolto dall'influenza della setta islamica dell'ismailismo, che era allora diffusa nell'area nordafricana e nella quale era rimasto sempre vivo, dopo il 900, l'interesse per i testi della cerchia di al-Kindī: non a caso, è nell'Egitto ismailita che taluni individuano l'origine della versione lunga della *Teologia di Aristotele*. I contatti tra la filosofia ebraica di questi secoli e il mondo ismailita sono provati almeno nel caso di Isaac Israeli, ma non è escluso che siano stati ancora più ampi, fors'anche nella Spagna islamica – nella quale, non a caso, già un autore del secolo IX come Ibn Masarra sembra aver impiegato fonti neoplatoniche ispirandosi, secondo alcuni studiosi, ai testi dello pseudo-Empedocle[2].

Peraltro, il quadro delle fonti della filosofia ebraica medievale dei secoli X-XI non si riduce esclusivamente agli scritti metafisici arabi del secolo IX: differenti sono infatti i modelli adottati dagli autori in questione nei campi dell'etica (dove la fonte più diffusa sembra essere rappresentata dalla produzione medico-filosofica di Galeno) e della fisica (dove si manifesta già una certa conoscenza almeno dei temi principali della fisica aristotelica). In generale, comunque, la produzione letteraria di questi autori è costituita:

– da trattazioni di carattere tecnico, riservate ad una ristretta élite di filosofi, nelle quali l'autore sviluppa dottrine di carattere etico (la *Correzione dei costumi* di Shelomoh Ibn Gabirol: cfr. *infra*, T8, p. 72), fisico (il *Libro degli elementi* di Isaac Israeli: cfr. *infra*, T6, p. 49) o, più spesso, metafisico (la *Fonte di vita* di Ibn Gabirol: cfr. *infra*, T7, p. 58) in termini più rigorosi, spesso senza nemmeno preoccuparsi di dimostrare la concordanza tra le dottrine ivi esposte e i princìpi della tradizione religiosa ebraica (non a caso, solo pochi di questi scritti fanno esplicito riferimento alla Bibbia e alla letteratura talmudica). Queste trattazioni, tuttavia, non hanno in generale avuto grande fortuna, tan-

[2] Sulla possibile origine pseudo-empedoclea delle dottrine di Ibn Masarra, formulata per la prima volta da Miguel Asín Palacios e poi contestata da Samuel M. Stern, cfr. ora di nuovo Tornero 1993.

to che di alcune di esse (prima tra tutte, la *Fonte di vita*) il testo integrale è andato perduto, oppure è ricostruibile solo attraverso citazioni e traduzioni più tarde;

– da scritti di carattere più prettamente religioso, nei quali le dottrine della metafisica neoplatonica erano presentate in termini appetibili al pubblico ebraico, e che ebbero conseguentemente un notevole successo. In questa produzione rientrano, tra l'altro, le poesie liturgiche di Ibn Gabirol e opere di genere ascetico come quella di Baḥya Ibn Paqūda.

L'*Introduzione ai doveri dei cuori* (*Hidāya ilà farā'iḍ al-qulūb*) di Baḥya ben Yosef Ibn Paqūda[3] venne probabilmente composta nel periodo 1050-1080, in Andalusia, e rappresenta uno dei primi casi di applicazione di uno schema letterario proprio della tradizione mistica islamica, il sufismo, alla letteratura giudeo-araba. Già il titolo dell'opera fa esplicito riferimento ad un aspetto caratterizzante del sufismo, l'interiorizzazione e la spiritualizzazione della religione, che – anche nell'Islam – tendeva ad appiattirsi nella ritualistica osservanza dei precetti: *farā'iḍ al-qulūb* sono infatti, per Baḥya, i «precetti dello spirito», contrapposti ai precetti esteriori imposti dal diritto religioso ebraico. Il fine che Baḥya si propone con quest'opera è dunque quello di spingere gli ebrei ad un'adesione non solo formale, ma anche intenzionale al giudaismo, nella convinzione (da lui espressa nelle pagine introduttive dei *Doveri dei cuori*) che il vero credente adulto e responsabile abbia il dovere di comprendere i contenuti della sua religione (così come avevano sostenuto, tra l'altro, i teologi islamici di scuola mutazilita). Per giungere a questo scopo, egli, da un lato, struttura l'opera secondo lo schema dei trattati ascetici sufi del secolo X, nei quali si prevedeva il passaggio del credente attraverso una serie di gradi di elevazione mistica, culminanti nell'amore intellettuale di Dio; dall'altro, postula l'esistenza di un significato esoterico – dunque, teoretico e non meramente pratico – della Legge religiosa, che coincide sostanzialmente con la metafisica e la cosmologia neoplatonica delle fonti filosofiche di Baḥya: i Fratelli della purità, probabilmente Ibn Gabirol, e infine uno scritto teologico arabo-cristiano del secolo IX, il *Libro delle prove e della riflessione sulla creazione e sulla provvidenza* (*Kitāb al-dalā'il wa-l-i'tibār 'alā l-khulq wa-l-tadbīr*) dello pseudo-Giāḥiẓ (cfr. Baneth 1938).

[3] La più recente traduzione italiana completa dell'opera è in Sierra 1983 (peraltro, fin dal 1972 è disponibile una traduzione italiana di Gianfranco Ravasi fondata sulla versione francese di André Chouraqui [1950]).

Un altro rappresentante di questa versione divulgativa del neoplatonismo, legato però non alla tradizione arabo-islamica bensì, piuttosto, a quella cristiana di espressione greco-latina, è Shabbetai Donnolo, attivo in Italia meridionale (visse in Puglia tra il 913 e il 982). Come è stato evidenziato da Giuseppe Sermoneta (cfr. Sermoneta 1980, pp. 912 sgg.), nel suo commento al *Libro della formazione*[4] egli riprende, infatti, dottrine ispirate probabilmente a diverse fonti scientifiche e filosofiche greche, tra le quali potrebbe essere annoverato anche il *De opificio hominis* del padre della Chiesa greca Gregorio di Nissa, che era stato, circa un secolo prima, tra le fonti del *De divisione naturae*, opera di uno degli esponenti della rinascenza carolingia nell'Europa cristiana: Giovanni Scoto Eriugena.

2. *Isaac Israeli*

Il primo vero e proprio filosofo – anche se, certo, non il più originale – della cultura giudeo-araba, e in generale ebraica medievale è Isḥāq ibn Sulaymān al-Isra'īlī (noto generalmente come Isaac Israeli)[5]. Tra le più antiche testimonianze sulla sua vita vi è quella del biografo e bibliografo arabo andaluso Abū Dāwūd Ibn Giulgiul (morto dopo il 994), secondo il quale Israeli, oculista ebreo nativo dell'Egitto, sarebbe emigrato a Qayrawān in Tunisia. Come sappiamo da altre fonti, appena giunto in Tunisia, nel 907, Israeli sarebbe entrato al servizio dell'emiro aghlabita locale Ziyādat Allāh, e successivamente del suo successore, lo sciita 'Ubayd Allāh (morto nel 934), il fondatore della dinastia ismailita dei Fatimidi – fatto, quest'ultimo, che potrebbe rappresentare una delle poche tracce storiche di una più profonda connessione tra il neoplatonismo ebraico e l'ismailismo. L'esatta datazione della sua vita resta incerta: Ibn Giulgiul afferma che egli visse sino ai cento anni, e l'unico certo *terminus ante quem* della sua morte è il 956; si tende dunque a ritenere che egli sia vissuto nell'arco di tempo intercorrente tra l'850 e il 950 circa.

È a tutt'oggi poco chiaro come sia avvenuta la formazione filosofica e più generalmente ideologica di Israeli. Sembra che egli sia vissuto in Egitto per circa cinquant'anni, ed è possibile che in questo ambiente egli sia venuto in contatto con le opere di al-Kindī. Certo è che Israeli dimostra una notevole familiarità sia con scritti originali di questo filosofo, sia con scritti che provengono probabilmente, come si è detto,

[4] Ora accessibile anche in traduzione italiana: cfr. Sciunnach-Mancuso 2001.

[5] Su questo autore, resta fondamentale il saggio Altmann-Stern 1958.

dalla cerchia di al-Kindī, quale una presunta fonte neoplatonica araba della *Teologia di Aristotele* – se si segue la tesi formulata al riguardo da Samuel M. Stern (cfr. Stern 1961) – o, perlomeno, una delle versioni della medesima. Israeli potrebbe avere avuto contatti con le dottrine ismailite non solo attraverso l'uso di fonti comuni, ma anche attraverso rapporti personali con esponenti di questo pensiero: lo stesso Stern rileva per esempio come molti passi dell'opera *Il fine del sapiente*, noto nel mondo latino medievale con il nome di *Picatrix*, siano letteralmente identici o molto simili a passi del *Libro delle definizioni* di Israeli[6]. Infine, vi sono indizi anche di contatti tra Israeli e gli ambienti del *kalām*, specialmente ebraico: Dunash Ibn Tamim afferma che egli avrebbe avuto, forse verso il 905, uno scambio di lettere con Saadia Gaon su temi scientifico-filosofici, delle quali però nulla ci resta.

Nel complesso, il pensiero di Israeli appare ricalcato strettamente sulle dottrine del neoplatonismo della scuola di al-Kindī, che unisce elementi del platonismo e dell'aristotelismo tardoantico, anche se le sue dottrine fisiche – coerentemente ad una tendenza comune a buona parte della teologia e filosofia ebraica medievale – sono più vicine a quelle del Peripato: certo, da Aristotele egli riprende la dottrina degli elementi e la polemica contro l'atomismo (cfr. *infra*, T6, p. 49).

Opere. Gli scritti di Isaac Israeli, tutti originariamente redatti in lingua araba, così come risultano sia dalla tradizione diretta, sia dalle testimonianze dei bibliografi, rientrano in due grandi gruppi:

– *scritti di medicina*: si tratta di opere sistematiche ed organiche scritte, secondo la testimonianza di Abraham Ibn Ḥasdai[7], per ordine del suo mecenate 'Ubayd Allāh, e che hanno effettivamente avuto, nel corso del Medioevo, un pubblico non solo tra gli ebrei, ma anche e soprattutto tra i medici arabi musulmani e cristiani. Di esse ci restano il *Libro dei semplici e degli alimenti* (*Kitāb al-adwiyya al-mufrada wa-l-aghdhiyya*), il *Libro delle febbri* (*Kitāb al-ḥamiyyāt*) e il *Libro sull'urina* (*Kitāb al-bawl*); secondo alcune fonti, egli avrebbe anche scritto un'*Introduzione all'arte medica* (*al-Mudkhal li-ṣināʿat al-ṭibb*), un *Libro sulla teriaca* (*Kitāb al-tiryāq*) e un *Libro sulla pulsazione (Kitāb al-nabḍ)*, che sono però andati perduti;

[6] Cfr. Altmann-Stern 1958, p. 8. Tra l'altro, si è recentemente sostenuto con buoni argomenti (cfr. Carusi 2000) che *Il fine del sapiente* sia opera non, come generalmente creduto, dell'astronomo Abū Maslama al-Mağrīṭī (morto nel 1008), bensì del tradizionista Abū l-Qāsim Maslama al-Mağrīṭī, morto nel 964 e dunque contemporaneo di Israeli, che egli potrebbe avere conosciuto.

[7] Cfr. Altmann-Stern 1958, p. XX, per il relativo passo.

– *scritti di filosofia*: si tratta, probabilmente, di testi redatti per divulgare le dottrine del neoplatonismo di al-Kindī presso il pubblico giudeo-arabo. Secondo i bibliografi, Israeli avrebbe innanzitutto redatto una vasta opera di argomento metafisico, sotto il titolo *Il giardino del sapiente* (*Bustān al-ḥakīm*). Purtroppo, la tradizione diretta non ci ha conservato la minima traccia di un testo del genere; ad Israeli risultano invece attribuiti due scritti ignoti ai bibliografi, che presentano diverse analogie nei contenuti: il *Libro dello spirito e dell'anima* (il cui titolo arabo era, probabilmente, *Kitāb al-rūḥ wa-l-nafs*), ricco di richiami biblici e dedicato ad un tema ricorrente nella letteratura scientifico-filosofica araba del secolo IX, rimasto in due versioni ebraiche e un frammento dell'originale, e il *Libro delle sostanze* (*Kitāb al-giawāhir*), un trattato cosmologico-metafisico ispirato alla *Teologia di Aristotele*, di cui sopravvivono ampi frammenti del testo arabo (riediti dallo stesso Stern tra il 1955 e il 1956). Il secondo di questi testi, peraltro, risulta strettamente connesso ad un terzo scritto, il *Capitolo sugli elementi* (titolo ebraico: *Pereq ha-yesodot*), conservato solo in una versione ebraica posta sotto il nome di Aristotele, e pubblicato sempre da Stern nel 1956. Non si può escludere che questi tre scritti non siano in realtà altro che parti di una più vasta opera metafisica (*Il giardino del sapiente*, appunto), andata perduta nel suo testo integrale, ma trasmessa in modo frammentario.

Accanto ad essa, comunque, Israeli risulta aver scritto anche altre opere filosofiche, a lui palesemente attribuite:

– il *Libro delle definizioni* (*Kitāb al-ḥudūd*), una sorta di dizionario filosofico relativo a termini di epistemologia, logica, metafisica, psicologia e teologia, conservato sia da frammenti del testo arabo (edito nel 1902) e di una versione letterale ebraica anonima (edizione di Alexander Altmann, 1957), sia, nel testo completo, in una versione latina di Gerardo da Cremona, edita fin dal 1515, e in una versione ebraica medievale di tale Nissim ben Shelomoh (edita la prima volta da Hartwig Hirschfeld, 1896), nonché in diverse citazioni. L'opera riprende in parte l'*Epistola sulle definizioni* di al-Kindī;

– il *Libro degli elementi* (*Kitāb al-usṭuqsāt*), un trattato sulla qualità e la quantità degli elementi in difesa delle tesi aristoteliche, diviso in tre parti, e conservato solo nelle versioni latina (edita nel 1515 e opera di Costantino l'Africano) ed ebraica (opera di Abraham Ibn Ḥasdai, risalente al 1230 circa, e pubblicata nel 1900);

– un'*Introduzione alla logica* (*al-Mudkhal ilà l-manṭiq*), andata perduta.

T5. LA FILOSOFIA SECONDO ISRAELI
(dal *Libro delle definizioni*, § 2)[8]

Le tre brevi definizioni della filosofia qui presentate, che rappresentano un'espansione della più breve definizione data nell'*Epistola sulle definizioni* di al-Kindī (Altmann-Stern 1958, pp. 28-31), si rifanno a temi propri del platonismo (la filosofia come «assimilazione a Dio» e come conoscenza di sé), ma includono già elementi aristotelici (la dottrina delle quattro cause), secondo uno schema caratteristico del neoplatonismo arabo ed ebraico medievale.

Quando i filosofi ebbero compreso questo punto[9], ritennero verificato che le definizioni non fossero composte altro che dai generi e dalle differenze sostanziali, ma non trovarono per la filosofia un genere di cui fosse composta la sua definizione, e [quindi] rifletterono con cura secondo il meglio della loro intelligenza e del loro pensiero, e descrissero la filosofia con tre descrizioni[10], la prima derivata dal suo nome, la seconda assunta dalla sua caratteristica propria, la terza presa dalle sue impressioni e dalle sue azioni.

La descrizione derivata dal suo nome è: la filosofia è l'amore della sapienza, e questo [etimo] è tratto dal nome di «filosofo», perché «filosofo» si compone di *philìa* e *sophìa*, dove *philìa* in greco [vuol dire] amante, e *sophìa* sapienza. Pertanto, è evidente ora che il senso di «filosofo» è «amante della sapienza», e se il senso di «filosofo» è «amante della sapienza», il senso di «filosofia» è «amore della sapienza».

La descrizione della filosofia assunta dalla sua caratteristica propria è: la filosofia è l'assimilazione alle azioni del Creatore – sia benedetto ed esaltato – secondo la capacità umana. Il senso dell'espressione «assimilazione alle azioni del Creatore» è: capire la reale natura delle cose, conoscerle veramente e fare ciò che la verità rende necessario; il senso dell'espressione «capire la reale natura delle cose» è: comprendere le cause naturali, ossia la causa materiale, la causa formale, la causa agente e la causa finale.

[8] Cfr. Hirschfeld 1896, pp. 132.9-133.33 (per la traduzione di Nissim ben Shelomoh); Altmann 1957, pp. 236-37 (frammento II) (per la seconda traduzione ebraica, che rappresenta il testimone ebraico più affidabile). La parte del testo qui posta tra asterischi è stata tradotta direttamente dai frammenti superstiti del testo arabo dell'opera, conservati da Mosheh Ibn 'Ezra: cfr. Stern 1957, p. 86.

[9] Nel paragrafo precedente, Israeli ha posto le premesse epistemologiche del suo discorso in termini simili a quelli delle introduzioni alla filosofia tardoantiche: cfr. al proposito l'epistemologia di al-Muqammis, *supra*, T1, p. 18.

[10] Nella terminologia filosofica araba ed ebraica medievale, la «descrizione» (dal greco *hypographè*) si distingue dalla più precisa «definizione» (greco *hòros*), composta da genere e differenza.

La causa materiale è duplice: spirituale, o corporea. Quella spirituale è rappresentata, per esempio, dai generi che si dividono nelle loro specie, e fanno da sostrato alla loro forma, nella quale sussistono le specie: per esempio, «animale», che è genere di «uomo», di «cavallo» e delle altre specie, e fa da sostrato alla loro forma, nella quale sussiste la loro essenza. La causa materiale corporea è rappresentata, per esempio, dall'argento, che fa da materia al *dirham*[11] e all'anello, e funge da sostrato alla loro forma, e dall'oro, che fa da materia al *dīnār*[12] e all'orecchino, e funge da sostrato alla loro forma.

La causa formale è anch'essa duplice: spirituale e corporea. Quella spirituale è rappresentata dalle forme sostanziali che ineriscono al genere e costituiscono l'essenza della specie: per esempio, «razionalità»[13], che, inerendo ad «animale», costituisce l'essenza dell'uomo, e «nitrire», che, inerendo ad «animale», costituisce l'essenza del cavallo.

La causa agente è anch'essa duplice: spirituale e corporea. Quella spirituale è, per esempio, la potenza celeste ordinata da Dio – sia benedetto ed esaltato – nella natura, e con la quale Egli domina la variazione di tutto ciò che è nel mondo corporeo inferiore: generazione e corruzione, crescita e diminuzione, salute e malattia, e le attività naturali del genere. La causa agente corporea è, per esempio, l'arte dell'orefice che fabbrica un anello da sigillo, la forma di una raffigurazione tracciata nel bronzo[14], e l'azione del costruttore per la casa.

Parimenti, la causa finale è duplice: spirituale o corporea. Corporea è, per esempio, la forma della casa e la sua perfezione, che è necessaria per gli abitanti della casa, così che essi possano starvi senza timore, e la forma dell'anello da sigillo, così che esso possa fungere da sigillo. La causa spirituale è, per esempio, il legame tra l'anima e il corpo, in modo che all'uomo appaia la reale natura delle cose spirituali, così che egli possa distinguere tra il bene e il male, tra ciò che è lodevole e ciò che è biasimevole, e faccia ciò[15] che è conveniente alla verità, alla giustizia e alla rettitudine, per santi-

[11] Unità monetaria araba d'argento.

[12] Unità monetaria araba d'oro.

[13] Nella seconda traduzione ebraica, *davar*, letteralmente «cosa», ma in realtà probabile traduzione non precisa di un originale arabo *nuṭq*, che corrisponde al greco *lògos* (ed è dunque traducibile con «razionalità»): cfr. la corrispondente traduzione di Nissim ben Shelomoh (*ha-sekel ha-enoshi*, «l'intelletto umano»).

[14] La traduzione di Nissim ben Shelomoh presenta invece la lezione *ba-qir*, «sul muro» (preferita da Altmann-Stern 1958, p. 25).

[15] Termina qui il frammento superstite della seconda traduzione ebraica di questa parte dell'opera.

ficare, lodare e esaltare il Creatore, e riconoscerne il regno, e per tenersi lontano dalle attività bestiali e impure, così da conseguire il premio del suo Creatore – sia benedetto – ossia la congiunzione con l'anima superiore per ricevere luce dalla luce dell'intelletto e dalla bellezza e splendore della sapienza. Quando l'uomo arriva a questo grado, diventa spirituale, congiungendosi in modo immediato alla luce creata dalla potenza di Dio, e diventa esaltatore e lodatore del Creatore per sempre. Questo è il suo Eden e il bene del suo premio, il piacere del suo riposo, del suo grado perfetto e della bellezza completa. Per questo, Platone disse che la filosofia è diligenza, sforzo e preoccupazione[16] per la morte[17].

Dice Isaac [Israeli]: questo grande sapiente, assai profondo[18] e superiore nella sua intelligenza, dicendo «preoccupazione per la morte» intende il fatto di far morire tutti gli appetiti bestiali e i loro piaceri, perché facendoli morire e liberandosene [raggiunge] il grado e lo splendore superiore, entrando nella sede della verità, mentre, lasciando vivere gli appetiti e i piaceri bestiali e rafforzandoli, è deviato dal dovere imposto da Dio[19], dal timore puro [nei suoi confronti], e dalla continua preghiera nei momenti stabiliti.

Questo si riferisce ad un'altra cosa detta dal filosofo, la cui esattezza è testimoniata dall'intelletto: «Dio ha precetti intellettuali che Egli mostra alle più scelte tra le Sue creature» – ossia ai Suoi profeti, inviati da Lui, e ai sapienti giusti e veri, che guidano le Sue creature verso la verità, che consigliano giustizia e rettitudine, e l'accettazione di ciò che è permesso[20], così che si seguano il bene, la grazia, la modestia, e l'allontanamento dal male, dall'iniquità e dal furto, così che non si accetti nulla di proibito. Chi non è congiunto ai precetti intellettuali mostrati da Dio alle più scelte delle Sue creature, ai Suoi sacerdoti e ai Suoi sapienti, e continua nella sua iniquità, nel suo peccato, nella sua grossolanità e nelle sue cattive vie, è reso impuro dai suoi peccati, che lo sporcano e lo stringono d'assedio, e lo appesantiscono con il loro peso, sicché egli non è in grado di ascendere al mondo vero e di raggiungere la luce dell'intelletto e la bellezza della sapienza, restando entro i confini del cielo e addolorato, senza misura, ruo-

[16] Per questa traduzione, cfr. Altmann-Stern 1958, p. 26, n. alla linea 66.

[17] Cfr., al riguardo, Platone, *Fedone*, 64A.

[18] Il testo ebraico recita: «lontano dall'ingiustizia». Per la traduzione qui adottata, che si rifà alla versione latina dell'opera, cfr. Altmann-Stern 1958, p. 26, nota alle linee 66-67.

[19] Il testo ebraico recita: «si consegna in mano a chi lo devia dal dovere delle leggi di Dio». Per questa traduzione, cfr. Altmann-Stern 1958, p. 26, nota alla linea 72.

[20] Correggo *m-h-t-r* dell'edizione Hirschfeld in *mutteret*, «permesso».

tando al ruotare della sfera celeste in un grande fuoco violento e in una fiamma tormentosa[21]. Questo è il suo inferno e il fuoco del suo tormento, che Dio prepara per i malvagi e i peccatori che contestano i precetti dell'intelletto.

La descrizione della filosofia, assunta a partire dalle sue azioni[22], è: la filosofia *è la conoscenza che l'uomo ha di sé stesso*. Questa è una descrizione di grande profondità e intelligenza superiore, *perché quando l'uomo conosce veramente sé stesso, conosce la sua spiritualità e la sua corporeità, e così comprende in sé la conoscenza della sostanza spirituale e di quella corporea: infatti, in lui sono unite le sostanze e gli accidenti. La sostanza è duplice: una è spirituale, come l'intelletto e l'anima, l'altra è corporea, come il corpo che è lungo, largo e profondo. Parimenti, gli accidenti sono duplici: alcuni sono spirituali, altri sono corporei. Quelli spirituali sono, per esempio, la scienza, la clemenza e gli altri accidenti spirituali che ineriscono all'anima e all'intelletto; quelli corporei sono, per esempio, il nero, il bianco, il giallo, il rosso e gli altri accidenti corporei. Dunque, è chiaro che, quando l'uomo conosce veramente sé stesso, conosce l'universo,* conosce la sostanza spirituale e quella corporea, conosce la sostanza prima creata dalla potenza del Creatore senza un mediatore che funga da sostrato alla diversità, e conosce l'accidente primo generico, che si divide in quantità, qualità e relazione, e gli altri sei accidenti composti e prodotti dalla composizione della sostanza con i tre accidenti semplici. Quando l'uomo racchiude in sé tutte queste cose, allora ha in mano la conoscenza dell'universo, ed è opportuno chiamarlo filosofo.

T6. CONFUTAZIONE DELL'ATOMISMO
(dal *Libro degli elementi*, parte II)[23]

L'esposizione della dottrina aristotelica dei quattro elementi (fuoco, aria, acqua, terra), condotta nella parte I del *Libro degli elementi*, è seguita nella parte II da questa confutazione dell'atomismo, anch'essa ispirata ad Aristotele. Essa prende spunto da un'affermazione di Galeno: la «parte più piccola» con cui quest'ultimo identifica l'elemento è – spiega Israeli – una particella impercettibile ma dotata di dimensioni; non può essere invece un punto, ossia un «atomo» come lo inten-

[21] Leggo *meyasseret* al posto del *meyassedet* dell'edizione Hirschfeld.

[22] Il testo ebraico *me-ḥokmato*, letteralmente «dalla sua sapienza», traduce probabilmente una lezione corrotta (*min ʿilmihā*) dell'originale arabo, che si presentava forse in origine nella forma: *min aʿmalihā*, «dalle sue azioni».

[23] Cfr. Fried 1900, pp. 40.1-41.4; 42.8-44.9; 45,14-23; 46.15-48.21; 49.14-50.13; 51.1-5.

devano gli atomisti antichi e i teologi islamici mutaziliti, perché un numero finito di punti privi di dimensioni, sommati insieme, non può dare un corpo, che è una cosa dotata di dimensioni.

Dopo che siamo arrivati a questo punto del nostro trattato, e abbiamo spiegato tutto ciò che ha detto il filosofo [Aristotele] circa la quiddità degli elementi e la sua definizione, che ne fa conoscere la natura, e abbiamo portato al proposito prove speculative e fisiche, ci conviene menzionare, in questa seconda parte, ciò che disse Galeno, e la sua opinione al proposito. Infatti, Galeno definì anch'egli l'elemento con una definizione artificiale, di senso simile a quello delle parole del filosofo, dicendo che l'elemento è la più piccola parte della cosa di cui è elemento[24]; e parlando della più piccola parte di una cosa intendeva dire la più semplice delle sue parti e la meno composta per natura, non in rapporto a qualcosa, come abbiamo spiegato più volte sulla base del discorso del filosofo. Infatti, si parla della parte più piccola a proposito di due cose: la parte sensibile e la parte intelligibile. La parte sensibile è la più piccola delle parti in cui si divide materialmente una cosa, che ricada sotto i sensi, per esempio le particelle di terra in cui si divide materialmente il corpo; la parte intelligibile è la più semplice delle parti di una cosa, e la meno composta, per esempio le parti nelle quali il corpo si discioglie naturalmente e delle quali si compone, come gli elementi per il corpo umano: essi sono la più piccola e la più sottile delle sue parti, e quelle cui più conviene la semplicità vera e propria, giacché non vi è nulla da cui per natura essi siano stati prima generati e a causa di cui siano composti – e questo l'abbiamo già spiegato molte volte. [...]

Galeno ha chiarito questo punto dicendo che, se noi parliamo degli elementi che sono per natura elementi di tutti i corpi, e che sono le particelle percepibili da chi è dotato di vista, allora si tratta delle particelle [percepibili] da chi è dotato di una vista estremamente acuta: per esempio, tra gli uccelli, l'aquila e il falco, e l'uomo che è conosciuto per l'acutezza della sua vista; non si tratta di quelle che sono particelle [percepibili] dagli altri, e da chi ha la vista estremamente debole, come pure da chi ha una vista intermedia. Chi ha la vista estremamente debole ha un temperamento opposto rispetto a chi ha una vista estremamente acuta; e tra questi due estremi ci sono molte e diverse situazioni intermedie, per le quali non c'è un paragone. Pertanto, la conclusione di questo discorso è che le particelle non entrano sotto il dominio della conoscenza, e non sono conosciute dall'intelletto, e quindi tanto meno sono percepite dai sensi.

[24] Cfr. Galeno, *De elementis*, libro I, cap. 1, inizio.

Se invece tu, quando parli della parte più piccola, intendi dire le particelle sottili e unite insieme a partire da corpi diversi ben pressati, come le parti del farmaco composto di ematite, rame bruciato e tracce di rame estremamente pressate insieme, esse sono ancor più lontane dall'essere percepite, perché, se un uomo prende quegli ingredienti e altri simili e li pressa per bene, finché non diventano come polvere, e poi cerca di distinguerli con la vista, non riesce che a vedere che sono un corpo unico e una cosa sola.

È ormai chiaro che l'esame e la conoscenza delle particelle che sono le più piccole parti di una cosa non sono possibili alla percezione sensoriale della vista. Se poi tu dici: «Io non intendevo parlare delle parti in cui un corpo si divide materialmente, e nemmeno delle particelle sottili tratte da cose diverse pressate insieme e ridotte a polvere, ma delle parti in cui un corpo si divide naturalmente, e di cui parimenti si compone – per esempio, della partizione del corpo in superfici, delle superfici in linee, delle linee in punti – e porterò a prova le parole di Democrito, perché il sapiente Democrito diceva che il corpo è composto di superfici, le superfici sono composte di linee, le linee sono composte di punti, menzionando anche l'accordo [su questo punto] di Abraham al-Naẓẓām[25] e dei suoi colleghi mutaziliti, il senso delle cui parole è che il corpo è composto di parti non divisibili [*scil.* atomi], ossia di punti», noi risponderemo: «Ciò che hai riportato dal discorso di Democrito secondo cui i punti, quando si compongono, diventano una linea, è passibile di due interpretazioni: tu puoi dire che un punto, quando viene unito ad un altro, gli viene unito totalmente, oppure [gli viene unito] parzialmente. Se tu dici che la sua unione è totale, allora i due punti diventano un solo punto, e il loro spazio è uno solo, perché la totalità di ognuno di essi è anche la totalità dell'altro, giacché nessuno di essi ha una dimensione[26] e non c'è differenza tra di essi; e questa stessa valutazione si dà anche per un terzo e un quarto punto, e così via all'infinito. Se invece l'unione di un punto ad un altro è parziale, ne consegue che [il punto] si divide in parti, e quindi si distrugge l'ipotesi che il punto non sia divisibile». Se poi si dice: «Io non parlo, a proposito del punto, né di un tutto, né di una parte, perché il punto non ha dimensioni», rispondiamo che ciò che non ha una totalità né una parte non si può né unire né separare. Infatti, l'unione va intesa in due sensi: nel senso della vicinanza [di una cosa ad un'altra], o nel senso della mescolanza [dell'una con l'al-

[25] Si tratta del teologo mutazilita Abū Isḥāq Ibrāhim al-Naẓẓām (morto nell'835), sostenitore della dottrina atomistica del *kumūn*, letteralmente «nascondimento», secondo la quale in ogni cosa si «nascondono» atomi di diversi elementi: cfr. al riguardo Van Ess 1991-92, vol. III, pp. 335-37.

[26] Alla lettera: *merḥaq*, «distanza».

tra]. L'unione nel senso della vicinanza si ha, per esempio, quando la superficie di un corpo e del suo limite è vicina alla superficie e al limite di un altro corpo, come avviene nell'unione dell'olio all'acqua e dell'osso alla carne. L'unione nel senso della mescolanza si ha con l'unione di tutte le parti di un corpo a tutte le parti di un altro corpo mediante introduzione e mescolanza: per esempio, la mescolanza di tutte le parti dell'acqua con tutte le parti del vino, tale che i loro corpi diventano uno solo, e il loro luogo diventa uno solo, e non c'è differenza tra di essi se non nella quantità. Dunque, l'unione e la separazione non avvengono se non totalmente o parzialmente, e ciò che non ha né una totalità né una parte non si può né unire né separare; e ciò che non si può né unire né separare non si può neppure comporre con ciò che presenta le stesse caratteristiche, né è possibile che da essi [si produca] una cosa che possa unirsi e separarsi. [...]

È chiaro che il punto non può essere unito ad un altro punto, così che dai due risulti una linea. Noi diciamo invece che, quando si pone un punto di fronte ad un altro punto, a qualsiasi distanza, la distanza che c'è tra di essi è una lunghezza, perché la lunghezza è la distanza che intercorre tra due punti, e corrisponde alla linea, e la linea è dotata di una distanza: per questo, la linea ha due estremità e due parti, una anteriore e una posteriore. Ora, il punto è una parte della linea sotto ogni aspetto, ed è indistinguibile da essa, perché la parte non è distinguibile dall'oggetto ripartito, giacché si tratta della stessa cosa [vista] sotto un aspetto e poi sotto un [altro] aspetto – vale a dire che la parte è [parte] dell'oggetto ripartito, e l'oggetto ripartito si chiama così per la parte. [...]

Ecco, è chiaro che, quando i punti sono l'uno di fronte all'altro, a qualsiasi distanza, la distanza tra di essi è la linea, e in questo senso si parla anche delle linee e delle superfici. Infatti, quando si pongono le linee le une di fronte alle altre, a qualsiasi distanza, la distanza tra due linee è la larghezza, e quando la lunghezza e la larghezza si uniscono insieme, si ha la superficie. Dunque, la superficie è la distanza retta[27] tra due linee, e per questo ha due estremità e quattro lati: due lati nel senso della lunghezza, ossia il posteriore e l'anteriore, e due lati nel senso della larghezza, ossia il destro e il sinistro. La linea è una parte della superficie da quattro lati, e non si può distinguere da essa in alcun modo, giacché non vi è una linea se non in una superficie, e non c'è una superficie se non a partire da una linea, nei termini che abbiamo spiegato a proposito dei punti e delle linee, quando abbiamo detto che i punti sono le estremità della linea sotto ogni aspetto. In questo stesso senso si parla anche delle superficie: infatti, quan-

[27] Traduco così l'espressione *'al yosher*, letteralmente «in rettitudine».

do esse sono l'una di fronte all'altra, a qualsiasi distanza, la distanza tra ogni gruppo di due superfici è la profondità, e, quando si uniscono insieme la lunghezza, la larghezza e la profondità, si ha il corpo. Infatti, il corpo non è altro che una lunghezza, una larghezza e una profondità, e una lunghezza, larghezza e profondità non sono altro che un corpo. Per questo, il corpo ha tre dimensioni e sei facce: due facce nel senso della lunghezza, ossia la posteriore e l'anteriore; due facce nel senso della larghezza, ossia la destra e la sinistra; e due facce nel senso della profondità, ossia la superiore e l'inferiore. Le superfici sono parti del corpo sotto ogni aspetto, e non sono distinte da esso, come abbiamo spiegato per i punti nei confronti delle linee, e per le linee nei confronti delle superfici. Perciò, quando noi vogliamo dissolvere un corpo, pensiamo di eliminare la profondità, che è il fine della sua forma e la perfezione della sua definizione, e facciamo sussistere nel nostro pensiero solo le superfici, ossia lunghezza e larghezza, senza la profondità. Del pari, quando vogliamo dissolvere le superfici, pensiamo di eliminare la larghezza, che è il fine della loro forma e la perfezione della loro definizione, e, nel nostro pensiero, concepiamo solo linee, ossia una lunghezza senza larghezza. Quando poi vogliamo dissolvere le linee, pensiamo ad eliminare la larghezza, e concepiamo nel nostro pensiero solo punti, ossia una parte che non ha dimensioni né quantità.

Ora, giacché i punti non hanno forme che sussistano nel nostro pensiero, non possiamo pensare che essi abbiano una parte che sussista da sola dopo l'eliminazione della loro forma. Ecco, si è chiarito a sufficienza che il corpo non si divide in corpi: si dissolve nelle sue parti nel pensiero, ma non realmente, in natura. Pertanto, il corpo non è composto di punti. Infatti, se fosse possibile unire un punto all'altro, e se da essi nascesse qualcosa che non è un punto, sarebbe anche possibile unire una linea all'altra così che ne nasca qualcosa che non è una linea, oppure unire una superficie ad un'altra così che ne nasca qualcosa che non è una superficie; e se fosse possibile questo, sarebbe anche possibile unire un corpo ad un altro, così che ne nasca qualcosa che non è un corpo: ma l'evidenza smentisce quest'ultimo fatto. Tra le prove di questo, vi è il fatto che, se noi disegnassimo un cerchio con un compasso e vi apponessimo quattro punti cardinali – Est, Ovest, Nord, Sud – e poi facessimo uscire una linea dal centro del cerchio verso la sua circonferenza in direzione Est, e poi un'altra linea che passi sullo stesso vettore della prima linea e vada dal centro del cerchio verso la sua circonferenza in direzione Ovest, noi non troviamo che, da queste due linee, si è prodotto qualcosa che non sia più della natura della linea, che è solo lunghezza. Poi, se dividiamo questa linea in due metà, non troviamo che una di queste due parti non ha più la natura della linea. Del pari, se estendiamo una superficie a partire dalla linea che taglia in due il cerchio verso Nord, e poi estendiamo un'altra superficie, contigua alla prima, a partire dalla linea che taglia in due il cerchio verso Sud, non troveremo che dalle due superfici sia venuto ad essere nulla che non abbia più la natura della superficie, che è solo lunghezza e larghezza. Del pari, se dividiamo questa superficie in due parti, non troviamo che una di queste due parti non ha più la natura della superficie.

Abbiamo così spiegato che la linea non si divide altro che in linee, e non è composta altro che da linee, e che, parimenti, la superficie non si divide altro che in superfici e non si compone altro che di superfici. Se questo è chiaro, è chiaro che il corpo non si divide altro che in corpi e non si compone altro che di corpi. [...]

Quanto a ciò che ammette l'accordo dei mutaziliti – ossia, dei separati[28] – quando ipotizzano che i corpi siano composti di particelle indivisibili [*scil.* gli atomi], è chiaro che questo è assurdo. Infatti, le particelle indivisibili non sfuggono: o sono dotate di una dimensione e di un termine, o non lo sono. Se tu dici che non hanno dimensione, è impossibile che esse si incontrino e si compongano, perché le particelle si incontrano grazie alle loro dimensioni, e ciò che non ha dimensioni non si può incontrare né congiungere. Se invece tu dici che esse si congiungono nella loro totalità, anche questo è assurdo, perché, se tu dici che la totalità di una particella si congiunge con la totalità di un'altra particella, tu fai, di due particelle, una sola, e dei loro luoghi uno solo. Infatti, la totalità di ognuna di esse è la totalità dell'altra; ora, nessuna di esse ha una dimensione e una parte. Se poi tu dici che esse hanno delle dimensioni e delle estremità, bisogna indubbiamente che esse possano suddividersi, perché allora, quando esse si incontrano e congiungono le loro dimensioni le une alle altre, alcune delle loro estremità si congiungono e altre no. Ora, esse sono indubbiamente divisibili, e tra le prove che indicano che la particella è divisibile vi è il fatto che, se tu unisci tre particelle indivisibili, come hai detto, e ne fai una sola linea, e poi dividi la linea che hai costituito in due metà, la particella mediana viene indubbiamente divisa. [...] Ecco, è evidente dalle premesse necessarie e dalle dimostrazioni [esposte sopra] che le particelle sono divisibili, e che i corpi non sono composti di particelle indivisibili [*scil.* atomi] e unibili. In effetti, per ognuna delle parti del corpo vale ciò che vale per tutto il corpo, sia per il nome, sia per la definizione: non c'è differenza tra ogni parte e il corpo se non nella quantità, perché il tutto è più grande della parte.

[28] Israeli allude così a una delle presunte etimologie del termine *mu'tazila*, come riferito ad una scuola teologica «separata» dalle altre.

3. *Shelomoh Ibn Gabirol*

Le notizie biografiche a noi pervenute su Shelomoh Ibn Gabirol (il cui nome arabo era Abū Ayyūb Sulaymān Ibn Giabīrūl al-Qurṭubī)[29] giungono essenzialmente da Mosheh Ibn 'Ezra e dai bibliografi arabi, secondo i quali egli, di famiglia originaria di Cordova, nacque a Malaga; poeta raffinato e filosofo, sarebbe morto nel 1058 a Valenza, a poco più di trent'anni. Da altri dati, interni alle sue opere, si deduce che egli nacque verso il 1021, e che, dopo essere vissuto a lungo a Saragozza, ne venne cacciato proprio per i suoi interessi filosofici e dovette rifugiarsi a Granada, alla corte del sovrano locale, dove era ministro l'ebreo Shemuel ha-Nagid Ibn Nagrela, che sarebbe diventato il suo mecenate.

Se l'opera poetica di Ibn Gabirol è in lingua ebraica, e presuppone pertanto inevitabilmente un pubblico composto di suoi correligionari (la finalità di una parte di quest'opera sembra essere proprio quella di divulgare tra le masse ebraiche, in forma letterariamente appetibile, alcuni concetti del neoplatonismo), non è del tutto chiaro quale fosse il pubblico da lui inteso per la sua opera filosofica in lingua araba. È certamente destinato agli ebrei arabofoni il suo scritto etico, *La correzione dei costumi*, infarcito com'è di citazioni bibliche, miranti a dimostrare il sostanziale accordo tra tradizione ebraica ed etica greca; più difficile è valutare la sua opera filosofica maggiore, *La fonte di vita*, dalla quale – almeno nella forma che ci è stata tramandata dalla tradizione indiretta – non traspare in alcun modo l'appartenenza religiosa e culturale ebraica dell'autore, tanto che fino al 1846 il libro, che circolava in latino sotto il nome di *Avicebron*, venne ritenuto opera di un autore arabo musulmano o cristiano.

D'altra parte, il pensiero di Ibn Gabirol sembra presentare una notevole originalità dal punto di vista dottrinale, distaccandosi così dalla media degli autori del cosiddetto neoplatonismo ebraico – che appaiono spesso come divulgatori del neoplatonismo kindiano e della *Teologia di Aristotele*. In genere, egli sviluppa temi già presenti nella tradizione platonica ed aristotelica medievale partendo da schemi e premesse accettate ma giungendo a conclusioni innovative e apparentemente senza paragone nella letteratura filosofica araba medievale: nel suo scritto etico, per esempio, riprende le dottrine medioplatoniche, mutuate probabilmente da Galeno, che classificano in modo sistematico vizi e virtù (in linea con la classificazione delle passioni di origine stoica), ripartendoli però non tra le tre anime o parti di anima

[29] Sull'autore e la sua opera, cfr. in generale Schlanger 1968; in italiano, si può consultare il saggio (tuttavia datato) di Bertola 1953, ed ora anche Loewe 1990.

della tradizione platonica, ma tra i cinque sensi, e collegandoli alla prevalenza, nel corpo umano, di un particolare temperamento umorale; oppure, nella *Fonte di vita*, fonde la dottrina aristotelica delle categorie con quella, di matrice platonica, della contrapposizione ontologica tra il mondo materiale e quello spirituale, creando una nuova serie di dieci categorie valide per quest'ultimo (cfr. *infra*, T7, pp. 64-65).

Opere. Come si è accennato, gli scritti di Shelomoh Ibn Gabirol rientrano in due differenti ambiti linguistici. Le sue opere in lingua ebraica si possono suddividere in:

– *scritti poetici*: si tratta di un ampio canzoniere (*dīwān*), pubblicato sparsamente a più riprese, che comprende tanto poesie di argomento amoroso e personale, di carattere «cortese», quanto poesie liturgiche, destinate alla lettura sinagogale (*piyyuṭim*). Tra queste ultime, è di qualche interesse filosofico la *Corona regale* (*Keter malkut*; trad. it. Piattelli 1957), nella quale Ibn Gabirol espone gli elementi essenziali del suo pensiero teologico e cosmologico;

– *scritti esegetici*: gli esegeti ebrei spagnoli dei secoli XII e XIII, primo tra tutti Abraham Ibn 'Ezra (morto nel 1167), riportano più volte riferimenti ad interpretazioni date da Ibn Gabirol intorno a singoli passi della Bibbia, dalle quali appaiono notevoli analogie con il neoplatonismo della *Fonte di vita* e interessi di carattere astrologico, che si ritroveranno anche nella filosofia ebraica del secolo XII.

Hanno invece un testo originale arabo alle spalle le seguenti opere attribuite ad Ibn Gabirol, tutte, più o meno, di argomento filosofico:

– *Libro della fonte di vita* (*Kitāb yanbū' al-ḥayāt*). È un trattato di metafisica e cosmologia in cinque libri:

libro I: premesse epistemologiche ed elementi generali della cosmologia;

libro II: sulla materia corporea universale (in sostanza, la materia prima) del mondo terreno, sui suoi caratteri e sull'unione ad essa della forma corporea;

libro III: sulle cosiddette sostanze semplici (le sostanze intelligibili che costituiscono il mondo spirituale) e sulla natura dei loro reciproci rapporti;

libro IV: espone una delle dottrine più originali e controverse di questo autore, quella della «materia spirituale universale» che costituirebbe il sostrato degli enti spirituali discussi nel libro precedente;

libro V: la natura dei rapporti tra la materia e la forma, a livello ontologico.

Il testo arabo dell'opera non è sopravvissuto, se non attraverso alcune citazioni, riportate da Mosheh Ibn 'Ezra; l'opera, nel suo complesso, è nota innanzitutto attraverso la versione latina di Domenico Gundisalvi, composta verso il 1150 sotto il titolo di *Fons Vitae* (ed. Baeumker 1892-1895), e in secondo luogo attraverso gli estratti in traduzione ebraica raccolti da Shem Tov Ibn Falaquera verso il 1270, ed editi e tradotti in francese da Salomon Munk nel 1857[30]. La versione latina si presenta nella forma di un dialogo filosofico tra un maestro e un discepolo, secondo uno schema inusitato nella letteratura araba ed ebraica medievale – schema di cui non c'è traccia né nei frammenti arabi, né negli estratti ebraici. La spiegazione corrente del fatto è che questi ultimi sono basati su un testo abbreviato dell'opera, dove questo schema era stato eliminato; ma sembra più probabile ritenere che la forma dialogica sia un'innovazione introdotta nel testo originale da Gundisalvi, un autore non nuovo a simili rielaborazioni dei testi arabi da lui tradotti;

– *Libro della correzione dei costumi* (*Kitāb iṣlāḥ al-akhlāq*), uno scritto etico redatto a Saragozza nel 1045, di cui sopravvive tanto il testo originale arabo (pubblicato nel 1902 da Stephen Wise), quanto una traduzione ebraica medievale, composta nel 1167 da Yehudah Ibn Tibbon e anch'essa pubblicata fin dal secolo XVI;

– *La scelta di perle* (presunto titolo arabo: *Mukhtār al-giawāhir*), raccolta di più di seicento detti sapienziali, ripresi in parte dalla ricca letteratura gnomologica araba musulmana (cfr. Raṣhavi 1988). L'opera, la cui attribuzione a Ibn Gabirol è incerta, è conservata solo in una versione ebraica, sotto il titolo di *Mivḥar ha-peninim*;

– *Trattato della luce e della tenebra* (*Maqāla al-ḍiyā' wa-l-ẓalām*): di quest'opera resta una citazione riportata da Mosheh Ibn 'Ezra[31], ma non è chiaro se essa sia da identificare con lo scritto sul tema della Volontà divina cui accenna lo stesso Ibn Gabirol nella *Fonte di vita*, ma sotto un titolo diverso (*Origo largitatis et causa essendi*)[32], oppure con uno scritto che Ibn Gabirol afferma di aver composto sul tema dell'essere[33].

[30] Una recentissima riedizione, con traduzione italiana, degli estratti di Falaquera – che non è stato possibile utilizzare in questo libro – è in Gatti 2001.

[31] Cfr. ms. Gerusalemme, Jewish National and University Library, 8° 570, p. 264.6-8: «E Abū Ayyūb Ben Gabirol [disse] nel suo *Trattato sulla luce e sulla tenebra* che la tenebra non è il contrario della luce come la cecità, che è la privazione della vista, e la sordità, che è la privazione dell'udito».

[32] Cfr. Baeumker 1892-95, p. 330.10.

[33] Ivi, p. 269.23.

❑ T7. LE SOSTANZE SEMPLICI NELL'ONTOLOGIA DI IBN GABIROL (da *Estratti della «Fonte di vita»*, libro III)[34]

Questo compendio didattico presenta le «sostanze semplici», ossia le sostanze spirituali emanate da Dio (l'«agente primo») ed esistenti nel mondo superiore, quello dello spirito, secondo la dottrina di Ibn Gabirol nel libro III della *Fonte di vita*. Si afferma che queste sostanze fungono da intermediari tra Dio, che è uno, e il mondo molteplice di quaggiù; che esse debbono essere spirituali – perché i corpi sono invece composti – nonché sottili e dotate di forme, e che irradiano la loro potenza sulle sostanze corporee, le quali sono in certo modo «incluse» in esse. Al concetto di «sostanza spirituale», Ibn Gabirol accosta un'originale serie di dieci categorie valide per il mondo spirituale, parallele a quelle aristoteliche, valide invece per il mondo corporeo (cfr. *infra*, § 21). A questo tema si intreccia la dottrina dell'«uomo microcosmo», che fa corrispondere le diverse parti del mondo, spirituale e corporeo, alle diverse parti della mente e del corpo umano (cfr. per esempio *infra*, §§ 6, 36 e 44).

1. Bisogna che noi dimostriamo che tra l'Agente primo – sia Egli lodato – e la sostanza che funge da sostrato alle categorie vi è una sostanza intermedia, e che assumiamo questa ipotesi, ossia: se la prima delle cose esistenti è l'Agente primo, che non ha un agente, e l'ultima è l'effetto ultimo, che non ha un effetto, tra la prima e l'ultima delle cose c'è una distinzione essenziale e in atto, perché, se tra la prima e l'ultima non vi fosse una distinzione, la prima sarebbe l'ultima e l'ultima sarebbe la prima. La distinzione consiste nel venir meno della somiglianza: quando viene meno la somiglianza, viene meno la continuità, perché la continuità consiste nella somiglianza.

2. La prova dell'esistenza delle sostanze semplici è molto difficile; riportiamo prima le dimostrazioni che indicano che tra l'Agente primo e l'effetto ultimo c'è una sostanza intermedia.

Dimostrazione: l'Agente primo è la prima delle cose, e la prima delle cose è distinta dall'ultima; la sostanza che funge da sostrato alle nove categorie è l'ultima delle cose; dunque, l'Agente primo è distinto dalla sostanza che funge da sostrato alle nove categorie. Ora, prendiamo come premessa questa conclusione e diciamo che l'Agente primo è distinto dalla sostanza che funge da sostrato alle nove categorie; tutte le cose che sono differenti – ossia, tra le quali c'è una distinzione – hanno tra di esse qualcosa di intermedio senza il quale sarebbero una cosa sola e non sarebbero differenti; dunque, c'è qualcosa di intermedio tra l'Agente primo e la sostanza che funge da sostrato alle nove categorie.

[34] Cfr. Munk 1857, pp. 9*v*18-16*v*18.

3. L'anima è distinta dal corpo, e se non vi fosse lo spirito, che è intermedio tra l'una e l'altro, ciascuna delle due cose non sarebbe legata all'altra.

4. Se l'Agente primo fosse distinto dalla sostanza che funge da sostrato alle categorie, senza che vi fosse tra di essi qualcosa di intermedio, non sarebbe possibile che queste due cose fossero legate, e se non vi fosse alcun legame tra di esse la sostanza non durerebbe neppure un attimo.

Dimostrazione: l'Agente primo – sia benedetto – è l'Uno vero, nel quale non c'è molteplicità, mentre la sostanza che funge da sostrato alle categorie è estremamente molteplice, e dopo di essa non vi è nulla che sia più molteplice; ogni molteplicità composta si risolve nell'unità; dunque, non è possibile che non vi siano cose intermedie tra l'Uno vero e la molteplicità composta.

Dimostrazione: ogni agente opera solo ciò che gli è simile; la sostanza semplice è simile all'Agente primo; dunque, l'Agente primo opera solo la sostanza semplice.

5. Più si scende in basso nella sostanza, più essa si moltiplica; essa si unifica nel salire la scala [dell'essere][35], e bisogna necessariamente che raggiunga l'unità vera; bisogna allora che la sostanza moltiplicata arrivi alla sostanza realmente unificata.

6. Il microcosmo è immagine del macrocosmo nel suo ordine e nella sua struttura. La sostanza dell'intelletto, che è sottile e semplice, e più eccellente di tutte le sostanze del microcosmo, non ha contiguità con il corpo, perché l'anima e lo spirito sono intermedi tra l'uno e l'altro; per questo, si fa un confronto con l'ordinamento del macrocosmo: infatti, la sostanza semplice ed eccellente non ha contiguità con il corpo, ossia con la sostanza che funge da sostrato alle categorie[36].

7. Dimostrazione: il movimento della sostanza che funge da sostrato alle categorie avviene nel tempo, e il tempo ricade nell'e-

[35] Correggo l'ebraico *silluq* («venir meno») dell'edizione in *sillum* («fare, salire la scala»).

[36] Il frammento arabo corrispondente recita: «Il microcosmo è immagine del macrocosmo nella sua composizione e nella sua struttura. La sostanza dell'intelletto, che è più semplice ed eccellente di tutte le sostanze del mondo, non è contigua al corpo, perché l'anima e lo spirito sono intermedi tra di essi. Il fatto che il più leggero sia legato al più pesante, il più sottile al più spesso conferma il fatto che l'anima razionale stia fissa nel corpo e vi resti grazie alla mediazione degli spiriti suddetti, che stanno tra di essa e il corpo, giacché non è corretto affermare che essa, sottile com'è, stia stabilmente con il corpo, ch'è spesso, senza intermediario. Per questo, si fa un confronto con la composizione del macrocosmo: infatti, la sostanza più semplice non è contigua al corpo, che è la sostanza che funge da sostrato alle categorie» (ed. in Fenton 1997, pp. 396-97).

ternità[37]; l'Agente primo è al di sopra dell'eternità; dunque, l'eternità è intermedia tra Lui e la sostanza. Ma l'eternità è tale per ciò che è eterno[38], ed è una durata per ciò che è dotato di una durata; dunque, c'è qualcosa di intermedio tra l'Agente primo e la sostanza che funge da sostrato alle categorie, la cui durata è l'eternità; e pertanto la sostanza che funge da sostrato alle categorie non è contigua all'Agente primo[39].

8. Giacché ciò che è spesso non si lega a ciò che è sottile se non grazie all'intermediazione di qualcosa che sia simile ad entrambi, e non riceve alcuna impressione da esso se non in modo mediato – per esempio, il corpo umano non riceve l'impressione dell'anima razionale se non mediante lo spirito animale, e del pari l'uomo non riceve l'intelletto se non mediante l'anima razionale, e la facoltà visiva non si lega ai corpi se non mediante la pupilla e l'aria sottile, e l'anima universale non si lega ai corpi se non mediante la sfera celeste, che è intermedia tra la spiritualità e la corporeità – è evidente anche che ci sono sostanze intermedie tra la sostanza che funge da sostrato alle categorie e l'Agente primo.

9. Giacché i corpi sono gli uni più eccellenti degli altri, e il più elevato di essi è più eccellente di quello inferiore, bisogna necessariamente che l'ente più elevato sia il più eccellente e il più forte degli enti, e l'ente più basso sia il peggiore e il più debole; e la proporzione tra il più elevato degli enti sensibili e il più elevato degli enti intelligibili è pari alla proporzione tra il più basso e il più elevato dei sensibili. Con ciò tu sai che le sostanze semplici sono intermedie tra l'Agente primo e la sostanza che funge da sostrato alle categorie.

10. Le sostanze semplici stesse non sono estese: ad essere estese e prolungate sono invece le loro potenze e le loro irradiazioni, perché le essenze di ognuna di queste sostanze sono limitate e contenute, non prolungate all'infinito; le loro irradiazioni, invece, sono estese e oltrepassano i limiti di esse, perché rientrano sotto la prima emanazione proiettata dalla volontà [divina], che è come la luce proiettata dal sole nell'aria – infatti, questa luce oltrepassa il limite del sole e continua nell'aria, mentre il sole stesso

[37] Il termine impiegato qui dal traduttore ebraico, *dahr*, è un termine arabo che indica il tempo eterno (greco *aiòn*) contrapposto al tempo limitato (greco *chrònos*).

[38] Accolgo la correzione dell'èdito *davar* in *dohar*, «eternato, eterno», suggerita da Munk (cfr. Munk 1857, p. 40, n. 1).

[39] Poco più oltre, il testo arabo riporta questa frase: «L'anima si muove di per sé, non nello spazio; e tutto ciò che si muove al di fuori dello spazio ha un movimento uniforme; quindi, l'anima si muove di moto uniforme» (ed. in Fenton 1997, p. 397).

non oltrepassa il proprio limite – e come la facoltà dell'anima [animale] emanata dalla facoltà razionale, che ha sede nel cervello, nei nervi e nelle vene – infatti, questa facoltà penetra in tutte le parti del corpo spargendovisi, benché l'essenza stessa dell'anima non si estenda e non si sparga. Parimenti, ognuna delle sostanze semplici estende le sue irradiazioni e la sua luce, e penetra ciò che sta più in basso; ciononostante, però, la sostanza resta al suo posto e non oltrepassa il proprio limite.

11. Giacché le sostanze inferiori escono dalle sostanze superiori come la potenza esce da ciò che è potente, non come la sostanza esce dalla sostanza, bisogna necessariamente che le sostanze superiori non vengano a mancare di nulla quando da esse nascono le sostanze inferiori, e del pari bisogna che quelle potenze – ossia, le sostanze inferiori – non siano separate dalle loro sostanze, benché siano emanate da esse, così come il calore del fuoco non viene a mancare di nulla e non si separa da esso, benché produca un calore nell'aria vicina e questo calore non sia quello stesso calore, perché, quando il fuoco viene meno, questo calore resta nell'aria, dal momento che i due sostrati sono differenti, e il calore generato nell'aria è differente per potenza dal calore del fuoco. Del pari, la luce del sole, che inerisce al sole stesso, quando si sparge sulla terra, non viene a mancare di nulla, anche se viene emanata; e la luce sparsa sulla terra non è la stessa luce che inerisce al sole, e la prova di questo sta nella differenza di potenza tra i due sostrati e le due luci.

12. La somma di questo discorso è che l'emanazione prima, che include tutte le sostanze, è ciò che rende necessarie le emanazioni da una sostanza all'altra. Per esempio, il sole: esso emana da sé, ossia senza intermediario, ed estende i suoi raggi, per questo stesso motivo, ossia perché tutto ricade sotto la prima emanazione e vi è sottomesso. Poi, quando la forma diventa più sottile della materia, ed è così sottile da penetrare e immergersi in ciò che le sta di fronte, bisogna necessariamente che ogni forma penetri e s'immerga in tutto ciò che le sta di fronte e davanti.

13. La sostanza corporea non può emanare sé stessa a causa dello spessore e dell'oscurità della [sua] quantità, benché la quantità emani la sua ombra sui corpi che le stanno di fronte, al punto che, quando trova un corpo puro, emana su di esso la sua forma; tanto più bisogna, stando a questo ragionamento, che la sostanza spirituale, priva di quantità, sia ancora più degna di emanare sé stessa, la sua potenza e la sua luce.

14. Quando tu consideri che la sostanza semplice non ha fine, e consideri la sua potenza e analizzi la sua penetrazione e il suo immergersi nella cosa penetrata da essa e predisposta a riceverla, e fai una comparazione tra di essa e la sostanza corporea, tu tro-

vi che è impossibile che la sostanza corporea si trovi in ogni luogo, e che essa è troppo debole per penetrare nelle cose, mentre trovi che la sostanza semplice, ossia la sostanza dell'anima universale, penetra in tutto il mondo e vi si immerge; e la causa di ciò sta nella sottigliezza, nella potenza e nella luce di ciascuna di queste due sostanze – e per questo la sostanza dell'intelletto si immerge nelle profondità delle cose e le penetra; tanto più bisogna, secondo questo ragionamento, che la potenza di Dio – sia lodato e santificato – penetri in tutto, includa tutto e agisca in tutto, fuori dal tempo.

15. Giacché questa sostanza [di quaggiù] è un corpo sensibile e composto, bisogna necessariamente che l'impressione che la sostanza spirituale lascia in essa sia sensibile; però, questa impressione non è né assolutamente corporea, né assolutamente spirituale, ma intermedia tra le due condizioni, come accade per l'accrescimento, la sensazione, il movimento, i colori e le figure, che, nelle sostanze composte dalle sostanze semplici, ricevono le impressioni: queste impressioni non sono né assolutamente corporee, né assolutamente spirituali – perché sono percepite dai sensi. Secondo questo discorso, bisogna necessariamente che tutte le forme sensibili presenti nella sostanza corporea siano un'impressione proveniente dalla sostanza intelligibile spirituale – e queste forme sono sensibili perché la materia che le riceve è prossima per natura alla corporeità; e bisogna che le forme presenti nella sostanza spirituale intelligibile siano più semplici di quelle che sono presenti nella materia. Il modello dell'emanazione della forma dalla sostanza semplice spirituale e della sua impressione nella materia corporea è la luce emanata dal sole, che si immerge nell'aria penetrandovi, senza però apparire a causa della sua sottigliezza; se però si imbatte in un corpo duro, come la terra, allora la luce appare ai sensi, perché non riesce a penetrare nelle parti della terra e a diffondervisi, ma resta all'esterno del corpo, si compatta e la sua visibilità si rafforza. Secondo questo modello, le luci delle sostanze semplici penetrano e si diffondono le une nelle altre, senza apparire ai sensi a causa della sottigliezza e della semplicità di ognuna di queste sostanze, finché la penetrazione di queste luci non giunge sino alla materia: allora, la luce diventa visibile ai sensi, a causa dello spessore della sostanza corporea.

In tal modo, l'uomo viene a conoscere che tutte le forme che ineriscono alla materia universale esistono nell'essenza della potenza che le emana, ossia la volontà [divina], in modo più semplice di quanto esistano nella materia prima che le riceve. Tuttavia, giacché la materia prima è per sua natura differente dall'essenza della volontà, ed è più simile al corpo, quando la seconda entra in relazione con la prima, bisogna necessariamente che la sua impressione nella materia sia visibile, così come è visibile l'impressione delle sostanze intelligibili nei corpi; e bisogna che la volontà faccia uscire ciò che è nella sua essenza e lo dia alla materia, così come le sostanze intelligibili fanno uscire ciò che è nella loro essenza e lo danno ai corpi. Tuttavia, la volontà [divina] opera fuori dal tempo e dal luogo, senza movimento e senza alcun strumento, mentre le sostanze intelligibili operano in condizioni opposte; per questo, le sostanze semplici e, in generale, tutte le sostanze agenti operano ciò che operano in virtù dell'Atto primo che muove tutto e che penetra in tutto.

In questo modo, [l'uomo] conosce la penetrazione della Potenza prima e dell'Atto primo in tutti gli enti; infatti, se la potenza delle sostanze semplici, e in generale la potenza di ogni ente viene emanata e si immerge e penetra in tutto, tanto più lo farà la potenza dell'Agente primo – sia benedetto ed esaltato; e per questo noi diciamo che l'Agente primo – sia benedetto ed esaltato – esiste in tutto, e nulla gli sfugge.

16. Ogni azione proviene da una potenza spirituale, e ogni passione[40] proviene da una potenza corporea; e se la sostanza agisce in quanto riceve qualcosa, è spirituale e corporea insieme; se invece in parte agisce e in parte riceve qualcosa, è in parte spirituale e in parte corporea. Ogni sostanza che funge da sostrato alle categorie è corporea, e dunque da essa non emana alcuna azione.

17. Dimostrazione: ogni sostanza spirituale è dotata di una forma, e ogni sostanza spirituale è sottile; ogni cosa sottile emana la sua forma; dunque, la sostanza spirituale emana la sua forma. Poi, poniamo questa conclusione come premessa, e diciamo: la sostanza spirituale emana la sua forma; ogni volta che qualcosa emana la propria forma, tale forma si riflette su ciò che le sta di fronte e che la riceve; la conclusione è che la forma della sostanza spirituale si riflette su ciò che le sta di fronte e che la riceve. Poi, combiniamo questa conclusione con questo discorso, e diciamo: ogni volta che una forma si riflette su ciò che la riceve, tale forma penetra in ciò che l'ha ricevuta e lo include, quando la sua essenza è sottile; la conclusione è che la forma della sostanza spirituale penetra nella sostanza che funge da sostrato alle categorie e la include. Poi, poniamo questa conclusione come premessa e diciamo: la forma della sostanza spirituale penetra nella sostanza che funge da sostrato alle categorie, e la include; la forma che inerisce alla sostanza che funge da sostrato alle categorie vi penetra e la include; la conclusione è che la forma che inerisce alla sostanza che funge da sostrato alle categorie è la forma della sostanza spirituale.

[40] Alla lettera, nella traduzione ebraica: *qibbul*, «ricezione».

18. Dimostrazione: tutto ciò che riceve molte forme non ha esso stesso una sola forma ad essa propria[41]; la sostanza semplice, come l'intelletto, l'anima, la natura e la materia, riceve molte forme; dunque, nessuna di queste cose ha una sola forma ad essa propria.

19. Dimostrazione: l'intelletto e l'anima conoscono ogni cosa; la conoscenza consta nella sussistenza della forma della cosa conosciuta nell'anima e nell'intelletto; dunque, nell'intelletto e nell'anima sussiste la forma di ogni cosa. La sussistenza in esse di ogni forma avviene grazie all'unione; dunque, tutte le forme sono unite all'intelletto e all'anima. L'unione avviene grazie alla similitudine; dunque, le forme sono simili all'intelletto e all'anima[42].

20. Dimostrazione: le cose sensibili esistono nell'anima in modo semplice – vale a dire che le loro forme si trovano in essa senza le loro materie; le forme delle cose esistono nell'intelletto in modo ancora più semplice, e la loro esistenza è più generale; bisogna dunque che tutte le forme inferiori esistano nelle forme superiori, grado dopo grado, sino ad arrivare alla forma universale, nella quale si trovano tutte le forme; però, queste ultime forme non si trovano in un luogo, mentre quelle prime vi si trovano, e queste sono unificate perché unificata è la sostanza spirituale, mentre quelle sono divise, a causa della divisione della sostanza corporea.

21. Se tu dici: se l'inferiore è simile al superiore, e si trova nel superiore, come è possibile che i dieci generi corporei[43] si trovino nella sostanza semplice spirituale? Considera la parte inferiore dell'esistenza, ossia ognuno dei dieci generi, e guarda anche alla parte superiore di essa: tu troverai che ognuno dei dieci generi che si trovano nella parte inferiore ha un corrispondente nella parte superiore. Troverai che:

– la sostanza corrisponde alla materia universale;
– la quantità corrisponde alla forma dell'intelletto, e parimenti alle unità che esistono nelle forme delle sostanze, mentre le sue sette specie[44] corrispondono al numero delle sette sostanze semplici – materia, forma, intelletto, [tre] anime, natura – e al numero delle facoltà di ognuna di queste sostanze;

[41] Nel frammento corrispondente del testo arabo: «Se la materia [riceve] tutte le forme, non può avere una forma» (ed. in Fenton 1997, p. 397).

[42] Nel frammento corrispondente dell'arabo: «Quando [l'intelletto] percepisce le cose spirituali, le percepisce in similitudine; e chi percepisce le cose di per sé, è simile alla potenza di ogni cosa, nella quale sta la forma di ogni cosa» (ed. in Fenton 1997, p. 397).

[43] Si allude così alle dieci categorie della tradizione aristotelica.

[44] Si allude così alle sette specie di quantità di cui parla Aristotele: cfr. *Categorie* 4b22-25.

– la qualità corrisponde alle suddivisioni e alle forme di queste sostanze;

– la relazione corrisponde al fatto che queste sostanze siano cause e cose causate;

– il tempo corrisponde all'eternità;

– il luogo corrisponde ai gradi di precedenza e di posteriorità di questi enti;

– la posizione corrisponde al fatto che esse fungono da sostrati[45];

– l'agente corrisponde a quella di queste sostanze che produce un'impressione, conferisce un beneficio e crea;

– il paziente corrisponde a quella di queste sostanze che ha subito un'impressione e ha ricevuto un beneficio;

– l'avere corrisponde all'esistenza della forma universale nella materia universale e all'esistenza di ognuna delle forme delle sostanze semplici nella materia che funge da suo sostrato, e corrisponde all'esistenza delle potenze specifiche in ognuna di queste sostanze.

Ciò indica che le forme della sostanza composta sono emanate dalle forme delle sostanze semplici.

22. Queste forme assumono un corpo, ed hanno questa caratteristica a causa del loro legame con la sostanza corporea; sono simili ad un abito bianco, sottile e puro che, quando si unisce con un corpo scuro o rosso ne assume il colore e, stando a quanto appare al senso, si altera, anche se in realtà non è così.

23. È nella natura della forma di seguire la materia imprimendovisi e facendole ricevere la figura, e giacché la materia in sé è corporea, bisogna necessariamente che la forma, che si riflette su di essa partendo dalla sostanza spirituale, sia anch'essa corporea. Inoltre, è nella natura della forma di penetrare e immergersi nella materia che la riceve, quando è predisposta a riceverla, giacché la forma prima, che raccoglie tutte le forme, penetra e si immerge nella materia prima; e se la materia è spessa, la forma è troppo debole per penetrare e diffondersi in essa, così che l'essenza della forma possa compattarsi, non si disperda e appaia ai sensi al suo compattarsi – infatti questa cosa, quando si compatta, assume un corpo e appare ai sensi, mentre, al contrario, quando si disperde, svanisce e si nasconde ai sensi. L'ipotesi secondo la quale si spiega il riflettersi delle forme spirituali sulla materia corporea e l'apparire, allora, delle forme corporee nella materia corporea è ba-

45 Alla lettera, nella traduzione ebraica: *nesi'ah*, ossia il fatto di essere *nose'*, «sostrato».

sata sul confronto con il riflettersi della luce sui corpi e sull'apparire, allora, dei colori dei corpi stessi.

24. Giacché l'anima è intermedia tra la sostanza dell'intelletto e il senso, bisogna necessariamente che, quando essa inclina al senso, venga meno la percezione di ciò che si percepisce con l'intelletto, e parimenti, quando essa inclina all'intelletto, venga meno la percezione di ciò che si percepisce con il senso, perché ognuno di questi due estremi è separato dall'altro, e quando l'anima si volge all'uno, si distoglie dall'altro.

25. Il concetto intelligibile secondo cui tutte le forme sensibili sussistono nella forma dell'anima comporta che tutte le forme siano unite alla forma dell'anima, ossia che la forma dell'anima, per sua natura ed essenza, è una sostanza che raccoglie l'essenza di ogni forma in modo essenziale, in quanto tutte le forme sono unificate dal concetto di forma, perché sono tutte forme ed hanno in comune il concetto di forma. Il concetto di forma è unito alla forma dell'anima, perché tutt'e due sono forme, e le forme particolari – ossia, tutti gli oggetti sensibili – sono unite alla forma universale, ossia quella che raccoglie tutte le forme, e quindi queste forme sono unite alla forma dell'anima, in quanto la forma universale che le raccoglie è unita alla forma dell'anima.

26. Queste forme che si trovano nella sostanza dell'anima sono intermedie tra le forme corporee, che ineriscono alla sostanza composta, e le forme spirituali, che si trovano nella sostanza dell'intelletto. La prova di ciò sta nel fatto che la sostanza dell'intelletto percepisce l'essere di tutte le cose – ossia, la forma unitaria semplice, vale a dire i generi e le specie – mentre la sostanza dell'anima percepisce il resto – ossia, le differenze, le proprietà e gli accidenti colti dai sensi. Perciò l'anima, quando vuole conoscere la quiddità di una cosa, si lega e si unisce all'intelletto, così che esso le trasmetta l'essere semplice; e quando l'anima si lega all'intelletto, la forma di questo si assimila alla forma dell'anima. Infatti, il genere è l'essere, mentre la differenza sussiste nella forma dell'anima, perché la differenza è una cosa diversa, e il primo si assimila alla seconda – infatti, il genere che sussiste nell'intelletto si assimila alla differenza che sussiste nella sostanza dell'anima, e allora l'anima percepisce la quiddità della cosa grazie alla congiunzione dei componenti semplici della quiddità, genere e differenza, con l'anima. Allora, la conoscenza della quiddità della cosa – ossia, della sua definizione – diventa perfetta.

27. Le forme non passano attraverso l'anima come la luce passa attraverso l'aria, senza essere essenziali all'anima, come pensano molti. Infatti, se le forme non fossero essenziali all'anima, non sarebbero unite ad essa, e non uscirebbero all'atto. Ciò è indicato dal fatto che la sostanza dell'anima riceve, in sogno, la forma in-

tellettuale dalla sostanza dell'intelletto in modo psichico[46], ossia in modo immaginativo, e in seguito, al risveglio, essa le appare in modo corporeo e materiale. Secondo questo paragone si confronta tutto ciò che è inferiore con ciò che è superiore, fino ad arrivare alla materia prima, che funge da sostrato di tutto: le sostanze inferiori si rivestono della luce delle sostanze superiori, e l'universo si riveste della luce dell'Agente primo – sia benedetto. L'impressione delle sostanze superiori nelle inferiori appare, nella pianta, dal movimento della crescita, del nutrimento e della generazione; l'impressione che giunge dalla natura comporta l'attrazione, l'alterazione, la ritenzione e l'espulsione [dei cibi]; l'impressione che giunge dall'anima vegetativa comporta la generazione e la crescita.

28. L'azione della natura è manchevole rispetto all'azione dell'anima vegetativa, perché l'anima vegetativa muove il corpo in tutte le sue estremità, mentre la natura no. L'impressione che giunge dall'anima animale comporta il senso e il movimento, e muove il corpo nel suo complesso, spostandolo tutto nello spazio, mentre l'anima vegetativa muove solo le parti del corpo.

29. L'anima animale presenta delle superiorità rispetto all'anima vegetativa, perché è legata alle forme dei corpi che hanno una sottigliezza simile alla sua, e li priva delle loro forme corporee, mentre l'anima vegetativa è legata alle essenze dei corpi perché è simile ad esse nello spessore, la vicinanza e il contatto.

30. L'azione dell'anima animale consiste nel percepire con i sensi le forme dei corpi spessi nel tempo, nel movimento spaziale, nell'emissione della voce e dei toni musicali senza un ordine che indichi un concetto; invece, l'azione dell'anima razionale è la percezione delle forme intelligibili sottili, il movimento degli intelligibili fuori dal tempo e dallo spazio, l'emissione della voce e dei toni musicali secondo un ordine e una composizione che indicano un concetto; infine, l'azione dell'intelletto è la percezione di tutte le forme intelligibili fuori dal tempo e dallo spazio, senza compiere alcuna ricerca e senza bisogno di qualcosa d'altro all'infuori di sé, perché l'intelletto è perfetto e completo[47].

31. Ciò che tu devi sapere è che lo studio delle sostanze semplici e la comprensione di ciò che è possibile percepire dalla conoscenza di esse è motivo di grande riposo e piacere per l'anima razionale; e, a seconda della capacità che quest'anima ha di co-

[46] Per questa traduzione, cfr. Munk 1857, p. 54, n. 2.

[47] Nel frammento arabo corrispondente del testo originale: «L'intelletto percepisce tutte le forme intelligibili fuori dal tempo e dallo spazio, senza ricerca e senza bisogno e senza un'altra causa diversa da sé, perché è un'impressione [*sic!*] completa» (ed. in Fenton 1997, p. 398).

noscerle, di navigare in esse, di capirne le forme e le proprietà, e di distinguerne le impressioni e gli effetti, essa ha la capacità di conoscere la divinità[48] e di legarsi ad essa. Sforzati di riflettere sulle sostanze semplici con il massimo dei tuoi sforzi, e tanto più sulla sostanza dell'anima e dell'intelletto, perché essi sono i sostrati di ogni cosa, e in essi c'è la forma di ogni cosa[49].

32. Più si scende nelle sostanze semplici, più queste diventano spesse, fino ad assumere un corpo e a fermarsi; e tu trovi che anche le sostanze composte rispondono a questa descrizione. Come è dunque possibile che la potenza divina si indebolisca, si alteri e assuma un corpo, e che l'azione dell'Agente primo – sia santificato – sia più appariscente in alcune sostanze che in altre, benché la potenza divina sia il punto massimo di ogni potenza e perfezione, e il punto massimo di ogni possibilità?

33. Non è possibile che la potenza divina si indebolisca: sono le potenze che, desiderandola, salgono verso l'alto, mentre ciò che è inferiore resta in ombra. Il fatto che la materia riceva la forma dalla potenza agente avviene solo per la predisposizione della materia: se essa fosse predisposta a ricevere una sola forma perfetta, senza alcuna diversità, la potenza [divina] non indebolirebbe la sua azione. Non bisogna far risalire l'alterazione della potenza alla potenza stessa, ma alla cosa che riceve la sua azione; e quando la materia è prossima alla fonte, è più ricettiva della sua azione di quanto lo sia la materia lontana.

34. Se vuoi capire questo concetto rapidamente, sali dal basso verso l'alto: allora, vedrai che l'ente è più sottile e più semplice, e più fortemente unito, materia se è materia, forma se è forma, movimento se è movimento. Assumi ciò che è evidente come prova di ciò che è nascosto, e confronta ciò che è composto con ciò che è semplice, ciò che è causato con la causa, perché se fai così raggiungerai l'oggetto di questa tua ricerca.

35. Assumi come modello il corpo universale assoluto: infatti, è veramente così, perché l'inferiore è specchio del superiore. In-

[48] Alla lettera, nel testo: *ha-rabbanut kelomar ha-elohut*, dove il primo termine è traduzione letterale dell'espressione araba *al-rubūbiyya*, letteralmente «la signoria» – nel senso, appunto, di «divinità».

[49] I frammenti arabi corrispondenti a questo paragrafo aggiungono questo passo: «La sostanza dell'intelletto è più sottile e più perfetta delle sostanze intelligibili, e funge da sostrato ad ogni forma, è congiunta ad ogni cosa, ne è consapevole e la distingue. L'anima razionale è inferiore ad essa in questo, poiché l'anima funge da sostrato ad alcune forme ma non è congiunta ad ogni cosa, e non distingue ogni cosa. Parimenti, l'anima animale è inferiore in questo a quella razionale, e anche la più forte e perfetta agisce nella cosa più debole» (ed. in Fenton 1997, pp. 398-99).

fatti, se tu studi la composizione del corpo assoluto e l'ordinamento delle sue parti, ti sarà facile concepire la disposizione e l'ordinamento delle sostanze semplici.

36. Fai corrispondere la materia prima alla sostanza che funge da sostrato a tutte le forme del corpo, giacché la materia funge da sostrato a tutte le forme; e fai corrispondere la sostanza dell'intelletto alla quantità, giacché l'intelletto è dotato di due potenze, e per questo gli accade di dividersi; e fai corrispondere la sostanza della natura al colore, che è l'ultima delle parti del corpo, come la natura è l'ultima delle sostanze semplici, ed inoltre la nascita del colore avviene grazie ad essa. Come tanto più la vista oltrepassa il colore e si immerge nella figura, nella quantità e infine nella sostanza di una cosa, quanto più l'esistenza si nasconde e si cela ad essa per la sua sottigliezza, e tanto più essa si distoglie dalla sostanza e passa alla quantità, e dalla quantità alla figura, e dalla figura al colore di una cosa, quanto più l'esistenza si ispessisce e si manifesta per il suo spessore, così, quando l'intelletto si immerge in ciò che è oltre la sostanza sostrato delle categorie – ossia, nelle sostanze spirituali – sino ad arrivare alla materia, che corrisponde alla sostanza, l'esistenza si nasconde e si cela ad esso per la sua sottigliezza, mentre tanto più esso si distoglie dalla materia e passa alle sostanze più vicine ad esso, quanto più l'esistenza si rende evidente e manifesta per il suo spessore.

Questo paragone ti renderà facile concepire la disposizione delle sostanze spirituali secondo i loro gradi.

37. In generale, quando tu vuoi concepire queste sostanze, espanderti in esse e includerle, devi salire con il pensiero sino all'ultimo intelligibile, e purificarti dalle sozzure dei sensi e liberarti dalla prigione della natura, e raggiungerai con la potenza del tuo intelletto il massimo che ti è possibile raggiungere della reale natura della sostanza intelligibile, al punto che è come se tu ti fossi spogliato della sostanza sensibile e non la conoscessi: allora, tu stesso includerai tutto il mondo corporeo e lo porrai in uno degli angoli della tua anima, perché, quando tu farai questo, osserverai le piccole dimensioni del mondo sensibile rispetto alla grandezza del mondo intelligibile. Allora, le sostanze spirituali saranno nelle tue mani e davanti ai tuoi occhi, e tu le vedrai includerti e stare davanti a te, e vedrai te stesso come se tu fossi loro: ora penserai di essere tu una parte di loro, a causa del tuo legame con la sostanza corporea; ora, invece, penserai di essere tu ad includerle; non ci sarà differenza tra te e loro, perché la tua essenza sarà unita alle loro essenze, e la tua forma sarà legata alle loro forme. Se poi tu sali al livello delle sostanze intelligibili, tu troverai che i corpi sensibili sono, se posti in relazione con loro, estremamente piccoli e minuti, e vedrai che il mondo corporeo nel suo complesso

naviga tra di loro come se fosse una nave nel mare o un uccello nel cielo[50].

38. Se tu ti elevi sino alla materia universale, e ti rifugi là, alla sua ombra, vedrai ogni meraviglia: sii diligente in questo, e sforzati di farlo, perché questo è il fine cui tende l'anima umana, e là vi è il più grande piacere e la massima felicità.

39. La volontà [divina] è la potenza agente di queste sostanze: è finita nella sua azione, ma è infinita nella sua essenza. Giacché è così, la sua azione ha una fine, e la volontà è finita solo nella sua azione, perché l'azione ha un principio. Per l'essenza dell'intelletto, però, vale il discorso opposto: esso ha un principio, perché è creato, ma non ha una fine, perché è semplice e non è legato al tempo.

40. Rifletti sulla congiunzione della luce con l'aria, e sulla congiunzione dell'anima con il corpo, e sulla congiunzione dell'intelletto con l'anima, e sulla congiunzione di alcune parti del corpo – ossia, la figura, il colore, la quantità e la sostanza – e sul loro ordinamento reciproco, e ragiona su questo punto: infatti, l'unità dell'accidente con il corpo e l'unità dell'accidente con l'anima, e dell'anima con il corpo, provano l'unità delle sostanze spirituali le une con le altre, e ciò è provato anche dal fatto che, tanto più l'unità cresce, quanto più il corpo si assottiglia.

41. Chiamiamo sfere e cerchi queste sostanze semplici perché sono le une al di sopra delle altre, e le une includono le altre: questo includere è come quello del sostrato che include la cosa che vi inerisce, e quello della causa che include l'oggetto causato, e del conoscente che include l'oggetto conosciuto.

42. Studia la facoltà naturale, perché troverai che essa include il corpo, giacché agisce su di esso, e il corpo ne è l'effetto e se ne riveste. Studia l'anima vegetativa, perché troverai che essa agisce sulla natura e la domina, e troverai che la natura è rinchiusa in essa e ne subisce l'effetto. Parimenti, per quanto concerne l'intelletto e l'anima razionale, ciascuno di essi include tutte le sostanze che si trovano sotto di lui, le conosce e vi si immerge, dominandole – e più di ogni sostanza, questo lo fa l'intelletto, per la sua sottigliezza e la sua perfezione. Da tutte queste sostanze particolari trai la prova del fatto che anche alcune delle sostanze universali ne includono altre, e tutte queste sostanze includono la sostanza composta in questo modo, così come l'anima include il corpo e l'intelletto include l'anima: vale a dire che le sostanze inferiori sussistono nelle sostanze superiori, che fanno loro da so-

[50] Il paragrafo trova completo riscontro nel corrispondente frammento superstite del testo arabo (ed. in Fenton 1997, pp. 399-400).

strato e le concepiscono, e che l'anima universale funge da sostrato di tutto il mondo corporeo e concepisce e vede tutto ciò che vi si trova, come le nostre anime particolari fungono da sostrato ai nostri corpi e li concepiscono, e vedono tutto ciò che vi si trova; e tanto più lo farà l'intelletto universale, in ragione della sua perfezione, la sua espansione e la sua gloria.

In questo modo, è chiaro come l'Agente primo – sia benedetto e santificato – possa conoscere tutti gli enti, e come tutte le cose possano sussistere nella sua conoscenza.

43. Da questo è chiaro che il concetto intelligibile secondo cui la sostanza spirituale include quella corporea comporta che l'esistenza della sostanza corporea sussista nella sostanza spirituale e sia rinchiusa in essa, così come tutti i corpi sussistono nel corpo della sfera celeste e sono rinchiusi in esso; e la sostanza spirituale torna su sé stessa prolungando la sua durata, così come la sfera celeste torna su sé stessa spostandosi con moto rotatorio.

44. Quando tu vuoi concepire la struttura dell'universo, ossia il corpo universale e le sostanze spirituali che lo includono, rifletti sulla struttura dell'uomo, perché in essa c'è un'analogia. Infatti, il corpo umano corrisponde al corpo universale; le sostanze spirituali che muovono il corpo umano corrispondono alle sostanze universali che muovono il corpo universale: la sostanza inferiore obbedisce a quella superiore e le è sottomessa, finché il movimento arriva alla sostanza dell'intelletto. Tu trovi che l'intelletto governa e domina queste sostanze, e che tutte le sostanze che muovono il corpo umano lo seguono e sono ad esso sottomesse: è l'intelletto che le domina e le giudica[51].

Da questo ti viene rivelato un grande segreto e un concetto importante: il movimento delle sostanze universali inferiori è causato dal movimento delle sostanze superiori e dall'obbedienza e sottomissione delle prime alle seconde, in questo modo, finché il movimento arriva alla sostanza superiore, alla quale tutte le sostanze si trovano ad obbedire e ad essere sottomesse, seguendola e dandole retta.

Io penso che il modo di regolarsi dell'anima individuale segua il modo di regolarsi del mondo universale; e questa è la via per giungere alla felicità perfetta e conseguire il vero piacere, che è il nostro scopo.

[51] Anche questo paragrafo trova corrispondenza pressoché completa in uno dei frammenti superstiti del testo arabo (ed. in Fenton 1997, pp. 400-1).

T8. DIAGNOSI E TERAPIA DELLE PASSIONI: L'ANSIA (dal *Libro della correzione dei costumi dell'anima*, parte III, cap. 2)[52]

La trattazione appare ispirata, seppure indirettamente, ai trattati sulla diagnosi e terapia delle passioni – le «malattie dell'anima» parallele a quelle del corpo – così diffusi nella filosofia etica greca di epoca ellenistica e imperiale. Non a caso, si valuta la passione in questione, l'ansia, alla stregua di un fatto fisiologico («è fredda e asciutta»); inoltre, tra i numerosi autori greci citati sembra svolgere un ruolo importante il medico del II secolo d.C. Galeno: forse al suo perduto trattato *De indolentia*, che Ibn Gabirol conosceva, si ispira, in particolare, l'invito ad evitare l'ansia considerando la mutevolezza delle cose di questo mondo (cfr. Zonta 1995a, pp. 18-20, 113-23).

Discorso sull'ansia [...]

Questa qualità morale accresce per lo più la sua presenza nell'anima quando ciò che si desidera sfugge; si arriva quasi al punto di morire, quando si perde ciò che si ama. Per Dio, che qualità! Quanto è grande quando si manifesta, e quanta desolazione lascia, quando prevale! Si dice che «l'ansia è la morte naturale». Io ho pensato, su questo argomento, di usare qui un poco di solida fermezza. Forse Dio ci concederà il suo favore e ci ispirerà al proposito un po' di quei discorsi che consolano il dolore umano, così che questa nostra trattazione possa trovare per esso una cura, giacché non è possibile trovare una cura delle malattie dell'anima se non mediante la medicina spirituale, e quanto più questo malanno arriva a insediarsi nell'anima, tanto più trovare la sua cura diventa difficile. Chiediamo a Dio che ce ne preservi con il suo favore.

Dico che la natura di questa ansia è fredda e asciutta, simile alla bile nera, e che nessun uomo la evita. In alcuni di essi, l'ansia arriva ad un punto tale da diventare una malattia dell'anima; come dice [la Bibbia]: «Con un'ansia nel cuore l'uomo si riscalda, con una parola buona gioisce» (Pro 12,25). Sappi che questa qualità morale si manifesta prevalentemente nel volto, come tu vedi nel caso di Giuseppe, che venne a conoscenza di ciò che meditavano i ministri di Faraone quando vide i loro volti impalliditi: «Li vide, ed ecco, erano turbati» (Gn 40,6), e come disse Artaserse a Neemia: «Perché il tuo volto è brutto? Tu non sei malato!» (Ne 2,2). [...]

Devi sapere che, quando l'uomo è infatuato dall'amore del mondo di quaggiù, ossia del mondo della generazione e della cor-

[52] Cfr. Wise 1902, pp. 31.16-33.7; 33.11-34.17.

ruzione, non cessa di cercare le soddisfazioni sensibili, e di muoversi molto da una parte all'altra; e quando prima le ottiene e poi le perde, gli viene l'ansia. All'opposto, quando è dimentico di questo mondo, e volge la sua attenzione al mondo intellettuale, viene quasi salvato dai malanni dell'anima, che sono i profitti mondani, giacché rifugge dalle occupazioni vane e accoglie, con pienezza d'animo, le scienze matematiche e le leggi religiose. Bisogna che l'uomo intelligente respinga i meschini costumi del volgo e le ostentazioni di grandezza dei re. Se un uomo non può avere ciò che vuole, deve volere ciò che ha, e non prolungare la durata del dolore. Bisogna che noi otteniamo di curare le nostre anime da questa malattia; infatti, noi riteniamo di poter sopportare delle difficoltà nella cura e guarigione dei nostri corpi dalle malattie, usando [a tal fine] il fuoco e il ferro e cose simili. È meglio che progrediamo passo passo verso la correzione delle nostre anime con la forza della determinazione e sopportando con poca esitazione, così da poter avere una condotta di vita lodevole. Sappiamo anche che, quando noi ci figuriamo che non ci accada alcuna sciagura, [ciò significa che] vogliamo non esserci affatto. In effetti, le sciagure si hanno solo con la corruzione delle cose di questo mondo: se questa non ci fosse, non ci sarebbe neppure una generazione. Se noi vogliamo che non ci siano sciagure, vogliamo non esserci neppure noi: la generazione è nella natura, ma anche la corruzione lo è; se noi volessimo che quest'ultima non vi fosse in natura, vorremmo l'impossibile, e chi vuole l'impossibile impedisce la sua stessa volontà, e chi impedisce la sua stessa volontà è un infelice; e noi dobbiamo vergognarci di prediligere questa qualità morale – ossia, l'infelicità – e dobbiamo invece voler sollevarci alla condizione dell'uomo felice. Chi non vuole addolorarsi, si figuri nell'animo che le cose che lo potrebbero addolorare siano già avvenute; per esempio, chi dice: «Se il mio possesso tale sarà distrutto, io ne sarò addolorato», pensi che esso sia già andato distrutto, oppure che ciò che ama sia già andato perduto [...].

In chi è dotato di anima superiore e di nobili disegni non si trova alcuna traccia di ansia. Una volta, si disse a Socrate: «Perché in te non compare mai traccia di ansia?». Egli disse: «Perché non possiedo nulla, la cui mancanza possa addolorarmi». Bisogna che l'uomo intelligente pensi che tutto ciò che cresce, in questo mondo, all'inizio è poco e poi si ingrandisce rapidamente, tranne l'ansia: essa è maggiore il giorno in cui viene ad essere, e più tempo passa più diminuisce fino ad annullarsi. L'uomo solido e risoluto è quello che, nel momento della sventura, sopporta pazientemente a seconda della sua forza.

Alessandro aveva scritto a sua madre, per consolarla a causa di sé: «Madre mia, ordina di costruire una grande e forte città, quando ti arriverà [notizia] della morte di Alessandro. Preparaci da mangiare e da bere, e riuniscici gente da tutti i paesi, per il giorno designato, a mangiare e a bere. Quando questo sarà stato fatto e la gente si sarà già preparata a partecipare al pranzo preparato dalla regina, proclama allora che non entri in quel luogo chi è stato colto da una disgrazia». Alla morte di Alessandro, ella fece così; ma quando ordinò che non entrasse in quel luogo chi era stato colto da una disgrazia, non vide nessuno [entrarvi]. Allora si convinse che [Alessandro] voleva solo consolarla a causa di sé[53].

Alessandro sentì dire da Aristotele suo maestro che l'ansia riduce il cuore e lo annichila, e volle vedere se questo è vero. Prese allora un animale di natura prossima a quella umana, lo rinchiuse in un luogo buio e gli impose tanto di nutrimento per mantenere in vita il suo corpo. Poi, lo fece uscire, lo uccise e trovò che il suo cuore si era consunto e liquefatto, e seppe così che Aristotele gli aveva detto il vero.

Nel trattato di Galeno sull'ansia si dice: «L'ansia distrugge il cuore, e il dolore è una malattia del cuore». Poi si spiega questo dicendo: «Il dolore è per ciò che è stato, l'ansia è per ciò che sarà». In un altro luogo [si dice]: «Il dolore è per ciò che è venuto meno, l'ansia è per ciò che verrà. Attento al dolore: il dolore segna il venir meno della vita». Non vedi che, quando il volto di un vivo è pieno di dolore, egli sarà distrutto dall'ansia? Disse uno dei sapienti: «Bere veleno è più facile che patire l'ansia». Se poi qualcuno dice: «Che vantaggio si ha nel preferire questa qualità morale, quando si producono e si manifestano le disgrazie?», io dico: [il vantaggio] sta nell'espellere le lacrime ormai corrotte e alterate, e che la natura non è in grado di rimandare al loro posto, come si espellono gli umori imputriditi e alterati sino alla corruzione, ossia i succhi[54], e che si curano con le medicine purificanti. E come noi purifichiamo la materia così da farla tornare nel suo stato naturale, e come è noto che in alcuni bambini c'è un'eccedenza maligna che non si scioglie se non con il pianto, ebbene, questo è il vantaggio naturale dato dal pianto.

Disse Socrate sul dolore: «I dolori sono parti dei malanni del cuore, come le malattie sono i malanni del corpo». Dalle parole di Tolomeo al riguardo: «Chi ama sopravvivere [a lungo], prepari un cuore paziente di fronte alle disgrazie».

[53] La fonte di questo racconto, e dei detti seguenti attribuiti a diversi autori greci, è probabilmente rappresentata da una raccolta araba di massime antiche, i *Detti morali dei filosofi* (*Ādāb al-falāsifa*) di Ḥunayn Ibn Isḥāq (sec. IX): cfr. Wise 1902, p. 112.

[54] Il testo arabo presenta qui il termine *kaimūsāt*, corrispondente al greco *chymòi*, «succhi».

Capitolo quarto

Il neoplatonismo ebraico nel secolo XII

1. *Introduzione storica*[1]

Nella prima metà del secolo XII, l'Andalusia, che già nel secolo precedente era diventata il centro del pensiero ebraico medievale, assiste allo sviluppo di un'ampia letteratura filosofica in lingua araba, che ha un prolungamento nella Spagna e in generale nell'Europa cristiana con la redazione delle prime opere filosofiche e scientifiche in lingua ebraica. La cultura ebraica nella Spagna islamica si trovava in quel momento al suo apice, per quanto questa fioritura fosse estremamente precaria: diversi dei letterati e dotti ebrei di quell'ambiente – Shelomoh Ibn Gabirol, Mosheh Ibn 'Ezra – erano in qualche modo legati alle corti e alla protezione dei loro mecenati, e quando, dopo il 1140, l'Andalusia venne progressivamente occupata dagli Almohadi, tendenzialmente più intolleranti nei confronti delle culture non musulmane, questo clima favorevole ebbe fine. In effetti, l'arco cronologico di attività dei neoplatonici ebrei spagnoli di questo secolo appare estremamente circoscritto: tra il 1120 e il 1140 vengono scritte le enciclopedie di Yosef Ibn Ṣaddiq (cfr. *infra*, pp. 89 sg.) e di Abraham bar Ḥiyya (cfr. *infra*, pp. 102 sg.), lo zibaldone filosofico di Mosheh Ibn 'Ezra (cfr. *infra*, pp. 79 sg.) e l'opera apologetica di Yehudah ha-Levi (che pure non è propriamente filosofica); e se gli scritti esegetici e astrologici di Abraham Ibn 'Ezra appaiono solo dopo il 1140, è proprio perché il loro autore, in quegli anni, viaggiava nell'Europa occidentale, trasmettendo alle comunità ebraiche locali l'eredità del neoplatonismo ebraico andaluso.

Rispetto ai loro predecessori, i neoplatonici ebrei di questo periodo si distinguono per aver cercato nuove fonti filosofico-letterarie al di fuori del ristretto campo rappresentato dagli scritti della scuola di al-

[1] Sul periodo e gli autori presi in considerazione in questo capitolo, cfr. Sirat 1990, pp. 116-19, 130-70 e 552-56 (bibliografia); Frank-Leaman 1997, pp. 149-87 (Tamar M. Rudavsky).

Kindī, e volgendosi a prendere in considerazione anche i filosofi islamici più recenti: al-Fārābī e Avicenna. Mosheh Ibn 'Ezra, nel suo *Libro del giardino*, fa in certo modo un sunto del neoplatonismo islamico ed ebraico dei secoli precedenti, accostando citazioni – questa volta esplicite – dell'*Enciclopedia dei Fratelli della purità* a riferimenti al *Timeo* di Platone, ad al-Kindī e alla *Teologia di Aristotele*, al platonico musulmano «eterodosso» Abū Bakr al-Rāzī ed anche – per la prima volta nella letteratura giudeo-araba – alla *Città ideale* (*al-Madīna al-fāḍila*) di al-Fārābī. Questa apertura alla filosofia araba dei secoli X-XI affiora, sia pure in gradi diversi, in altri autori: Georges Vajda ha ritrovato in Abraham bar Ḥiyya spunti ispirati dalla dottrina politica di al-Fārābī (la divisione degli uomini in una ristretta élite di filosofi e in diverse classi a loro subordinate: cfr. Vajda 1938), e d'altronde è l'*Enumerazione delle scienze* (*Iḥṣā' al-'ulūm*) dello stesso Fārābī una delle poche fonti accertate dell'enciclopedia di questo autore; come lo stesso Vajda ha sottolineato (cfr. Vajda 1949, pp. 99-100), Yosef Ibn Ṣaddiq riprende da Avicenna la sua divisione degli oggetti della conoscenza, nonché alcune argomentazioni relative alla fisica aristotelica (cfr. *infra*, T11, p. 90 e T12, p. 93); infine, è al romanzo allegorico *Il vivente figlio del vigilante* (*Ḥayy ben Yaqẓān*) di Avicenna che è ispirato l'omonimo racconto filosofico, in ebraico, di Abraham Ibn 'Ezra: *Ḥay ben Meqis*. Non a caso, quando in quegli stessi anni Yehudah ha-Levi vorrà trovare un bersaglio per la sua polemica in difesa della tradizione giudaica contro le altre religioni e le altre filosofie, identificherà la filosofia *tout-court* con quella di al-Fārābī e di Avicenna, e da quest'ultimo riprenderà anzi alcune dottrine psicologiche (cfr. Wolfson 1935) – un segno, questo, della progressiva perdita di interesse per il neoplatonismo kindiano, ormai ritenuto superato dagli stessi filosofi islamici spagnoli contemporanei.

Prima di cedere il passo di fronte all'aristotelismo di Abraham Ibn Daud e Maimonide, il neoplatonismo andaluso del secolo XII riesce tuttavia a produrre opere che, benché tutt'altro che originali nei loro contenuti, pongono le basi per due linee di pensiero che avranno un ruolo di primo piano nei secoli successivi: la *qabbalah* e l'astrologia. Un notevole interesse in questo senso riveste il *Libro del giardino*, uno dei principali strumenti per la neoplatonizzazione della mistica ebraica: per esempio, le dottrine numerologiche dei Fratelli della purità trasmesse da quest'ultimo saranno, in forma opportunamente adattata, poste alla base della dottrina sulle *sefirot* come simboli della totalità del reale adottata dai cabbalisti di Gerona a cavallo del 1200[2]. D'altra

[2] Cfr. Fenton 1997, pp. 196-201.

parte, è con Abraham bar Ḥiyya e Abraham Ibn 'Ezra che l'astrologia, reputata scienza esatta, fedele interprete delle influenze esercitate dagli astri non solo sui fenomeni naturali, ma anche sulle vicende e sui destini degli individui umani, entra a pieno titolo nel pensiero ebraico medievale.

L'opera di Abraham Ibn 'Ezra, soprattutto, svolge un ruolo importante come canale di trasmissione e divulgazione della scienza matematica, astronomica e astrologica araba alla cultura ebraica dei paesi europei non arabofoni. Ibn 'Ezra, nato a Tudela, probabilmente nel 1089, ma educato a Cordova, centro della cultura andalusa dell'epoca, iniziò in effetti la redazione delle sue opere solo dopo il 1140, quando, emigrato dalla Spagna, era già in viaggio nei diversi paesi d'Europa (in Italia fino al 1147, poi in Francia, a Londra nel 1158, di nuovo in Provenza e infine a Roma, dove morì nel 1164 o nel 1167). La sua attività di matematico e astronomo, studiata recentemente da Shlomo Sela (cfr. Sela 2001), si rivela quella di un divulgatore: la lunga serie delle sue opere astrologiche in ebraico, che ebbero fortuna anche nel mondo cristiano sia nelle redazioni in lingua latina predisposte probabilmente da Ibn 'Ezra stesso, sia attraverso le traduzioni francesi fatte da tale Hagin (Ḥayyim) nel 1273, costituisce un'ideale enciclopedia di questa disciplina; essa è preceduta da una serie di scritti propedeutici di carattere matematico e astronomico (tavole delle stelle, studi sul calendario e sull'astrolabio), ed è accompagnata da alcune vere e proprie traduzioni ebraiche di trattati arabi sul tema (sicuramente di Ibn 'Ezra è la versione, fatta a Narbona nel 1160, del commento dell'astronomo arabo del secolo X al-Muthannà alle tavole astronomiche di al-Khuwarizmī, edita da Bernard R. Goldstein nel 1967). L'intento di Ibn 'Ezra è in effetti non quello di proporre dottrine originali rispetto all'astrologia araba, che rappresenta la sua fonte principale, bensì quello di canonizzare in certo modo questa scienza, dandole una forma letteraria e linguistica ebraica – e a tal fine egli dovette inventare un nuovo lessico scientifico ebraico.

Peraltro, è nell'opera esegetica (il commento al Pentateuco, sotto il titolo di *Il libro del giusto*, *Sefer ha-yashar*, redatto tra il 1140 e il 1166, e i commenti ad alcuni libri profetici: *Isaia*, *Salmi*, *Giobbe*) che Abraham Ibn 'Ezra riesce meglio ad «infiltrare» nell'interpretazione corrente dei testi biblici una serie di dottrine neoplatoniche, a partire dalla tesi della creazione avvenuta non *ex nihilo*, ma da una materia preesistente[3]. In realtà, la filosofia di Ibn 'Ezra che emerge, in modo

[3] Cfr. per esempio l'esegesi di *Genesi* 1,1 tradotta in Sirat 1990, p. 138.

tutt'altro che sistematico, dalle pagine di questi commenti, come da quelle di alcuni suoi scritti di carattere teologico-religioso, è una versione semplificata del neoplatonismo di Ibn Gabirol e dei Fratelli della purità, dalla teologia (Dio contiene in sé tutto il reale in potenza, e gli dà forma mediante l'azione della sua volontà) alla cosmologia (che divide il reale in tre mondi: il mondo degli angeli; il mondo degli astri; il mondo fisico dei quattro elementi). A contraddistinguerla è la dottrina del determinismo astrale, secondo cui la catena delle cause ed effetti presenti nel mondo fisico rimanda in ultima analisi al movimento delle sfere celesti, regolato dalle leggi stabilite da Dio e attuate dai suoi ministri, gli angeli, senza che gli astri assurgano essi stessi al ruolo di divinità dotate di una propria volontà autonoma: un determinismo, dunque, fondato sull'idea di un mondo regolato da ferree leggi matematiche.

In ogni caso, le dottrine astrologiche di Ibn 'Ezra mettevano in questione alcuni aspetti della tradizione giudaica (quali il libero arbitrio umano e la creazione *ex nihilo*) che erano in contrasto anche con l'aristotelismo ormai sempre più diffuso, contribuendo ad aprire una frattura tra filosofia e religione che, sino ad allora, il neoplatonismo ebraico aveva saputo evitare. La reazione dei difensori del giudaismo talmudico non si fece attendere: verso il 1120-1130, Yehudah ha-Levi, un poeta e letterato nato nel 1085 a Toledo ma educato a Cordova (da dove sarebbe fuggito più tardi, morendo in Oriente nel 1141), redige la sua apologia religiosa in lingua araba: il *Libro della confutazione e della prova circa la fede disprezzata* (*Kitāb al-radd wa-l-dalīl fī l-dīn al-dhalīl*), meglio noto come il *Libro del Cazaro* (in ebraico: *Sefer ha-Kuzari*; trad. it., Piattelli 1960). L'opera, destinata a rapido successo (già entro il 1167 ne circolavano due traduzioni ebraiche), appartiene al genere dialogico, poco diffuso nella letteratura araba medievale, e trae spunto da un evento storico: la conversione all'ebraismo dei Cazari, una popolazione turca della Russia meridionale, avvenuta nel secolo X. Yehudah ha-Levi, immaginando di riportare il dialogo intervenuto tra il re dei Cazari e i rappresentanti delle tre religioni monoteistiche (ebraismo, cristianesimo, islam) e della filosofia aristotelica, da lui convocati per fare una scelta tra le diverse dottrine da loro predicate, pone sulla bocca del rabbino, rappresentante del giudaismo, una difesa della superiorità della sua religione, fondata sulla maggiore antichità della tradizione ebraica, nonché sulla natura di Israele come popolo eletto, dotato di una primazia anche genetica sulle altre popolazioni; e a sostegno di questa tesi l'autore impiega concetti, quale quello di *amr ilāhī* (sorta di «*quid* divino»), mutuati dalla tradizione sciita ed ismailita[4].

[4] Cfr. al proposito il saggio di Pines 1980 (rist. in Pines 1997, pp. 219-305).

Ma l'interesse dell'opera nella storia della filosofia ebraica medievale sta piuttosto nel bersaglio della sua polemica antifilosofica, che è rappresentato non più dal pensiero di al-Kindī o di Ibn Gabirol, bensì da quello di al-Fārābī ed Ibn Bāggia prima (libro I, cap. 1), da quello di Avicenna ed al-Ghazālī poi (libro V, capp. 2-12): non a caso, quando si tratta di presentare i contenuti della filosofia da lui combattuta, Yehudah ha-Levi pone sulla bocca del filosofo interlocutore del re dei Cazari la dottrina tipica dell'aristotelismo islamico medievale, ripresa dalla *Città ideale* di al-Fārābī (cfr. Davidson 1972), probabilmente attraverso la mediazione dell'*Epistola sulla congiunzione* (*Risālat al-ittiṣāl*) di Ibn Bāggia[5] – dottrina che pone al vertice del mondo, ritenuto eterno, un Dio che è causa delle cause e non creatore, che, al di sopra di ogni mancanza qual è, non può immischiarsi dei particolari, la cui cura è lasciata agli intelletti da Lui emanati. Compare così qui, sia pure surrettiziamente, la prima presentazione organica dei contenuti dell'aristotelismo medievale, che avrebbe avuto tanta fortuna, di lì a poco, nella cultura e nel pensiero ebraico.

2. *Mosheh Ibn 'Ezra*

Le notizie sulla vita e l'opera di Mosheh ben Ya'aqov Ibn 'Ezra (cfr. Fenton 1997) sono, diversamente da quelle su altri filosofi dell'epoca, abbastanza abbondanti, soprattutto grazie alle testimonianze lasciate da lui stesso. Nato a Granada circa il 1055, compì in quella sede i suoi studi di letteratura e di filosofia araba. A farlo allontanare dalla città, però, fu l'invasione degli Almoravidi, dinastia musulmana di origine marocchina di tendenze rigoristiche ed ostile al clima di tolleranza culturale e religiosa sino ad allora regnante nell'Andalusia: invasione che spinse Mosheh Ibn 'Ezra ad andare, verso il 1095, esule nella Spagna cristiana, e in specie in Castiglia, dove, dopo aver girovagato in diverse città, morì verso il 1135-1138.

Nonostante l'ampia presenza, nei suoi scritti, di riferimenti a testi filosofici, la formazione di Mosheh Ibn 'Ezra appare soprattutto quella di un letterato, ben inserito nei circoli poetici non solo giudeo-arabi, ma anche musulmani spagnoli. Non a caso, anche la sua produzione in prosa appare tutta ascrivibile al genere letterario arabo dell'*adab*: si tratta, cioè, di una prosa letteraria che riproduce una conversazione tra umanisti non professionisti su temi di carattere generale, e che abbraccia e mescola poesia e filosofia, ed è farcita di dotte digressioni e

[5] Cfr. Pines 1980, pp. 212-15.

abbellita da aneddoti e apoftegmi[6]. L'elemento ebraico della sua opera è rappresentato dai riferimenti alla Bibbia, che assume per Ibn 'Ezra le caratteristiche di inimitabilità non solo contenutistica, ma anche estetico-letteraria che la tradizione arabo-islamica ascriveva da sempre al Corano. Dal punto di vista dottrinale, la produzione filosofica di Mosheh Ibn 'Ezra non presenta una grande originalità, farcita com'è di citazioni di scritti del pensiero giudeo-arabo, islamico e antico (in traduzione araba); il suo interesse è costituito soprattutto dal fatto che trasmette talora frammenti di testi andati altrimenti perduti (la *Fonte di vita* di Ibn Gabirol, scritti morali di Galeno, testi di al-Kindī), e in ogni caso offre spesso la più antica testimonianza della conoscenza diretta di queste opere nella letteratura del giudaismo medievale.

Opere. L'ampia eredità letteraria di Mosheh Ibn 'Ezra comprende un grande numero di scritti poetici, soprattutto in lingua ebraica, tanto di argomento profano o per meglio dire «cortese», quanto di carattere liturgico (cfr. Fenton 1997, pp. 23-26). Per quanto riguarda l'opera in prosa, così come può essere ricostruita dalle testimonianze superstiti (cfr. Fenton 1997, pp. 26-61) essa si estendeva a diversi generi caratteristici della letteratura araba dell'epoca, e cioè:

– *la bio-bibliografia letteraria*: tale è il *Trattato sulle virtù della gente di lettere e di pregio* (*Maqāla fī faḍā'il ahl al-ādāb wa-l-aḥsāb*), andato perduto;

– *la raccolta gnomologica*: tale è il *Trattato circa le amichevoli ammonizioni dei giusti ai migliori tra i semplici* (*Maqāla naṣīḥat al-abrār li-l-mukhtārīn min al-aghmār*), nota solo attraverso una breve citazione;

– *il trattato astrologico*: Mosheh Ibn 'Ezra risulta aver scritto un oroscopo di Mosè modellato su analoghe opere musulmane dedicate al profeta Maometto, che si accorda bene con gli interessi astrologici del tempo;

– *il trattato esegetico*: Ibn 'Ezra fu autore di un perduto commento al Pentateuco, ai *Salmi* e a parte dei libri profetici;

– *il trattato di estetica*, incentrato su una valutazione letteraria della poetica biblica: si tratta del *Libro delle conversazioni e dei ricordi* (*Kitāb al-muḥāḍara wa-l-mudhākara*), che ha avuto due recenti edizioni critiche (di Abraham S. Halkin nel 1975, e di Montserrat Abumalham, con traduzione spagnola, nel 1985-86).

Opera di Mosheh Ibn 'Ezra è, infine, il *Libro del giardino sul significato metaforico e su quello vero* (*scil.* «letterale», in riferimento al-

[6] Per questo significato del termine *adab*, cfr. Nallino 1948, pp. 11-13.

la Bibbia) (*Maqāla al-ḥadīqa fī ma'nà l-mağāz wa-l-ḥaqīqa*). Di questo scritto, quasi completamente inedito, restano otto manoscritti del testo arabo (il più completo dei quali è il ms. Gerusalemme, Jewish National and University Library, 8° 570), più alcuni frammenti di una parziale traduzione ebraica, compiuta da Yehudah al-Ḥarizī verso il 1170 e edita da Leopold Dukes nel 1842. L'opera si divide in due parti, delle quali la seconda ha carattere lessicografico, mentre la prima è dedicata a tematiche filosofico-teologiche, ed è suddivisa in undici capitoli, come segue:

I: senso metaforico e senso letterale della sacra scrittura;
II: l'unità di Dio (cfr. i trattati del *kalām* mutazilita);
III: la negazione degli attributi divini;
IV: la negazione dei nomi divini;
V: il movimento;
VI: la novità del creato (una presentazione della formazione del mondo mediante emanazione dall'intelletto primo, ripresa in buona parte dall'*Enciclopedia dei Fratelli della purità*);
VII: i precetti razionali e tradizionali (lo schema seguito è quello dei trattati del *kalām* dedicati alla giustizia divina; cfr. *supra*, pp. 13 sg.);
VIII: la composizione dell'uomo (fisiologia umana);
IX: la natura;
X: l'intelletto;
XI: le tre anime (vegetativa, animale, razionale).

La trattazione contenuta in questi capitoli non è mai sistematica: Ibn 'Ezra raccoglie una serie di citazioni ed *excursus* sui temi in questione prendendo talora spunto da alcuni versetti della Bibbia, secondo uno schema che sarà in parte ripreso da Maimonide nella sua *Guida dei perplessi*.

T9. LA NATURA COME PRINCIPIO COSMICO (dal *Libro del giardino*, parte I, cap. 9)[7]

Come tutto il *Libro del giardino*, il capitolo consta perlopiù di un centone di citazioni da autori del neoplatonismo arabo ed ebraico (lo pseudo-Empedocle, Isaac Israeli, i Fratelli della purità) intorno al tema della natura come potenza fisiologica, ma anche come forza trascendente, agente e organizzatrice del mondo. Uno dei punti di riferimento per questa seconda interpretazione del concetto di «natura» si trova pro-

[7] Cfr. ms. Gerusalemme, Jewish National and University Library, 8° 570, pp. 68.12-73.2.

❑ prio nell'*Enciclopedia dei Fratelli della purità*, parte II, epistola 6 (dove si parla della natura come «potenza dell'anima universale»).

La natura è propria degli animali e delle piante: quando si ha la riproduzione negli animali, vi è solo una trasformazione della sostanza del seme nella sostanza delle membra dell'uomo. La crescita è l'accrescimento di dimensioni di quelle membra, ossia il loro passaggio dal piccolo al grande, finché lo consente loro la giovinezza. Il cibo è una discrepanza che si dissolve dall'esterno e dall'interno: dall'esterno, giacché, mediante l'aria umida [dell'espirazione], l'umidità esce dai corpi; dall'interno, per via della trasformazione [del cibo] in calore naturale. Del pari, le piante si generano dal freddo, e poi questo freddo si trasforma nelle foglie e nei rami; esse hanno anche bisogno di crescere ed accrescersi finché possono, ed hanno bisogno di cibo che le faccia crescere per un certo periodo di tempo, altrimenti si seccano e avvizziscono, dissolvendosi.

[Disse] Empedocle: «La natura è serva dell'anima, e l'anima è serva dell'intelletto. La natura [deve] essere sottomessa, altrimenti stordisce l'anima e la sottomette. Lo stordimento dell'anima consiste nell'abbandono degli atti virtuosi e nella pratica dei vizi, e il suo asservimento alla natura consiste nel fatto di dirigersi verso i piaceri di questo mondo fallace e di dimenticare i piaceri del mondo eterno; allora, essa si assimila alla classe di coloro che non conoscono altro che le cose sensibili e, dei vari tipi di beni, non conoscono altro che quelli corporei, e non amano altro che i vari gradi del mondo fallace, e non desiderano altri piaceri che quelli bestiali, e non aspirano che agli scarti delle vanità del mondo, raccogliendo ciò di cui non ha bisogno e non si avvantaggia se non un disgraziato»[8].

Disse il filosofo: «La natura è il principio del movimento e della quiete»[9] – intendendo con «movimento» la generazione e con «quiete» la corruzione.

Disse: «L'uomo di intelletto non disseta il desiderio di conoscere della sua natura sino al suo esaurimento, mentre l'ignorante pensa di disporre [della conoscenza] e resta com'è. Così, il primo è scontento della propria capacità di comprendere, mentre il secondo si compiace della propria ignoranza. Dovunque tu veda

[8] La citazione è probabilmente ripresa dal perduto *Libro delle cinque sostanze* attribuito ad Empedocle, di cui ci restano citazioni in arabo e un compendio ebraico medievale (cfr. *supra*, p. 40).

[9] Nei *Placita philosophorum* di Aezio (pseudo-Plutarco), la definizione è ascritta ad Aristotele, il filosofo per antonomasia; in realtà, un passo analogo si trova anche nel *Libro delle sostanze* di Isaac Israeli (cfr. Fenton 1997, p. 150).

che la natura è arrogante, lì l'intelletto è manchevole, mentre, dovunque tu veda che l'intelletto è perfetto, lì la natura è difettosa e debole e frustrata»[10].

Disse anche, nella definizione di «natura»[11]: «Si tratta di un termine equivoco, che si predica di un carattere e di ogni cosa che abbia una natura ad essa propria. Talora, si predica delle 'madri', che sono gli elementi, e delle 'figlie', che sono gli umori, e della sfera celeste, e di altre cose. Si dice che la natura è, per i corpi, un movimento che viene dalla quiete, e una quiete che viene dal movimento. Secondo Aristotele, la natura è una potenza corporea che si genera nei corpi mediante l'azione della sfera celeste, che è intermediaria tra l'anima e i corpi. Secondo Platone, la natura è una sostanza sapiente nella produzione delle cose artificiali. Secondo Ippocrate, la natura è un movimento dall'interno [del corpo], ed è in grado di dargli la salvezza mediante il cibo e altre cose, e di allontanare da esso i danni a seconda delle possibilità»[12]. Questo è il migliore dei discorsi fatti per definire la natura.

Disse un altro: «Natura è il nome di una cosa che non è esistente, ma che è comprovata dalle proprie azioni».

Essa non ha un nome in ebraico, né in nessuna delle lingue. Dio – sia esaltato – ha creato l'uomo come uno spirito sottile, ossia una sostanza incorporea, ma ha posto una parte di lui come un corpo grossolano, ossia una sostanza corporea; poi, ha unito insieme queste due cose, nonostante la disparità delle parti dell'una e dell'altra, e da esse ha prodotto l'uomo. L'uomo non è l'anima razionale soltanto, ma non è neppure il corpo, né è l'una e l'altra cosa unite insieme, ma è l'unione di entrambe, ossia il tutto composto di anima e corpo. Facciamo un esempio, e diciamo: come il termine «occhio» si riferisce a una cosa composta da una pupilla, da diversi strati [di tessuto], dalla potenza visiva e dalle palpebre, e l'occhio composto da queste cose non è una sola di queste parti, ma non è neppure distinto da queste cose, così l'uomo è il composto di anima e corpo, ma non è solo una di queste due cose, né è la somma di queste due cose distinte, né è la somma di queste due cose unite; l'uomo, anzi, è l'unione dell'una e dell'altra. Lo è come si uniscono i quattro umori nella definizione del composto? Al contrario: questo accade in ragione della creazio-

[10] Si tratta probabilmente (cfr. la citazione immediatamente successiva) di un passo di Isaac Israeli, andato altrimenti perduto.

[11] Si tratta di un passo, parzialmente rielaborato, del cap. 9 del *Libro delle definizioni* di Isaac Israeli: cfr. Fenton 1997, pp. 151-52.

[12] Leggo *al-imkān*, «la possibilità», anziché *al-āfāt*, «i danni», come nel manoscritto, che non dà senso, sulla base del confronto con il corrispondente passo del testo originale della fonte.

ne, o per il fatto che sono creati; non in ragione delle loro sostanze, bensì in ragione della loro causa, che è unica.

Giacché le sostanze spirituali semplici precedono per dignità quelle corporee composte, bisogna iniziare, nella misura del possibile, dalle cose spirituali e semplici proprie dell'uomo, e poi passare alle cose corporee composte. Però, non alluderò a questo se non per un attimo, e non darò spiegazioni al riguardo se non in modo generico: è un mare profondo, che ha schiacciato gli antichi e nel quale nuotano i moderni; i loro libri su questo tema sono ben noti e con essi si potrebbe quasi riempire il vuoto.

La generazione è l'uscita di una cosa dall'inesistenza all'esistenza, e si dice che consista nel fatto che la materia riceve la forma migliore e se ne rivesta; <la corruzione consiste nel fatto che la materia è privata della forma migliore e si riveste> della forma più vile. Non ogni materia riceve ogni forma: infatti, il legno non riceve la forma della camicia, né la stoffa riceve la forma della sedia[13]. La generazione e la corruzione sono due contrari, che non possono trovarsi uniti in una cosa sola, giacché la generazione consiste nel raggiungimento della forma da parte della materia, mentre la corruzione consiste nel ritirarsi dell'una dall'altra. Quando una cosa si corrompe, diventa inevitabilmente un'altra cosa: se ciò di cui essa si riveste è più nobile, si parla di generazione; se ciò di cui si riveste è più vile, si parla di corruzione[14].

Disse il filosofo: «Le parti della conoscenza in tutto sono tre: la scienza della materia e della forma, la scienza della volontà e la scienza dell'essenza prima; e nell'esistenza non vi sono altro che queste tre cose. La Causa prima è l'essenza, la cosa causata è la materia e la forma, e la volontà è intermedia tra i due estremi. La materia e la forma sono paragonabili al corpo umano e alla sua forma, ossia alla composizione delle sue membra; la volontà è paragonabile all'anima; l'essenza prima è paragonabile all'intelletto»[15].

Il discorso dei sapienti circa la volontà come intermedia tra la causa e la cosa causata è un discorso lungo; quanto poi alla materia e alla forma che vengono prima del corpo naturale che dispone di un'azione e di una passione, ci sono diverse dispute. Io, però, alluderò a questo un poco, e poi inclinerò a parlare dell'in-

[13] Cfr. il passo corrispondente dell'*Enciclopedia dei Fratelli della purità*: Ikhwān al-ṣafā' 1957, vol. III, p. 183.13-14 («Non ogni materia riceve ogni forma, perché il legno non riceve la forma della camicia, né la fessura [*sic!*] riceve la forma della sedia»).

[14] Tutto questo paragrafo è ripreso alla lettera dai Fratelli della purità: cfr. Ikhwān al-ṣafā' 1957, vol. II, pp. 58.24-59.4.

[15] Si tratta di una citazione di Shelomoh Ibn Gabirol, *Fonte di vita*, libro I, § 7.

telletto e dell'anima con espressioni metaforiche prima, e poi di ciò che su di esse si trova nella lingua ebraica, letterale o metaforico, con l'aiuto di Dio, grazie al quale e da parte del quale tutto proviene. La materia è l'argilla[16] che riceve la forma e l'accidente; e quando la materia riceve la forma e l'accidente, diventa un elemento[17]. La quantità esiste nella materia, mentre la qualità esiste nella forma: il luogo della qualità non può essere la quantità, né il luogo della quantità può essere la qualità.

Disse Galeno: «La materia è una sostanza considerata con la qualità, e l'elemento è una sostanza concepita dal 'quale'».

Disse un altro[18]: «La materia e la forma sono paragonabili al corpo umano e alla sua forma, ossia alla composizione delle sue membra; la volontà è paragonabile all'anima; l'essenza prima è paragonabile all'intelletto. La materia e la forma sono branche della volontà» – e questo è un paragone eloquente.

La descrizione della materia prima, assunta a partire dalla sua proprietà, è: una sostanza che sussiste di per sé, e che fa da sostrato alla diversità, ed è una di numero. Talora, la si descrive come una sostanza che fa sussistere tutte le forme[19].

La materia prima, non appena ha ricevuto la forma del corpo, riceve tutte le altre forme, siano circolari, triangolari, quadrate, e simili. La forma ricevuta dalla materia [prima] è la lunghezza, <la larghezza> e la profondità: in tal modo, la materia diventa un corpo assoluto, ossia la materia seconda.

Considera la materia come se fosse un libro aperto, o una tavola scritta, e la forma come se fosse una forma disegnata e una serie di lettere ordinate: il lettore ricava da esse il massimo della scienza e l'estremo della sapienza. Troverai che, quando ti rendi conto della meraviglia di ciò che si trova e discende in queste due cose, tu desideri cercare Colui che ha tracciato questa forma mirabile. La volontà [divina] è l'agente, come lo scriba, mentre la forma è oggetto dell'azione, come la scrittura, e la materia è il sostrato di entrambe, come la carta e la tavola[20].

16 Mosheh Ibn 'Ezra impiega qui, per «argilla», il termine *ṭīna*, che si ritrova spesso nei testi filosofici arabi più antichi nel senso di «materia»: cfr. Zonta 1992, p. 114.

17 Quest'ultima frase è probabilmente desunta dall'opera già citata dello pseudo-Empedocle: cfr. Fenton 1997, p. 156.

18 Si tratta, di nuovo, della *Fonte di vita* di Ibn Gabirol, nel passo citato sopra.

19 La duplice descrizione è ripresa dal cap. 22 del libro V della *Fonte di vita* di Ibn Gabirol.

20 Il paragrafo in questione è tratto da Shelomoh Ibn Gabirol, *Fonte di vita*, libro V, §§ 35 e 38.

T10. L'ANIMA NEL NEOPLATONISMO MEDIEVALE
(dal *Libro del giardino*, parte I, cap. 11)[21]

Anche in questo passo, mediante un mosaico di citazioni (da Platone, da Ibn Gabirol e da altri autori non identificabili) Mosheh Ibn 'Ezra presenta sostanzialmente un quadro sintetico delle principali caratteristiche attribuite all'anima umana dal neoplatonismo arabo ed ebraico medievale: la triplice divisione in anima vegetativa o accescitiva, animale e razionale, la sua natura di soggetto e oggetto della conoscenza, la sua semplicità e incorporeità, la sua immortalità, la sua differenza dallo «spirito» – ossia dalle facoltà fisiologiche che governano il corpo umano.

Giacché troviamo che il corpo dell'uomo si muove nelle sue parti, in tutte le direzioni, verso l'accrescimento e la crescita, ed è in questo simile alle piante, noi ricaviamo da questo la prova evidente che è in lui una potenza specifica per questa azione: è l'anima accrescitiva. Poi, noi troviamo che esso si muove nella sua interezza nello spazio, quando percepisce le forme dei corpi e i corpi stessi, ed è in questo simile agli animali irrazionali; e ricaviamo da questo la prova che si trova in lui una potenza specifica per il movimento e la sensibilità: è l'anima animale. Poi, noi troviamo che l'uomo ragiona e discerne le forme delle cose intelligibili e le loro figure; e ricaviamo da questo la prova che si trova in lui una potenza specifica per la ragione e il discernimento: è l'anima razionale, che funge da intermediaria tra il nostro mondo e il mondo superiore. Grazie alla conoscenza dell'anima, noi conosciamo ciò che sta al di sopra di essa: il mondo superiore delle sfere celesti, la configurazione dei loro movimenti, la grandezza dei loro corpi; sempre grazie ad essa noi percepiamo i mondi intelligibili e tutti i segni lasciati dal Creatore – sia esaltato – e percepiamo ciò che sta sotto di essa, ossia la conoscenza delle cose che riguardano la terra, gli animali e le piante, i minerali e le loro proprietà.

Questa anima razionale è una sostanza vivente di per sé, ragionante e immortale. Si dice «sostanza» per differenziarla dalle anime che non sono sostanze, ma potenze inerenti ad altre sostanze, ossia l'anima animale e l'anima accrescitiva. In effetti, queste sono potenze, non sostanze, e sono chiamate sostanze solo in senso traslato, in riferimento al genere: si chiamano con questo nome, così come una cosa viene chiamata con il nome del genere cui appartiene. Si dice «vivente» per differenziarla dai minerali e dalle piante, che non sono viventi; si dice «di per sé» <per differenziarla dagli animali irrazionali, privi di parola; si dice «immor-

[21] Cfr. ms. Gerusalemme, Jewish National and University Library, 8° 570, pp. 81.7-82.12; 85.5-88.2.

tale»[22]> per differenziarla dall'uomo, che è vivente, razionale e mortale. Le cose intelligibili sono di tre tipi: il Creatore – sia esaltato –, gli angeli, e le anime razionali. La prova del fatto che le anime razionali sono una sostanza vivente e ragionante, giacché sono così definite, è che la sostanza accoglie in sé i contrari, e in questa stessa anima sono accolti l'intelligenza e l'ignoranza, il bene e il male, e le cose del genere. [...]

Giacché quest'anima è il sostrato della conoscenza che ad essa inerisce, è inevitabile conoscerla, perché, conoscendola, noi ne conosciamo l'essenza, mentre, se non la conosciamo, non conosciamo la conoscenza [stessa]. Quando noi conosciamo l'anima e ne studiamo l'essenza, e ne discerniamo le azioni e le proprietà, e l'impressione lasciata in essa dal Creatore, noi arriviamo a conoscere il Creatore – sia esaltato – perché solo conoscendo l'anima ci si può innalzare sino alla Sua conoscenza. Infatti, l'anima vuole percepirLo in ragione della potenza conoscitiva presente in lei; e questo non le è possibile se non rinunciando ai piaceri sensuali e dedicandosi alla visione spirituale, speculando sull'essenza intelligibile e concependola nella sua reale natura, che è poi la sua stessa essenza e la sua stessa natura. Essa disprezzerà allora le essenze sensibili, che le appariranno piccole a confronto con la gloria della sua creazione e la perfezione della sua confezione. Dunque, l'anima è il governante e il corpo il governato[23].

Per correggere le nostre anime abbiamo molto bisogno di correggere i nostri corpi. Se l'anima fosse un corpo, non potrebbe adattarsi d'un sol colpo ad un altro corpo: è nella natura del corpo che, quando gli si aggiunge un altro corpo, esso aumenta di quantità e diventa più pesante. Se l'anima fosse un corpo, allora, quand'essa si unisce al corpo, bisognerebbe che il corpo diventasse più pesante di com'era quando l'anima non si trovava in esso. Quando si studia questo, e altre cose simili, e se ne ricavano inferenze, si prova che l'essenza dell'anima esiste, che essa è una sostanza incorporea, e che essa è esistente, viva, luminosa, stabile, semplice, capace di discernere e di esaminare [le cose], mentre l'essenza del corpo si trova nella situazione totalmente opposta. Tra le prove evidenti del fatto che essa è semplice vi è che essa non ha parti; se non ha parti, l'anima non è composta; e se non è composta, non è dissolvibile; e se non è dissolvibile, non è mortale; e se non è mortale, non è corruttibile; e se la corruzione non può prevalere su di essa, la morte non può portarsela via. [Gli uomini ignoranti so-

[22] Integro il passo in questione, lacunoso nel manoscritto, sulla base di Fenton 1997, p. 170.

[23] Leggo *mas'ūs*, «governato», invece della lezione del manoscritto: *ǧism*, «corpo».

no di due generi: 1. gente che ha idee sbagliate; 2. gente che ha poca educazione[24].] L'anima è dunque una sostanza semplice spirituale, vivente di per sé, dotata di conoscenza in potenza, agente per natura, ed è una delle forme dell'intelletto agente.

Disse Platone[25]: «Non c'è scampo: l'anima, quando si separa dal corpo, o resta viva, o si estingue. Se sopravvive alla separazione dal corpo, essa è inevitabilmente immortale. Se invece si estingue, tra di essa e il corpo non c'è allora alcuna differenza, ed è allora inevitabile una terza alternativa – ossia, che essa sia legata al corpo nella definizione della sopravvivenza e della vita».

Disse anche[26]: «L'uomo particolare pensa che il corpo sia nell'anima, mentre l'uomo generale pensa che l'anima sia nel corpo. Infatti, la sostanza è più generale del corpo in ragione di una delle parti della sostanza. Dunque, la sostanza si divide in un corpo e in qualcosa che non è un corpo. Per questo, il corpo è al servizio dell'anima».

Venne chiesto a Platone[27]: «Giacché Dio, secondo te, esiste, com'è?». Egli rispose: «Dio è esistente, e gli uomini non sanno come [egli esista]». Gli venne detto: «Vi è nel mondo visibile qualcosa che Lo dimostri?». Egli disse: «Sì: l'anima. Il corpo non può che essere governato dall'anima, e l'anima non può essere conosciuta se non grazie al corpo, giacché [la presenza dell'anima] nel corpo appare dalle tracce lasciate dal suo governo. Ora, non è possibile conoscere come sia governato questo mondo visibile, se non grazie al mondo invisibile; ma il mondo invisibile non può apparire se non grazie al governo che esso esercita in questo mondo, e alle tracce che lo indicano».

Disse [Platone][28]: «La differenza tra l'anima e lo spirito è che l'anima contiene il corpo, mentre lo spirito è contenuto dal corpo, e lo spirito, quando si separa dal corpo, viene meno, mentre quando l'anima si separa dal corpo, sono solo le sue azioni a ve-

[24] Il passo qui posto tra parentesi quadre è probabilmente una glossa penetrata nel testo, o una frase fuori posto.

[25] Si tratta evidentemente di un passo ispirato a Platone, *Fedone*, 105B-106C, che tuttavia non riflette alla lettera il testo originale, e che potrebbe essere derivato da un qualche compendio arabo medievale del *Fedone*.

[26] Il senso del passo non è molto chiaro, e non siamo in grado di indicarne la fonte.

[27] Anche questo passo sembra sintetizzare un analogo passo platonico, senza però fare alcuna citazione letterale di quest'ultimo: cfr. Platone, *Leggi*, 898D-899D.

[28] Per tutto il passo seguente (la classificazione dei tre spiriti), non è chiaro quale sia la fonte impiegata da Mosheh Ibn 'Ezra. Fenton 1997, p. 175, n. 410, rileva alcune somiglianze con il sistema di Shelomoh Ibn Gabirol così com'è esposto nella *Fonte di vita*, libro III, cap. 47.

nir meno, mentre essa, di per sé, non viene meno – l'anima, inoltre, si muove da sé. Gli spiriti sono tre:

1. lo spirito psichico, che risiede nel cervello, da dove si dissemina in tutto il corpo, per dare al corpo il senso e il movimento;
2. lo spirito animale, che risiede nel cuore, da dove si dissemina in tutto il corpo, per dare alle membra la vita;
3. lo spirito naturale, che risiede nel fegato, da dove si dissemina in tutto il corpo, per provvedere alle membra le quattro facoltà naturali che si trovano in ciascuna delle membra del corpo: la facoltà attrattiva, quella ritentiva, quella digestiva e quella espulsiva. In effetti, non c'è dubbio che tutte le membra del corpo abbiano una facoltà attrattiva, calda e secca, della stessa natura della bile gialla, che assorbe l'umidità del cibo attraendola a sé; una facoltà ritentiva, fredda e secca, della stessa natura della bile nera, che trattiene il cibo e lo immagazzina finché la natura non abbia compiuto la sua azione su di esso; una facoltà digestiva, calda e umida, della stessa natura del sangue, che impronta[29] il cibo; una facoltà espulsiva, fredda e umida, della stessa natura della flemma, che espelle il residuo del cibo e lo rimuove, facendolo uscire dal contatto del corpo».

3. *Yosef Ibn Ṣaddiq*

Pochissimo si sa della vita di Abū 'Umar Yūsuf (Yosef) Ibn Ṣaddiq: le scarse testimonianze indirette sulla sua biografia (cfr. al proposito Horovitz 1903) affermano che egli fu giudice rabbinico a Cordova a partire dal 1138 e ivi morì nel 1149, e che fu amico e collega di Yehudah ha-Levi, con il quale ebbe anche una corrispondenza poetica. In pratica, egli è noto solo come autore della sua opera filosofica superstite, il *Libro del microcosmo*, dove, in un quadro caratterizzato dalla commistione tra filosofia neoplatonizzante e *kalām*, egli, tra i primi nel pensiero ebraico medievale, inserisce riferimenti espliciti ad elementi della logica, della fisica e della metafisica aristotelica, sia pure attraverso la probabile mediazione della filosofia avicenniana.

Opere. Yosef Ibn Ṣaddiq fu autore di poesie, quasi tutte andate perdute, sia in lingua ebraica che in arabo, di argomento tanto profano quanto liturgico: alcune di queste ultime sono state conservate nei libri liturgici delle comunità ebraiche spagnole e nordafricane. Come filosofo,

29 Leggo *taṭabba'a*, «impronta», anziché *taṭabbaka*, come nel ms., che non dà senso apparente.

di lui si conoscono solo due opere, redatte entrambe in lingua araba: uno scritto di logica, dal titolo *Le fonti e gli studi* (*Al-'uyūn wa-l-mudhākarāt*), andato perduto e noto solo attraverso un'autocitazione dell'autore stesso (cfr. *infra*, p. 90), e la sua enciclopedia filosofico-teologica, il *Libro del microcosmo* (*Kitāb al-'ālam al-ṣaghīr*), il cui testo originale arabo non esiste più, ma della quale è stata pubblicata due volte (da Adolph Jellinek nel 1854, e da Samuel Horovitz nel 1903), sebbene mai in edizione critica, una versione ebraica anonima, risalente forse al secolo XIII. L'opera, che fa pensare di essere stata influenzata in alcuni punti dal *Libro del giardino* di Mosheh Ibn 'Ezra (al quale è probabilmente posteriore), è strutturata in quattro libri, come segue:

– *libro I*: premesse utili alla trattazione, suddiviso a sua volta in cinque porte, dedicate rispettivamente alla percezione della reale natura delle cose (cenni di epistemologia e logica), ai concetti di materia e forma, sostanza e accidente (elementi della fisica aristotelica, inquadrati però nello schema neoplatonico dei due mondi, corporeo e spirituale), al mondo corporeo e ai suoi componenti (minerali, vegetali, animali), all'inevitabile corruzione di questo mondo, e infine al consueto paragone neoplatonico tra uomo-microcosmo e macrocosmo;

– *libro II*: la conoscenza di sé da parte dell'uomo: in pratica, un'esposizione prima dell'anatomia e fisiologia umana (con aspetti, quali la questione del sonno e della veglia, ispirati ai *Parva naturalia* di Aristotele), e poi della natura dell'anima e dell'intelletto umano, dove, in un quadro che ricorda in parte il genere delle «questioni sull'anima», assai diffuso nei secoli del primo Medioevo, si intrecciano schemi platonici (le tre anime) e aristotelici;

– *libro III*: sui fondamenti e le generalità della teologia – in pratica, un'esposizione, in termini polemici nei confronti del *kalām* caraita di Yūsuf al-Baṣīr, della scienza dell'unità divina;

– *libro IV*: sugli atti buoni e cattivi, e sui conseguenti premi e pene nell'aldilà (trattazione, anche questa, chiaramente ispirata alle analoghe trattazioni del *kalām*).

❑ T11. LA FILOSOFIA E L'EPISTEMOLOGIA SECONDO IBN ṢADDIQ (dal *Libro del microcosmo*, Introduzione; libro I, porta 1)[30]

Si sommano in questo passo introduttivo dell'opera di Ibn Ṣaddiq elementi neoplatonici (la filosofia come conoscenza di sé, l'uomo microcosmo, nonché un possibile accenno ai Fratelli della purità contenuto

[30] Cfr. Horovitz 1903, pp. 3.25-4.24; 7.4-8.9.

nel riferimento ai «filosofi puri e sapienti divini») ed altri tratti dalla tradizione aristotelico-avicenniana: la classificazione dei quattro oggetti della conoscenza (sensibili, comuni, accettati per tradizione, intelligibili) appare ispirata alla più complessa classificazione che si trova in Avicenna e in molti autori islamici a lui successivi (innanzitutto, in al-Ghazālī).

Mi pare che la via per giungere a questa grande e tremenda conoscenza[31] consista nel comprendere i libri dei filosofi puri e dei sapienti divini [...]; e mi pare che chi desidera comprendere questi libri non possa far altro che esercitarsi nelle quattro scienze: 1. l'aritmetica, ossia la scienza del calcolo; 2. la geometria, ossia la scienza della geodesia; 3. la musica, ossia la scienza della composizione della melodia; 4. l'astronomia. Dopo tutto questo, [deve] imparare la scienza dell'ottica e degli artifici intellettuali[32]. Penso che tutto ciò, per essere imparato, abbia bisogno di un lungo tempo, e che il discepolo si stufi, tanto più se è un principiante. Dunque, volendo accelerare il suo beneficio ed estrarre il meglio della scienza, mi sono prefisso come scopo quello di spiegare la conoscenza dell'uomo, ossia la reale natura del suo essere, perché [l'uomo], conoscendo sé stesso, conosce l'universo: chi conosce sé stesso può conoscere le altre cose, mentre chi non conosce sé stesso, tanto meno conosce le altre cose. Per questo, l'uomo si chiama «microcosmo», giacché ha in sé una somiglianza con tutto ciò che vi è nell'universo: il suo corpo è paragonabile al mondo corporeo, la sua anima razionale è paragonabile al mondo spirituale – e in questo senso i filosofi hanno stabilito una descrizione per la filosofia, dicendo che la filosofia è la conoscenza che l'uomo ha di sé stesso, giacché conoscendo sé stesso conosce l'universo, vale a dire il mondo della corporeità e il mondo spirituale.

Questa è la scienza della filosofia, che è la scienza e il fine delle scienze, giacché è la scala e la via per la conoscenza del Creatore e dell'Iniziatore dell'universo – sia benedetto ed esaltato. Io mi sono prefisso come scopo [di spiegare] tutto questo in via compendiosa e facile, per il timore che le vie lunghe e difficili potessero spingere l'uomo a stancarsi della scienza e a respingerla; e ho premesso ciò che era opportuno premettere perché fungesse da introduzione alle altre cose. In tutto ciò, io non pretendo di cogliere ogni concetto, e nemmeno di arrivare alla reale natura di tutto ciò che è opportuno, perché ciò non rientra nelle mie pos-

31 Ibn Ṣaddiq allude così alla conoscenza teologica, di cui ha parlato nelle righe immediatamente precedenti.

32 Si tratta di quella disciplina che, nella terminologia latina medievale, è detta *scientia de ingeniis*, e che include nozioni di meccanica, idraulica, ecc.

sibilità e nella mia natura. Chiederò invece a Chi ha la forza e dà il Suo aiuto che mi aiuti, mi dia forza e mi preservi dall'errore nel mio dire e da [ogni] colpa. So che chi è protetto dal Creatore – sia benedetto – è al sicuro, come si dice nella sacra scrittura: «Quelli che sperano nel Signore rinnovano le loro forze, mettono ali come aquile, ecc.» (Is 40,31). Ho chiamato questa mia opera *Libro del microcosmo*, e ho così avuto risposta alla questione che mi ero posto e ho ottenuto lo scopo che mi ero prefisso. [...]

Sappi che la scienza necessaria è quella che l'uomo deve ammettere e che non è possibile che nessuna persona intelligente smentisca in alcun modo; e se qualcuno la smentisce, noi pensiamo che costui non abbia la mente perfetta e nel suo giusto stato naturale. Per esempio, un uomo smentisce la vista del sole o la vista del fulmine, oppure smentisce che si oda il suono del tuono, e così via per tutto ciò che è testimoniato dai sensi: Aristotele, nel libro dei *Topici*[33], ordina che sia messo in catene e castigato chiunque smentisca le cose che si vedono e si odono. Lo stesso vale per la scienza intellettuale: per esempio, qualcuno potrebbe smentire che il tutto sia maggiore della parte, e che tre sia un numero dispari, e che le cose eguali ad una cosa siano tutte eguali tra di loro, e le altre conoscenze intellettuali.

Delle cose intelligibili, alcune sono comunemente ammesse da tutti, come il fatto che il tutto sia maggiore delle sue parti, e che tre sia un numero dispari: queste cose si chiamano «comuni»[34]; di esse, alcune sono comuni per una particolare setta e per i sapienti e gli uomini intelligenti di quella setta, o almeno per la maggior parte della setta, ma gli altri non polemizzano contro di esse, sicché diventano per costoro come intelligibili primi. Ora, le specie delle cose intelligibili di per sé sono quattro: sensibili, comuni, accettate per tradizione, intelligibili primi. Gli intelligibili sono le cose veritiere; i sensibili sono le cose percepite con uno dei cinque sensi; i comuni consistono di ciò che è comunemente ammesso dalla maggior parte della gente o dagli intelligenti e dai sapienti, senza che gli altri polemizzino contro di esse; accettato per tradizione è ciò che noi riceviamo da un sapiente competente e noto, o da una comunità competente; gli intelligibili primi sono quelli che abbiamo menzionato prima. Le cose accettate per tradizione rientrano nella specie dei sensibili, perché derivano dal senso dell'udito; gli intelligibili primi sono compresi nella specie dei comuni, e vi rientrano tutti perché sono comunemente ammessi, e gli uomini fanno precedere, per grado, i comuni ai sensi-

[33] In realtà, questo passo non è reperibile nei *Topici* di Aristotele.

[34] Si tratta degli *èndoxa* aristotelici, designati, in ebraico, *mefursamim* (termine che traduce l'arabo *mashhūra*).

bili. Noi abbiamo i sensibili in comune con le bestie, ma gli intelligibili ci distinguono e separano dalla bestialità.

Questa è la reale natura della scienza necessaria; e questo è ciò che vogliono dire i filosofi quando parlano di intelligibili, dicendo che sono intelligibili di per sé e non hanno bisogno di essere spiegati con qualcosa d'altro, giacché ciò che è nascosto si spiega con ciò che è evidente, e non c'è nulla di più evidente di queste cose. Per questo, la necessità spinge ad ammetterli, e per questo si chiamano «scienza necessaria».

Ora che abbiamo spiegato le parti della scienza necessaria, diciamo che la scienza dimostrativa, ossia la scienza provata di cui ho scritto sopra, è basata sulla scienza necessaria: se la scienza necessaria[35] è vera, la scienza dimostrativa è fondata sulla scienza necessaria e le consegue, e tutto ciò che consegue ad una cosa vera è anch'esso vero. Infatti, se la base è esatta, e si pongono premesse intelligibili di per sé secondo le condizioni della logica, da queste due premesse risulta necessariamente un risultato che è simile alle premesse nell'esattezza e nella verità, secondo le condizioni poste dai logici per le loro prove e per i loro ragionamenti. Questo è già stato spiegato nell'opera che abbiamo scritto sulla scienza della logica, e che è nota come *Al-'uyūn wa-l-mudhākarāt*[36], e da lì diventa chiaro a chi voglia studiarlo.

T12. ELEMENTI DI FISICA E DI COSMOLOGIA
(dal *Libro del microcosmo*, libro I, porte 2-3)[37]

In questa esposizione dei concetti fondamentali della fisica, si manifesta l'ormai crescente influenza della dottrina aristotelica: accanto a residui del neoplatonismo di Ibn Gabirol (il cenno iniziale all'esistenza di una «materia spirituale») si trova una trattazione sintetica delle dottrine del peripatetismo sulla materia, sulla sostanza delle sfere celesti (la «quintessenza»), sulla reciproca trasformazione dei quattro elementi, sull'esistenza di un luogo naturale verso cui ogni elemento convergerebbe, e una dimostrazione dell'inesistenza del vuoto.

Sappi che la materia delle cose spirituali è spirituale, la materia delle cose corporee è corporea. Io non dico questo in senso assoluto, ma in senso speciale, solo in riferimento alle cose artifi-

[35] Leggo *mukreḥi*, «necessaria», come si trova in alcuni manoscritti, anziché l'edito *mofeti*, «dimostrativa».

[36] In arabo nel testo. Si tratta di un'opera di Ibn Ṣaddiq, altrimenti sconosciuta (cfr. al riguardo *supra*, p. 90).

[37] Cfr. Horovitz 1903, pp. 9.26-10.6; 10.31-11.7; 12.3-30; 14.5-15.12; 17.6-18.17.

❑ ciali, perché gli individui e la materia di tali cose sono percepibili con i sensi. Del pari, tu non hai altra vera sostanza se non una sostanza spirituale, come sarà spiegato quando parleremo della sostanza e dell'accidente. Io dico: la materia corporea artificiale – per esempio, l'anello e il bracciale, la cui materia è l'oro, la cui forma è la forma di anello e di bracciale, la cui causa efficiente è l'oreficeria, ossia l'arte dell'orefice, e la cui causa finale è quella di servire da ornamento: questo esempio vale per le cose corporee. Invece, la materia delle cose spirituali è, per esempio, la specie superiore, mentre la [loro] forma è, per esempio, la specie inferiore; la loro causa efficiente è rappresentata, per esempio, dalle differenze specifiche delle specie inferiori, e la loro causa finale è rappresentata dagli individui. La differenza tra la causa materiale e la causa formale nelle cose sensibili sta nel fatto che grazie alla causa materiale un ago affonda e si perde, e un legno galleggia, mentre grazie alla causa formale un cerchio diventa veloce nel movimento e più leggero del quadrato e delle altre figure. [...]

Spiegheremo ora la differenza tra la sostanza e la materia. La materia è una sostanza in potenza, giacché, prima di rivestire la sua forma, era una materia, e la sua esistenza era in potenza; dopo aver rivestito la forma, è diventata sostanza, e allora è diventata esistente in atto. Benché abbiamo già detto prima che non esiste una materia priva di forma, se non nel pensiero, possiamo togliere la forma e lasciare la materia, perché la materia precede la forma per natura, e da questo è chiaro che tutti gli enti non possono che avere materia e forma, sostanza e accidente. Infatti, la descrizione della sostanza è: ciò che fa da sostrato ai contrari, e riceve i diversi caratteri. Nel momento in cui la sostanza non si trova più a far da sostrato ai contrari, ossia agli accidenti, cessa di essere sostanza, giacché non c'è una sostanza che sia contraria ad un'altra sostanza di per sé: lo è solo nei suoi accidenti, perché la contrarietà è solo nella qualità. Poi, è chiaro che non c'è differenza tra la sostanza e la materia che riceve la forma: sono la stessa cosa. [...]

Porta terza: il mondo corporeo

Sappi che, quando parliamo del mondo corporeo, intendiamo parlare delle sfere celesti e di ciò che è incluso sotto di esse, e di ciò che ricade nella corporeità e nella reale natura di quest'ultima.

Anche se il corpo della sfera celeste differisce, nella materia e nella forma e negli altri caratteri, dai corpi di quaggiù, ciononostante non può che essere un corpo, circolare e sferico, e tutti gli astri che vi si trovano sono sferici. Si tratta di una quintessenza: infatti, se fosse freddo dovrebbe scendere verso il basso, come devono fare quei due elementi pesanti; se tu dicessi che è caldo, dovrebbe invece salire verso l'alto all'infinito, come devono fare il fuoco e l'aria; se fosse umido, dovrebbe agitarsi, come deve agitarsi il mare; se fosse secco, dovrebbe compattarsi e restare assolutamente fermo. Dunque, se si escludono tutti questi caratteri presi uno per uno, si esclude anche che [la quintessenza] sia un loro composto, giacché ciò che è semplice precede ciò che è composto. Inoltre, se essa fosse composta di queste nature, allora noi e la sfera celeste occuperemmo lo stesso grado e avremmo la stessa natura; ma non è affatto così: [la quintessenza] non è né pesante né leggera, perché la pietra, quando sale dal suo luogo[38] verso il luogo dell'aria, è pesante, e quando torna al suo luogo è leggera. Parimenti, quando l'aria è rinchiusa, sott'acqua, in mezzo alla bottiglia, diventa pesante, giacché è costretta, ma quando torna al suo luogo diventa leggera, giacché nella sua tendenza e nella sua natura è di tornare nel suo luogo. Secondo questo ragionamento, nessuna delle sfere celesti, quand'è nel suo luogo, è leggera o pesante: e questo l'ha già spiegato il filosofo [*scil.* Aristotele] nel libro *De caelo et mundo*[39]. Per questo, alla sfera è legato il movimento di rotazione, che è il più perfetto di tutti i movimenti, il più semplice e il più alieno da ogni incidente, perché il movimento di rotazione non ha principio né fine, e ogni sua parte è pari ad ogni altra: nessuno può dire che questo movimento inizia qui e finisce in un altro posto. Perciò, [la sfera celeste] non ha bisogno di un luogo, perché ogni sua parte è il luogo di ogni altra. Dunque, [la sfera celeste] è al di sopra di tutti i corpi e più perfetta [di essi]: non le resta nascosta la conoscenza del Creatore – sia benedetto – che è invece nascosta a noi, ed essa diventa dotata di un'anima razionale, in grado di comprendere e di riconoscere la divinità di Dio, la Sua potenza e la Sua essenza, come sta scritto: «E la schiera dei cieli si inchina davanti a Te» (Ne 9,6).

Abbiamo quindi parlato, in breve e per sommi capi, del carattere della sfera celeste, com'era nostra intenzione; parleremo ora delle quattro nature comprese nella generazione e nella corruzione, giacché lo scopo, qui, non è quello di parlare delle sfere celesti. [...]

Per quanto riguarda la trasformazione degli elementi gli uni negli altri, e il fatto che essi concordino tutti nella materia e differiscano nella forma, la prova evidente che gli elementi si trasformino gli uni negli altri viene da ciò che noi vediamo con i sensi e percepiamo con l'intelletto: l'acqua, quando viene cotta e riscaldata, diventa fumo – e questo è evidente; questo fumo, com-

[38] Alla lettera, nel testo: «dal suo mondo» – si intende, qui, il luogo naturale di ogni elemento secondo la dottrina aristotelica.
[39] Cfr. Aristotele, *De caelo*, libro IV.

pattandosi, diventa nube, e quando si imbatte nel freddo e i venti lo radunano, torna al suo primo elemento, diventando acqua, ossia pioggia – e questo è riconoscibile ed evidente nella zucca: infatti, la parte umida interna alla zucca si trasforma in aria, e quando quell'aria diventa abbondante nella parte alta della zucca, gocciola fuori in quantità, e questo è prova del fatto che l'acqua si trasforma in aria, e l'aria in acqua. La trasformazione del fuoco in aria, invece, è evidente: quando la pietra focaia stringe il ferro, la piccola parte d'aria posta tra la pietra e il ferro viene premuta e diventa fuoco, perché l'aria è umida e calda, e quando diventa secca la sua natura diventa calda e si trasforma in fuoco; poi, il fuoco, se non ha nulla che gli faccia da principio [attivo] e di cui possa nutrirsi, non sussiste, perché, da noi, è alieno e il suo luogo [naturale] è al di sopra del nostro, e perciò si trasforma in aria, così come l'aria si trasforma e diventa fuoco. La trasformazione della terra in acqua e dell'acqua in terra richiede molto tempo e molti anni, giacché è difficile che la terra subisca una passione e si trasformi: questa alterazione inizia con il sale minerale – ossia, quello che si trova sui monti quando si estraggono i metalli, che si fondono e diventano acqua; parimenti, il sale derivato dall'acqua si solidifica e diventa sale, ossia terra.

Ma la prova razionale dell'alterazione reciproca di questi elementi è questa: quando l'acqua viene bollita molto e si riduce finché non ne resta più una goccia, delle due l'una: o l'acqua si è annichilata, ossia è sparita nel nulla, o si è trasformata da ciò che era in un altro corpo. Ora, se potesse sparire nel nulla del tutto, allora sarebbe anche possibile che esistesse il nulla; e se le cose passassero dall'esistenza all'inesistenza e dall'inesistenza all'esistenza, sarebbe possibile che esistessero simultaneamente molti mondi che non esistono, e che molti mondi, che esistono, sparissero nel nulla[40]. Dunque, confutando questo ragionamento si ha la prova veridica della verità del nostro assunto, secondo cui gli elementi si spogliano della loro forma: l'acqua si trasforma nell'elemento efficiente [?], che la fa tornare al suo stato naturale. Ti porto un esempio. Pensa alla cera dalla quale si fanno quattro forme: la forma di un uomo, la forma di un elefante, la forma di una colomba e la forma di un falco. Hanno tutte una stessa materia, perché sono tutte di cera, ma differiscono nella forma, e la forma di ognuna di esse è distinta dalla forma dell'altra; ma quando si distrugge la forma di una di esse, la materia che le fa da sostrato continua a sussistere. Questa spiegazione è sufficiente per chi riflette e capisce che la materia che fa da sostrato a quelle quattro nature [*scil.* gli elementi] è una sostanza che occupa un luogo quando

[40] Il ragionamento di Ibn Ṣaddiq non è qui molto chiaro.

la si riveste della forma della corporeità – ossia, lunghezza, larghezza e profondità; quando riempie un luogo, si muove, e quando si muove si riscalda, e quando ha terminato di muoversi sta necessariamente ferma. Alla quiete è legato il freddo, così come al movimento è legato il calore: e queste due potenze [*scil.* freddo e caldo] sono le potenze attive, mentre le altre due potenze, quelle passive, sono l'umido e il secco. Infatti, l'umido è legato al calore, e il secco è legato al freddo – e infatti gli è conveniente. Dalla mescolanza reciproca di queste [quattro] qualità con la materia corporea nascono le quattro nature; e quando da una di queste ultime svanisce una di quelle qualità, immediatamente essa riveste un'altra qualità: infatti, è necessariamente inevitabile che, al venir meno di un accidente, sopravvenga subito un altro accidente – ossia che, quando essa si spoglia di un accidente, rivesta un altro accidente. [...]

I quattro luoghi, e il fatto che ognuno degli elementi abbia un luogo ad esso deputato

Sappi che il corpo è destinato a riempire il suo spazio, e per tutto il tempo durante il quale esso riempie il suo spazio, non è possibile che un altro corpo vada [ad occupare] quello spazio; e giacché noi conosciamo e abbiamo studiato gli elementi, abbiamo trovato che la terra è nel centro del mondo, come abbiamo spiegato, ed è la sede degli animali e delle piante, e non abbiamo trovato un elemento più pesante di essa e più compatto nelle sue parti. Sappiamo dunque che il luogo ad essa deputato è il centro, ossia il punto che si trova nel mezzo della sfera [terrestre], e che è veramente nel mezzo del mondo, la cui distanza dalla sfera celeste è uguale da ogni lato – infatti, questa è la situazione del centro. Dunque, è evidente che questo centro è il luogo della terra, ed essa ne esce con un movimento verso l'alto – che è il suo luogo accidentale – solo in virtù di una violenza[41], mentre il suo movimento verso il basso è [un movimento verso] il suo luogo naturale, perché questa è la sua natura. Infatti, quando noi gettiamo una parte di terra verso l'alto, essa sale per violenza, in ragione della forza di chi la getta, ma poi torna verso il basso, al suo posto, come una cosa sottomessa. Questo vale anche per l'acqua: giacché è più leggera della terra, essa ha un luogo al di sopra della terra, che sta al centro, e l'umidità dell'acqua è quella che rende l'acqua fluida e sparsa sulla superficie della terra. Invece, per quanto riguarda la trasformazione degli elementi leggeri, ossia

[41] Alla lettera, nel testo qui e più oltre si parla di *hekreaḥ*, *mukraḥ*, «necessità», «necessario» – intendendo così alludere al «moto violento» della dottrina aristotelica.

aria e fuoco: il luogo loro deputato e naturale comporta che essi vadano verso l'alto, mentre il loro luogo accidentale comporta che scendano. Ha ragione il filosofo[42] quando dice che i movimenti sono tre: dal centro, verso il centro e intorno al centro. Dal centro è il movimento del fuoco e dell'aria; verso il centro è il movimento dell'aria e dell'acqua; intorno al centro è il movimento della sfera celeste che si muove intorno alla terra, che sta al centro. Ecco, abbiamo spiegato quali sono i luoghi naturali e accidentali degli elementi, il loro movimento naturale e violento, e la loro diversità. Resta da spiegare che nel mondo non vi è uno spazio vuoto.

Spiegazione di questo fatto

Sappi – e il Creatore ti dia la Sua grazia – che il vuoto è uno spazio vuoto privo di corpi, e la prova che confuta l'ipotesi dell'esistenza del vuoto è che la reale natura dello spazio è di fungere da supporto [a qualcosa], perché non c'è spazio senza qualcosa che occupi quello spazio, e viceversa. Pertanto, tu non hai uno spazio in cui non si trovi qualcosa che lo occupa, e viceversa; e se anche trovassimo uno spazio senza qualcosa che lo occupi, ossia un corpo, quello spazio da solo non potrebbe fare a meno di seguire questa regola; dunque, giacché esso non sarebbe lo spazio di nulla, e nulla lo occuperebbe, né animale, né pianta, né altro, e neppure quel corpo che costituisce la materia [prima] degli esseri, come si è già spiegato, noi non potremmo dire che si tratta di uno spazio, oppure che tutti gli spazi seguono la stessa regola – perché allora i corpi non sarebbero nulla, e questa è una grande sciocchezza[43]: nessun uomo intelligente smentirebbe questo fatto. Se tu poi dicessi: «Se non c'è uno spazio vuoto, com'è possibile che gli animali si muovano nell'aria?», ti risponderei[44]: «Perché l'aria si compatta e diventa come le onde del mare, che si distendono e poi si compattano. Per questo, noi possiamo camminare nei fiumi, nei mari, nell'acqua e nell'aria, perché l'acqua si compatta nella sua sottigliezza, come anche l'aria. Invece, attraverso la terra, che è secca, è impossibile procedere, e appena ci spostiamo da un luogo, immediatamente, subito dopo che siamo passati in un altro luogo, quel primo luogo viene occupato da un altro corpo – e questo è evidente e noto: se un uomo prende un vaso e lo rovescia nell'acqua con la bocca verso il basso, non vi entra l'acqua finché non ne esce l'aria; e ancora, se un uomo pren-

[42] Cfr. Aristotele, *De caelo*, 268b17-18.

[43] Adotto la lezione *dibbah*, suggerita dall'editore (Horovitz 1903, p. 18, n. 8).

[44] Leggo *teshuvati*, letteralmente «la mia risposta [è]», come in una parte della tradizione manoscritta.

de un vaso e lo fora di sotto con tanti piccoli buchi, e poi lo riempie d'acqua e chiude la bocca del vaso, non ne esce nemmeno una goccia d'acqua, finché non si apre la bocca del vaso e ci entra l'aria, anche se il vaso è forato di sotto e l'acqua è predisposta a scendere[45]. Questa è una prova evidente del fatto che lo spazio trattiene il corpo in sé, e che non c'è al mondo uno spazio vuoto».

T13. QUESTIONI SULLA NATURA DELL'ANIMA
(dal *Libro del microcosmo*, libro II, parte 2, porta 1)[46]

Qui Ibn Ṣaddiq espone gli elementi essenziali della psicologia neoplatonica (la natura incorporea, immortale e triplice dell'anima: si confronti il testo di Mosheh Ibn 'Ezra, *supra*, T10, p. 86) secondo lo schema, diffuso nella filosofia del tempo (cfr. *infra*, T15, p. 118, il testo di Abraham Ibn Daud), delle «questioni sull'anima». Va rilevato che, in questo caso, anche la celebre definizione aristotelica dell'anima come «perfezione del corpo» è interpretata in chiave neoplatonica, in riferimento all'immortalità dell'anima.

Porta prima della parte seconda: sull'esistenza dell'anima nell'uomo, e sul fatto che l'anima non è il corpo e non è della stessa natura del corpo

La prova dell'esistenza dell'anima razionale nell'uomo è qualcosa che nessuno che abbia un po' di intelletto può smentire: infatti, la ragione è ciò per cui l'uomo ha una superiorità sulle bestie – e questo è vero; e ho già detto, al principio della mia opera – e nessuno ne dubita – che è grazie a quest'anima che l'uomo diventa perfetto in questo mondo corporeo, e riesce a distinguere e a studiare; e questo sarà spiegato meglio nella «porta» seguente. Diciamo ora che l'anima razionale è una cosa diversa dal corpo, e non è neppure della stessa natura del corpo, non è in mezzo al corpo né al di fuori di esso, ma è legata ad esso con un legame più profondo di quello con cui sono ad esso legate le membra. Dunque, questo è stato spiegato: ora, sarà immediatamente spiegato ciò che vogliamo e sarà compiuto ciò che intendevamo fare.

Spiegazione dell'anima razionale, e del fatto che non sia un corpo

Sappi che, se l'anima razionale fosse un corpo, avrebbe bisogno di ciò di cui ha bisogno un corpo: occupare uno spazio, avere un colore, una figura, e tutto il resto delle caratteristiche di cui

45 Per questo esempio, cfr. Avicenna, *La guarigione*, *Fisica*, libro II, cap. 9 (in Madhkūr *et al.* 1985, pp. 146-47).

46 Cfr. Horovitz 1903, pp. 35.8-36.3; 38.16-30; 39.2-30; 40.4-7.

❑ abbisogna un corpo. Inoltre, se l'anima fosse un corpo, avrebbe bisogno di un'altra cosa che emani su di essa la vita, così come ne ha bisogno il corpo: [anima e corpo] sarebbero accomunati dal fatto di essere un corpo, e dal fatto che l'anima avrebbe bisogno di un'altra anima, e anche quell'altra anima, a sua volta, avrebbe bisogno di un'ulteriore anima, e quest'ultima di un'altra, e così via, all'infinito – e questo è assurdo; ma, se questo è assurdo, lo è anche il fatto che l'anima sia un corpo.

Altra prova: se l'anima fosse in un corpo, sarebbe anch'essa un corpo, perché nessuna cosa si trova nel mezzo di un'altra e ne riempie uno spazio vuoto se non è un corpo, come l'acqua in mezzo alla bottiglia e l'olio in mezzo alla fiasca. Se poi tu dicessi che il corpo è il luogo dell'anima, e l'anima è in mezzo al corpo, non si sfugge ad una delle due alternative: o l'anima è in un luogo del corpo, o è in tutto il corpo egualmente. Se l'anima fosse solo in un luogo del corpo, allora il resto del corpo sarebbe morto; se invece fosse egualmente in tutto il corpo, l'anima verrebbe meno a seconda del venir meno [di una parte maggiore o minore] del corpo.

Altra prova: se l'anima fosse un corpo, la sua azione non andrebbe molto lontano da essa, così come l'azione del corpo non va lontano da esso. Però, la scienza dell'anima razionale si estende sino ai limiti del cielo e ai termini della terra, in un solo attimo. Inoltre, il corpo non fa da sostrato a tutti i suoi accidenti[47] nello stesso momento, ma fa da sostrato ad essi uno dopo l'altro: per esempio, il nero viene dopo il bianco, e il caldo dopo il freddo. Invece, l'anima razionale fa da sostrato agli accidenti opposti in uno stesso momento: per esempio, il bene e il male, il giusto e l'ingiusto – l'anima fa da sostrato ad essi nello stesso momento. E questo ci mostra che l'anima non è un corpo. [...]

Spiegazione del fatto che l'anima razionale non è al di fuori del corpo

Se è vero ciò che abbiamo detto prima, ossia che [l'anima] non è un corpo né è della natura del corpo, e non è neppure in mezzo al corpo, essa però non è neppure al di fuori del corpo, perché se lo fosse, dovrebbe essere o vicina al corpo, o lontana da esso. Se fosse lontana dal corpo, allora il corpo non sarebbe di alcuna utilità all'anima, e l'uomo verrebbe meno; se fosse vicina al corpo da un fianco, solo quel fianco ne ricaverebbe un'utilità, ma il resto del corpo no; se fosse vicina al corpo da tutte le parti, allora sarebbe un guscio che avvolge il corpo, e sarebbe come un sacco

[47] Il termine qui impiegato nel testo ebraico è *ore'im*, participio presente del verbo *ara'*, «accadere»; in genere, tuttavia, il termine ebraico per «accidenti» è *miqrim*.

per il corpo – e così si tornerebbe alla prima difficoltà: l'anima sarebbe un corpo, perché, se occupa uno spazio oppure è come un sacco per il corpo, che occupa uno spazio, sarebbe un corpo sotto entrambi gli aspetti. Dunque, è chiaro da ciò che si è detto che l'anima non è un corpo, non è in un corpo, ma neppure è al di fuori del corpo: invece, è molto sottile e avvolge il corpo in modo più sottile di quanto il corpo avvolga sé stesso, ed è più vicina al corpo di quanto siano vicine al corpo le sue stesse parti, e non c'è nessuno che possa smentire il fatto che l'anima si trovi nel corpo, e che non sappia di essere in sé stessa e nel corpo. Essa, però, non è [propriamente] nel corpo, come abbiamo spiegato, e il corpo non è il suo luogo: anzi, è l'anima ad essere il luogo del corpo; però, è un luogo intellettuale [...].

Guarda come parla il filosofo [*scil.* Aristotele], con il suo discorso immaginoso, quando descrive l'anima dicendo che è una sostanza che porta a compimento il corpo naturale organico, dotato di vita in potenza[48]. Il senso di questa descrizione è molto elevato: dice dell'anima che è una sostanza, per distinguerla dall'accidente; dice che «porta a compimento» intendendo dire che questa sostanza è la causa che porta a compimento l'uomo ed è dunque la causa [della sua sopravvivenza] nel mondo venturo – è in vista di questo bene che siamo stati creati, ed è per questo che siamo venuti al mondo, e siamo arrivati alla composizione del corpo e alla creazione della materia; dice «corpo naturale organico» perché è l'organo di cui si serve l'anima per fare ciò che vuole e si propone di fare, mentre il corpo non ha alcun desiderio, e proprio perché non ne ha, è stata incaricata di guidarlo una sostanza perfetta che, mediante di esso, manifesta la sua perfezione e la bontà della sua azione, e che non ha nulla di manchevole, perché è causa del bene eterno e del piacere perpetuo, e del grado perfetto che non ha nulla di manchevole e nulla di problematico – ne parleremo più adeguatamente parlando dei premi e delle pene, dove ci diffonderemo a spiegare questo e altro.

L'anima razionale è come il re, l'anima [animale] è come un poliziotto che tiene sottomessa al re la servitù, e che rimbrotta l'anima appetitiva e le potenze appetitive. Per questo, il filosofo dice: «Io desidero l'acqua ma me ne tengo lontano per il mio vantaggio»[49]. Ma non è opportuno che ciò che desidera e ciò che trattiene [dal desiderio] siano la stessa cosa.

[48] Si tratta della celebre definizione dell'anima che si legge in Aristotele, *De anima*, 412b5-6: «la prima perfezione [*entelècheia*] di un corpo naturale organico». Il raro termine ebraico impiegato qui dal traduttore per designare il concetto di «entelechia» è *matmim*, alla lettera «perfezionante».

[49] Non siamo in grado di indicare la fonte di questo passo.

❑ Ora, giacché questo è stato chiarito, parliamo delle tre anime, in forma breve e generica.

Le tre anime

Se qualcuno chiedesse: «Perché ognuna di queste [tre anime] si chiama 'anima', e in che cosa ciascuna si distingue dall'altra?», gli risponderemmo che si tratta di potenze spirituali, e che ognuna di esse è una sostanza che sussiste da sé, e che dà un qualche vantaggio al corpo. Ognuna di esse si chiama anima: infatti, giacché l'anima razionale è la specie di queste tre anime, anche le altre si chiamano anime, dal momento che la cosa prende il nome dalla sua specie.

Se poi qualcuno dicesse: «Perché l'intelletto si chiama anima, ma è una sostanza che sussiste di per sé e sta nell'anima per darle un qualche vantaggio?», noi gli diremmo che questa anima razionale ha in comune con l'intelletto la materia, e per questo, quando l'anima giunge a perfezione diventa intelletto. Dunque, l'anima razionale si chiama «intelletto in potenza», e tra di essa e l'intelletto non c'è differenza se non di grado: il mondo dell'intelletto, infatti, è superiore, ma non nel luogo, bensì nell'autorità e nell'eccellenza. In effetti, la sua materia è la luce perfetta e lo splendore rifulgente. L'intelletto non ha con sé alcuna ignoranza, perché è uscito dalla potenza del Creatore – sia benedetto – senza intermediario, e il Suo creatore ne prolunga [l'esistenza] senza fine, e gli dà il bene perpetuo. [...]

Giacché l'anima è ignorante, essa si volge all'intelletto, che la illumina ed emana su di essa la sua luce, che non ha in sé né invidia né ira: infatti, caratteristica dell'invidia e dell'ira è quella di pertenere all'anima animale a causa del legame di quest'ultima con le nature opposte e della sua commistione con l'alterabilità del corpo.

4. *Abraham bar Ḥiyya*

Abraham bar Ḥiyya (o bar Ḥayya) – nato forse intorno al 1065, attivo a Barcellona nel primo terzo del secolo XII e ivi morto verso il 1136 – si segnala nel campo della letteratura filosofica del giudaismo medievale sotto due aspetti: fu il primo a introdurre non solo nel mondo ebraico ma, più in generale, in Europa alcune tecniche e nozioni delle scienze matematiche (aritmetica, geometria, ottica, astronomia) sino ad allora diffuse solo nel mondo islamico, e per questo parte della sua opera venne tradotta in latino; ma fu anche, nel contempo, il primo autore medievale a scrivere testi scientifici in lingua ebraica, contribuendo così a creare, quasi dal nulla, un lessico tecnico di cui gli ebrei, sino ad allora, mancavano. Questa scelta è peraltro motivata anche da una circostanza storico-geografica: Abraham bar Ḥiyya viveva in Catalogna, in un'area cioè dove l'arabo non era mai stato lingua parlata, e non era diventato la lingua di espressione letteraria delle comunità giudaiche. Certo, il lessico di Abraham bar Ḥiyya presenta aspetti terminologici originali, che solo in parte sono state adottati dai suoi successori, i traduttori professionisti ebrei attivi nella Provenza del Cento e del Duecento (cfr. Efros 1926).

La sua figura è dunque, innanzitutto, quella di un matematico o, meglio ancora, di un traduttore di testi e di dottrine scientifiche, più che di un vero e proprio filosofo (per quanto elementi di filosofia neoplatonica siano presenti in un suo scritto ascetico, la *Meditazione dell'anima dolente*): anche se le sue opere matematiche si presentano come scritti originali, egli stesso ammette di avervi presentato le dottrine di astronomi e matematici arabi – quali al-Battānī (morto nel 929) e al-Khuwarizmī (morto nel 847) – perché venissero divulgate tra gli ebrei europei non arabofoni. L'interesse della sua opera, dal punto di vista filosofico, è forse data soprattutto dalla sua adozione di aspetti di epistemologia e di classificazione delle scienze per i quali è debitore, tra gli altri, a un classico islamico del genere, l'*Enumerazione delle scienze* di al-Fārābī. Da segnalarsi, in questo campo, il fatto che egli fu tra i primi autori ebrei a collaborare con un dotto cristiano nell'opera di traduzione in latino di scritti scientifici e, poi, anche filosofici arabi condotta nella Spagna del secolo XII: Abraham bar Ḥiyya viene infatti menzionato come collaboratore dal traduttore Platone di Tivoli, attivo a Barcellona tra il 1134 e il 1145.

Opere. Di Abraham bar Ḥiyya sono rimaste nove opere principali, tutte in lingua ebraica. La parte più notevole e importante di questa produzione è rappresentata dagli scritti matematico-astronomici: già editi, e in massima parte tradotti in spagnolo da José Maria Millás Vallicrosa tra il 1931 e il 1959, essi comprendono:

– l'*Opera sulla geometria piana e solida* (*Ḥibbur ha-meshiḥah we-hatishboret*), probabilmente posteriore al 1125, la quale, tradotta in latino da Platone di Tivoli nel 1145 sotto il nome di *Liber embadorum*, esercitò una notevole influenza sull'opera di Leonardo Fibonacci, uno dei primi matematici europei del Medioevo;

– la *Forma della terra* (*Ṣurat ha-areṣ*), scritto astronomico sulla formazione del cielo e della terra;

– il *Computo del procedere degli astri* (*Ḥeshbon mahalekot ha-kokavim*), esposizione del sistema astronomico tolemaico;

– le *Tavole del Principe* (*Luḥot ha-Nassi'*), tavole astronomiche desunte principalmente da al-Battani;

– il *Libro dell'intercalazione* (*Sefer ha-'ibbur*), datato del 1123, dove si affronta su basi astronomiche il problema dell'intercalazione del tredicesimo mese del calendario ebraico;

– l'epistola al barcellonese Yehudah ben Barzilai, anch'essa incentrata su un problema astrologico.

A questa produzione scientifica, vanno aggiunte le opere più originali di Abraham bar Ḥiyya, ossia:

– l'opera storico-escatologica *Il rotolo rivelatore* (*Megillat ha-megalleh*), edita da Adolf Posnanski nel 1924, dove si tracciano le linee generali della storia del popolo d'Israele al fine di arrivare a calcolare la data dell'avvento del messia. Va rilevato il fatto che la storia universale viene qui divisa in sette ere, corrispondenti ai sette giorni della creazione, secondo uno schema tipico della tarda patristica, impiegato anche da Isidoro di Siviglia;

– lo scritto morale *Meditazione dell'anima dolente* (*Hegyon ha-nefesh ha-'aṣuvah*), più volte edito (l'ultima volta da Geoffrey Wigoder nel 1971), e costituito da quattro parti dedicate rispettivamente alla formazione e natura del mondo, all'etica, alla salvezza del peccatore mediante il pentimento e alla fine dell'uomo e del mondo;

– l'enciclopedia filosofico-scientifica *Gli elementi della comprensione e la torre della fede* (*Yesode ha-tevunah u-migdal ha-emunah*), strutturata originariamente – secondo quanto afferma l'autore stesso nell'introduzione (cfr. *infra*, T14, p. 109) – in due parti: la prima, dedicata alle scienze profane, si suddivideva in quattro sottosezioni (detti, appunto, «elementi») che trattavano, rispettivamente, delle scienze matematiche, delle scienze fisiche e naturali, delle discipline etico-politiche, e della metafisica (quest'ultima includeva, apparentemente, anche nozioni proprie della teologia del *kalām*, come l'unità di Dio); la seconda – se mai è stata scritta – potrebbe essere stata dedicata ai principi giuridici della religione del *Talmud*, oppure ad aspetti mistico-esoterici della tradizione giudaica, per quanto l'autore non si esprima al riguardo dei suoi contenuti[50]. In ogni caso, dell'opera sopravvivono ora solo l'introduzione e il testo delle prime due «colonne» (dedicate ad aritmetica, geometria e ottica) del primo «elemento», pubblicati e tradotti in spagnolo da Millás Vallicrosa nel 1952.

[50] Sull'opera, cfr. ora il saggio di Mercedes Rubio in Harvey 2000, pp. 140-153.

T14. LA SCIENZA E LA FILOSOFIA SECONDO ABRAHAM BAR ḤIYYA (da *Gli elementi della comprensione e la torre della fede*, Introduzione)[51]

Il passo si presenta come un commento ai seguenti versetti del libro biblico di Geremia: «Così dice il Signore: non si vanti il sapiente della sua sapienza, non si vanti il forte della sua fortezza, non si vanti il ricco della sua ricchezza; chi si vanta, può vantarsi solo di questo: comprenderMi e conoscerMi, perché Io, il Signore, opero la misericordia, la giustizia e il giudizio sulla terra. Di questo Mi compiaccio – parola del Signore» (Ger 9, 22-23). Anche qui si trovano commisti elementi neoplatonici (la divisione delle tre anime, con riferimento al necessario dominio etico dell'anima razionale) e aristotelici: la struttura stessa dell'opera esposta in fondo al passo si rifà al *Corpus Aristotelicum*, sia pure attraverso la mediazione di al-Fārābī.

Iniziamo dicendo che la parola «sapienza» si predica di due cose.

Innanzitutto, della sapienza concreta di cui parla la Scrittura: «La sapienza, da dove si estrae?» (Gb 28,12) – ed è la conoscenza di tutti gli enti secondo la valutazione della loro figura, il contenuto della loro natura e la realtà della loro presentazione. Abbiamo dovuto porre nella definizione della sapienza tre limiti, così da introdurre in questa definizione tre gradi:

1. la valutazione della figura degli enti: rientra in questa definizione la scienza che studia la forma degli enti e la figura del loro corpo, come la scienza del numero [*scil.* l'aritmetica] e simili;
2. il contenuto della loro natura: vi rientra la scienza che studia i corpi degli enti e l'ordine della loro creazione, per esempio tutte le scienze che parlano della struttura del cielo e della terra, e del resto delle creature;
3. la realtà della loro presentazione: vi rientra la scienza superiore a tutte le scienze, ossia la scienza della Legge religiosa data a coloro che temono il Signore.

Questi tre gradi corrispondono ai tre gradi di verità e di certezza che vi sono nella scienza:

(1.) infatti, la scienza che studia i limiti degli enti e la loro forma esteriore studia qualcosa che la mente abbraccia sotto ogni aspetto: su di essa non vi è alcuna disputa, e la verità al proposito è solida e non soggetta a dubbi;

(2.) la scienza che studia la natura degli enti e la loro forma interna studia ed esamina cose celate alla vista e ai sensi corporei, e

[51] Cfr. Millás Vallicrosa 1952, pp. 3.15-5.14; 6.1-26; 8.27-10.10.

la mente non le domina se non per via di supposizione: su di essa vi sono grandi dispute tra gli uomini di scienza, e all'uomo è permesso di sostenere le parole di colui le cui parole circa questa scienza gli appaiono adatte alla sua intelligenza e giuste ai suoi occhi: [così], non può peccare né essere incolpato di nulla, e può metter fuori ciò che esce dalla sua mente, e aggiungere e togliere seguendo la sua intelligenza; e ciò facendo non esce dalla via della scienza;

(3.) la scienza che studia le cose sante è una scienza ricevuta dallo Spirito Santo, che studia le cose che la mente non è in grado di raggiungere per la loro grande stranezza ed elevatezza. Come l'occhio non è in grado di vedere la luce del sole a mezzogiorno, perché la sua luce è splendente e più forte della luce dell'occhio dell'uomo, così la certezza e la verità circa le cose della Legge religiosa sono splendenti e strane, al punto che la potenza delle menti umane non è in grado di raggiungerle, se non per mezzo dei profeti che Dio ha reso credibili mediante lo Spirito Santo: l'uomo deve accettare le loro parole e non ha il permesso di aggiungervi e toglienvi nulla; anzi, deve custodirle e spiegarle, e se vi aggiunge o vi toglie qualcosa, pecca e sarà punito dal cielo.

In questo modo, la scala della scienza ha tre gradi, e la definizione che abbiamo posto per la sapienza li comprende tutti. Queste scienze sono dette scienze intellettuali, e scienza dell'intelletto.

Il secondo senso di sapienza di cui si parla nella lingua santa [*scil.* l'ebraico] è la scienza delle arti, che l'uomo acquisisce e impara ad operare mediante la comprensione della sua mente, come sta scritto: «Ogni sapiente d'animo fece» (Es 36,8), e: «E ogni donna sapiente d'animo» (Es 35,25) – tutto questo a proposito di coloro che operano l'arte, che secondo me è sapienza. La definizione di questa sapienza è: una potenza mediante la quale un uomo può produrre con l'opera delle sue mani tutte le forme e le figure che si trovano nella sua mente – e per questo si chiama «sapienza d'animo» e «sapienza pratica».

L'uomo acquista queste due sapienze mediante la potenza della sua anima razionale, perché Dio ha dato all'uomo tre anime, ovvero una sola anima con tre potenze – e qualunque di queste due ipotesi tu assuma per questa cosa, in questa sede, fa lo stesso. I sapienti gentili disputano su questo: c'è chi dice che l'anima è una sola, ed ha tre potenze, e c'è chi dice che sono tre anime – ma questa disputa, qui, non fa alcun danno.

La prima delle tre anime è la potenza grazie alla quale l'uomo vegeta, cresce, fruttifica, si moltiplica, mangia, beve e ha tutti i desideri di questo mondo. Grazie a questa potenza egli è simile alle piante della terra e ai vegetali che crescono sul terreno, e per questo essa si chiama «anima vegetativa» e «anima appetitiva».

La seconda anima dispone della potenza vitale dell'ira e della passione, della fortezza e del movimento e dello spostamento da un luogo ad un altro. Grazie a questa potenza l'uomo è simile agli animali e alle bestie, e per questo essa si chiama «anima animale» e «irascibile».

Grazie alla terza anima l'uomo è in grado di discernere tra il bene e il male, in tutte le cose del mondo, e tra il riprovevole e il lodevole negli atti umani, e di distinguere tra il vero e il falso in tutte le cose comprese dalla mente, e di distinguere ciò che è corretto da ciò che è menzognero nelle parole umane. Grazie a cose simili [l'uomo] si separa dagli animali e si distingue dalle bestie, ed è simile agli angeli e alle schiere del mondo superiore. Quest'anima si chiama «anima logica» e «discorsiva», perché grazie a quest'anima l'uomo pensa e ragiona. Il senso di «logica» e «discorsiva» qui non è quello del *lògos*[52] che esce sulla bocca, e del discorso che si ode sulla lingua, ma del logos dell'anima e del suo discorso, perché troviamo che il termine *lògos* si predica delle meditazioni e dei pensieri interni all'animo, e delle cose tracciate e collegate nell'anima, come dice la Scrittura: «Siano secondo la [Tua] volontà i detti della mia bocca, e la meditazione[53] del mio cuore stia davanti a Te» (Sal 19,15); e sta anche scritto: «E mediterò su tutto il tuo operato» (Sal 77,13), dove non è corretto interpretare «e mediterò» come qualcosa che si dice ed esce dalla bocca, ma come qualcosa che avviene nel pensiero, e la riflessione che fa pensare ai prodigi [divini]. Lo stesso vale per il passo: «Nel mio giaciglio medito su di Te» (Sal 63,7); e del pari sta scritto: «Prima che io finissi di discorrere tra me» (Gn 24,45) – ecco, [quest'anima] discorre tra sé. E così tu hai compreso, dal nostro discorso, che «anima logica e discorsiva» si riferisce al *lògos* e al discorso dell'animo. [...]

L'anima razionale che si trova nell'uomo è quella che sta al di sopra e governa le altre due anime. L'uomo la cui anima razionale è diretta per la sua strada e correttamente, e nel quale i costumi di quest'anima prevalgono sulle due anime restanti, è l'uomo lodevole e adorno in tutti i suoi atti. Ognuna di queste tre anime

[52] Il termine ebraico qui impiegato da Abraham bar Ḥiyya è *higgayon*, che traduco con *lògos* perché ha in sé il duplice senso di «ragione» e di «parola» – senso che è presente anche nel termine ebraico *dibbur*, che traduco con «ragione» e «discorso».

[53] La radice di «meditare» e dei suoi derivati è, in ebraico, *hagah*, ossia la stessa radice di *higgayon*.

❑ ha costumi buoni, di cui ci si vanta, e costumi cattivi, che sono colpiti da biasimo.

Troviamo che l'anima vegetativa è lodata per la pietà e la temperanza, e per il fatto che qualcuno si domini e si trattenga dagli appetiti cattivi e dalle abitudini ripugnanti; invece, i suoi costumi cattivi consistono di tutto ciò che è contrario a questo, e del fatto che un uomo sia incline agli appetiti mondani e li porti ad effetto. Non c'è uomo che possa dominare i suoi appetiti se non ha una ricchezza e del denaro che lo metta in grado di tenersi lontano dalle abitudini cattive, perché il povero, il bisognoso e l'affamato, per la loro grande povertà, miseria e oppressione, sono costretti ad entrare in ogni affare che venga loro in mano, sia buono o cattivo. Tu trovi dunque che la ricchezza è legata alla potenza dell'anima vegetativa lodevole.

Parimenti, l'anima animale ha costumi buoni e, all'opposto, costumi cattivi. I suoi costumi cattivi si hanno se essa non obbedisce all'anima razionale e non le è sottomessa, e invece si è fatta intrappolare dall'anima vegetativa e le è sottomessa. Del pari, i suoi costumi buoni si hanno se essa obbedisce all'anima razionale e la accetta, e domina sull'anima vegetativa distruggendone la grossolanità.

Tutti i sapienti[54] paragonano l'anima vegetativa ad una bestia cattiva di spirito grossolano, che vuole mangiare e distruggere tutto ciò che le sta davanti, e paragonano l'anima animale ad un freno e una redine in bocca a questa bestia: se questo freno e redine non ha forza di trattenerla dai suoi appetiti, nessuno è in grado di cavalcare quella bestia grossolana, bloccarle la bocca e guidarla dove vuole. Così, il pungolo e lo sperone continua a insegnare alla mucca che recalcitra e si sdraia, indirizzandola verso i suoi solchi, e per questo l'anima animale ha bisogno di una potenza e di una forza, e la fortezza è cosa [per essa] lodevole e adorna.

L'anima razionale ha bisogno di due buoni costumi, così da potere, con una specie di essi, guidare le altre due anime e dar loro consiglio e aiuto al servizio del corpo in tutti i bisogni di questo mondo, e perfezionare le potenze del corpo e le arti che sono tra le occupazioni di questo mondo: la Scrittura chiama questi costumi «sapienza».

La seconda specie di costumi è quella dei costumi grazie ai quali [l'anima razionale] corregge sé stessa e conforma tutte le potenze dell'anima che sono nell'uomo, e acquista il diritto al mondo venturo e ai suoi beni; e grazie a quei costumi essa è in grado di vedere tutto ciò che è meraviglioso e superiore ad essa. La

[54] Un paragone non del tutto dissimile si legge, tra l'altro, nel *De moribus* di Galeno: cfr. Zonta 1995a, pp. 137-38.

Scrittura chiama questa specie [di costumi] «intelletto»; l'anima razionale ha due cose lodevoli: la sapienza e l'intelletto. [...]

Abbiamo trovato che le scienze di cui dispongono i sapienti in questo mondo sono costruite[55] su quattro fondamenti, che corrispondono a quattro termini usati dalla Scrittura nel versetto che abbiamo riportato all'inizio. La credenza in Dio e lo studio della Sua legge, di cui la Scrittura ci autorizza a vantarci, confermano questi fondamenti, che rappresentano i quattro angoli della scienza, la quale rappresenta a sua volta la torre costruita su di essi. E dal momento che la Scrittura vieta di vantarsi di questi costumi, noi riteniamo però che consenta di studiarli e di occuparsene, e per questo io procedo, in quest'opera, a far conoscere e palesare in breve i contenuti di queste scienze, secondo la povertà della mia mente e l'umiltà della mia intelligenza. Ho dunque diviso quest'opera in due trattati:

trattato primo: in esso si spiegano gli elementi della comprensione e la torre della fede, riportati dalla Scrittura dal principio del passo citato sino a «comprenderMi e conoscerMi»;

trattato secondo: in esso si chiarisce che cosa sia la torre di cui si parla esplicitamente in questo versetto, da «perché Io, il Signore, opero», sino alla fine del versetto.

Il trattato primo si divide in quattro parti, ed ogni parte prende il nome di elemento, in corrispondenza degli elementi della sapienza.

1.1. Il primo elemento, nell'interpretazione [del versetto], è la scienza dell'educazione e la scienza del discorso; e questo elemento è detto dalla Scrittura «sapienza», e poggia su cinque colonne:

1.1.1. la prima colonna è la scienza del numero [*scil.* aritmetica], che è chiamata in lingua araba *'ilm al-'adad*;

1.1.2. la seconda colonna è la scienza della misurazione [*scil.* geometria], che è chiamata in lingua araba *al-handasa*;

1.1.3. la terza colonna è la scienza della melodia [*scil.* musica], che è chiamata [in arabo] *'ilm al-ta'līf*[56];

1.1.4. la quarta colonna è la scienza degli astri [*scil.* astronomia], [ossia, in arabo] *'ilm al-nuǧūm*;

1.1.5. la quinta colonna è la scienza della parola [*scil.* logica], chiamata [in arabo] *al-manṭiq*;

[55] Leggo *banuyyot*, «costruite», invece dell'edito *be-re'ayot*, «con prove» [?], che non dà senso.

[56] Alla lettera, «scienza della combinazione». Tuttavia, in arabo usualmente si parla della musica come *'ilm al-mūsīqā*.

❑ ed ognuna di queste colonne si suddivide in capitoli, che sono menzionati al principio di ogni «colonna».

1.2. Il secondo elemento espone la scienza delle cose create [*scil.* la fisica], e studia tutti gli enti, spiegando il contenuto della loro esistenza e il modo della loro creazione; la Scrittura lo chiama «fortezza». Le colonne su cui esso poggia sono otto[57]:

1.2.1. la prima colonna studia la generalità del creato e il principio e la base di questa scienza, da cui essa deriva;
1.2.2. la seconda colonna studia tutti i corpi semplici inalterabili presenti nel cielo, e gli astri;
1.2.3. la terza colonna studia la generazione e la corruzione che sopravvengono all'ente che sta al di sotto dei cieli;
1.2.4. la quarta colonna studia i quattro angoli della creazione [*scil.* i quattro elementi], e cose simili;
1.2.5. la quinta colonna studia i corpi alterabili la cui parte interna è come quella esterna, come l'argento, l'oro e simili;
1.2.6. la sesta colonna studia le piante della terra;
1.2.7. la settima colonna studia gli animali;
1.2.8. l'ottava colonna studia l'anima e il corpo umani, e i corpi spirituali.

Tutte le colonne si dividono in capitoli.

1.3. Il terzo elemento studia la scienza dell'uomo e la scienza politica, che [la Bibbia] chiama «ricchezza». Le sue colonne sono tre:

1.3.1. la prima colonna espone il modo in cui l'uomo deve trattare sé stesso [*scil.* l'etica];
1.3.2. la seconda colonna spiega il modo in cui egli tratta con la sua casa e i suoi servi [*scil.* l'economia];
1.3.3. la terza colonna spiega il modo in cui il re e i grandi signori degli stati prendono le loro decisioni [*scil.* la politica].

1.4. Il quarto elemento espone la scienza della divinità, che i sapienti gentili chiamano «la scienza delle scienze», ed ha due colonne:

[57] Va rilevato che ognuna delle otto parti della fisica di cui parla qui Abraham bar Ḥiyya corrisponde a ciascuna delle otto parti enumerate da al-Fārābī nella sua *Enumerazione delle scienze* (*Iḥṣā' al-'ulūm*). Si tratta in pratica, nell'ordine, dei contenuti delle seguenti opere del *Corpus Aristotelicum* medievale: *Fisica*; *De caelo*; *De generatione et corruptione*; *Meteorologica* I-III; *Meteorologica* IV e il *De mineralibus* pseudoaristotelico; *De plantis* pseudoaristotelico (di Nicola di Damasco); opere zoologiche di Aristotele; *De anima* e *Parva Naturalia*.

1.4.1. la prima colonna parla di tutte le cose disposte al principio di [ognuna delle] scienze di cui si è detto prima, che vengono trasmesse per via di tradizione. Questa scienza dà per esse una prova e una dimostrazione;

1.4.2. la seconda colonna studia l'unità divina, la luce splendente, e tutti gli enti incorporei e immateriali[58], che non abbisognano di un corpo e di una materia, per esempio tutte le schiere [angeliche] del mondo superiore. La scrittura chiama questa scienza con quei due nomi [*scil.* «comprenderMi e conoscerMi»] solo per farti sapere, a proposito di tutte le scienze precedenti, che tu non hai bisogno, per studiarle, di aver studiato la Legge religiosa: invece, questa scienza non può essere compresa correttamente se non si è studiata la Legge e le Sacre Scritture.

Questa è l'enumerazione degli elementi e delle colonne del primo trattato [di quest'opera]; rimando invece la spiegazione delle parti del secondo trattato sino a quando non ci sarò arrivato, con l'aiuto di Dio.

[58] Va rilevato che qui, per «materia», Abraham bar Ḥiyya usa il termine raro *golem* anziché l'usato *ḥomer* o *hiyyuli*. Per questo uso di *golem* nel senso di «materia», cfr. Zonta 1996, pp. 121-22.

Capitolo quinto
L'aristotelismo ebraico nel secolo XII

1. *Introduzione storica*[1]

La comparsa di un vero e proprio aristotelismo ebraico, ossia di una filosofia sistematicamente ispirata alle dottrine della tradizione aristotelica greca e medievale e integrata nella cultura ebraica, non si ha prima della metà del secolo XII; eppure, tracce della conoscenza di alcuni aspetti del pensiero aristotelico appaiono già nella letteratura giudeo-araba dei secoli IX-XII. Come si è già accennato, se da una parte Isaac Israeli prima e Yosef Ibn Ṣaddiq poi presentano nelle loro opere diversi riferimenti alla fisica dello Stagirita, dall'altra Shelomoh Ibn Gabirol riformula in chiave neoplatonica la dottrina delle categorie, e infine Mosheh Ibn 'Ezra cita, nel suo *Libro del giardino*, passi del *Corpus Aristotelicum* in versione araba – benché indubbiamente nessuno di questi autori tenti di costruire una filosofia partendo da un'adesione di fondo a tutti gli aspetti dell'aristotelismo (logica, fisica, metafisica), e benché spesso l'Aristotele a loro noto sia in realtà lo pseudo-Aristotele della *Teologia* e del *Liber de causis*.

D'altronde, non mancano, in questi stessi secoli, autori di origine o di religione ebraica che redigono trattati filosofici in linea con l'una o l'altra delle scuole dell'aristotelismo arabo-islamico medievale, senza però che vi sia da parte loro alcun tentativo di conciliare o anche solo di confrontare queste posizioni dottrinali con l'eredità della tradizione giudaica biblica e talmudica: tale è il caso di Abū l-Barakāt Hibatallāh ibn Malka al-Baghdādī, che verso il 1160 scrisse un *Libro dell'oggetto*

[1] Sugli autori e le vicende storiche presentate in questo capitolo, cfr. Sirat 1990, pp. 185-260 e 556-63 (bibliografia); Frank-Leaman 1997, pp. 228-44 (Norbert M. Samuelson) e 245-80 (Howard Kreisel); Nasr-Leaman 1996, vol. I, pp. 725-38 (Alexander Broadie). Per un sommario quadro dell'aristotelismo ebraico medievale dal 1150 al 1500, cfr. Tamani-Zonta 1997, pp. 13-53.

della riflessione (*Kitāb al-mu'tabar*) nel quale si parafrasava – con l'inserzione di alcuni elementi originali – il pensiero della scuola avicenniana, senza alcuna sostanziale differenza rispetto ai seguaci musulmani di Avicenna suoi contemporanei, e senza il minimo riferimento alla religione e alla cultura dell'autore (cfr. Pines 1979).

In realtà, il primo tentativo coerente di mostrare la possibilità di un accordo tra le dottrine di Aristotele e quelle della Bibbia, o meglio della tradizione giudaica, venne fatto in Spagna intorno alla metà del secolo XII ad opera di Abraham Ibn Daud (cfr. *infra*, pp. 115 sg.). Anche in questo, peraltro, la filosofia ebraica rivela la sua stretta relazione con gli sviluppi del pensiero islamico contemporaneo: l'aristotelismo ebraico ebbe inizio alcuni decenni dopo che il filosofo arabo musulmano Ibn Bāggia aveva di fatto introdotto in Andalusia lo studio delle dottrine di Aristotele secondo l'interpretazione datane da al-Fārābī, rimasto sino ad allora sconosciuto nell'islam d'Occidente. Già in Ibn Daud si riscontrano alcune delle caratteristiche che contraddistingueranno tutto l'aristotelismo ebraico, ossia:

– l'approccio alla dottrina dello Stagirita non è diretto, ma mediato attraverso l'interpretazione del pensiero tardoantico e islamico (e poi anche scolastico latino). Ibn Daud, in particolare, non si serve delle versioni arabe di Aristotele, bensì della lettura fattane da Avicenna e da al-Ghazālī, che avevano compiuto uno sforzo preliminare di adeguamento e di assimilazione delle dottrine dell'aristotelismo arabo alla tradizione musulmana (si consideri, ad esempio, l'identificazione delle intelligenze separate, governatrici delle sfere celesti, con gli angeli). Non diversamente, Maimonide si rifarà alle interpretazioni di Alessandro di Afrodisia e di al-Fārābī;

– l'aristotelismo sorge in reazione e in aperta polemica con alcuni aspetti del neoplatonismo ebraico: Ibn Daud critica palesemente Ibn Gabirol, mentre Maimonide non vede di buon occhio Isaac Israeli e Yosef Ibn Ṣaddiq, nonché gli scritti pseudo-aristotelici della scuola di al-Kindī;

– la conciliazione tra lo Stagirita e la Bibbia è costruita su un'interpretazione allegorica di quest'ultima, mossa dalla preoccupazione di mostrare come la seconda possa essere facilmente piegata a giustificare molte, se non tutte, delle dottrine del primo: le opere filosofiche di Ibn Daud e di Maimonide sono, non a caso, ricche di richiami alla *Torah* in tutte le sue forme, ben più di quanto lo fossero le opere dei neoplatonici. Alla base di questa preoccupazione sta, certamente, la coscienza dell'avvenuta frattura tra filosofia e religione, che Yehudah ha-

Levi aveva sancito nel *Libro del Cazaro* proprio in riferimento alle dottrine di Ibn Bāggia e di Avicenna[2].

La via avviata da Abraham Ibn Daud venne ripresa dopo solo pochi anni da Mosè Maimonide (cfr. *infra*, pp. 129 sg.), il quale, perfezionando i temi già presenti nell'opera del primo, finì per sostituirlo completamente come ideale maestro degli aristotelici ebrei. Maimonide, benché originario anch'egli dell'Andalusia, svolse pressoché tutta la sua azione di filosofo – o meglio, di divulgatore della filosofia tra i suoi correligionari – nel Vicino Oriente, dove gli era facile avere a disposizione gli scritti dell'aristotelismo arabo. Di fatto, nella sua *Guida dei perplessi* egli dimostra di aver conosciuto tutto il *Corpus Aristotelicum* in versione araba, anche se di fatto i suoi riferimenti allo Stagirita sono ripresi pressoché tutti dai commentatori greci e arabi: Alessandro di Afrodisia (di cui conosce tra l'altro gli scritti *Sui princìpi dell'universo secondo l'opinione di Aristotele* e *Sulla provvidenza*), al-Fārābī (di cui dimostra di aver letto i commenti alla *Fisica* e all'*Etica Nicomachea*), Avicenna (cfr. Pines 1963).

Quali siano le scelte dell'aristotelismo maimonideo emerge però ancor più palesemente in una celebre lettera inviata da Maimonide stesso al traduttore ebraico della *Guida*, Shemuel Ibn Tibbon, nella quale il filosofo fa una rassegna ideale delle sue fonti:

> Bada di non leggere i libri di Aristotele senza i loro commenti: il commento di Alessandro, il commento di Temistio e il commento [medio] di Averroè. [...] Il *De pomo* e il *De domo aurea*, invece, sono tutte fantasie e sciocchezze senza senso. Questi due libri sono infatti tra quelle opere che sono state attribuite ad Aristotele, ma che non sono [in realtà] sue. [...] Anche il *Libro delle definizioni* e il *Libro degli elementi* di Isaac Israeli sono tutte sciocchezze, perché [...] Israeli era solo un medico.
>
> Il *Microcosmo* di Yosef Ibn Ṣaddiq non l'ho letto, ma conosco l'autore, il suo valore e il valore del suo libro: egli senza dubbio segue la corrente dei Fratelli della purità, e [il suo libro] contiene moltissime cose[3].
>
> In generale, ti dico: non affaticarti a studiare i testi di logica, se non quelli composti dal sapiente Abū Naṣr al-Fārābī, perché tutto ciò che egli scrisse [...] è pieno di saggezza [...]. Anche Abū Bakr Ibn al-Ṣā'igh [*scil.* Ibn Bāggia] era un grande e sapiente filosofo, e le sue opere sono tutte rette e giuste.
>
> I libri di Aristotele sono proprio come le radici e i fondamenti di tutte queste opere scientifiche, e non si comprendono, come ho detto, se non con

[2] Cfr. *supra*, p. 79.

[3] Questa affermazione, apparentemente di apprezzamento, nasconde in realtà una critica nei confronti di Ibn Ṣaddiq: cfr. Stroumsa 1990.

i loro commenti [...]. Invece, le opere di altri autori, come quelle di Empedocle, di Pitagora, di Ermes e di Porfirio, contengono tutte una filosofia antiquata: non è dunque il caso di perderci il tempo. Le parole di Platone, maestro di Aristotele, sono, nei suoi libri, [espresse] in termini difficili e metaforici, e non servono, perché bastano quelle di Aristotele: non abbiamo bisogno di affaticarci sui libri dei suoi predecessori [...].

Quanto ai commenti di Ibn al-Ṭayyib, di Yaḥyà Ibn ʻAdī e di Ibn al-Biṭrīq[4], sono tutti libri inutili, e chi se ne occupa perde il suo tempo. Dunque, non se ne occupi nessuno, se non per necessità.

I libri di Avicenna, benché siano sottili e difficili, non sono come quelli di al-Fārābī, ma sono utili, ed egli pure è un autore del quale è opportuno studiare e capire a fondo le parole (cfr. Zonta 1996, 139-40).

In realtà, l'aristotelismo di Maimonide si fonda innanzitutto su un adeguamento del pensiero filosofico islamico dei secoli X-XII alle caratteristiche del giudaismo; e questa operazione, che comporta una sostanziale razionalizzazione e demitizzazione della tradizione ebraica, ridotta in formule filosofiche (l'unità di Dio è identificata con l'unità della prima causa e del primo motore aristotelico; l'incorporeità di Dio è identificata con la natura di Dio come «intelletto, intelligente e intelligibile» nei termini posti da Alessandro di Afrodisia) e che sfocia nella formulazione dei tredici princìpi del giudaismo (cfr. *supra*, pp. 8 sg.), segue in particolar modo la lezione di al-Fārābī (cfr. Berman 1974). È da quest'ultimo che Maimonide riprende, tra l'altro, la ripartizione di ruoli tra filosofia e religione: la prima occupa il campo teoretico, stabilendo le verità certe mediante l'uso del metodo dimostrativo, riservato alle élites filosofiche; la seconda occupa il campo pratico, formulando le leggi in base alle quali deve regolarsi la vita sociale e politica delle masse. Da questa dottrina prenderà, nei secoli successivi, nuovo impulso la polemica su Maimonide e sulla filosofia aristotelica in generale che caratterizzerà le ultime fasi della filosofia ebraica medievale.

2. *Abraham Ibn Daud*

Le vicende biografiche di Abraham Ibn Daud presentano non pochi aspetti di somiglianza con quelle dei neoplatonici ebrei spagnoli del secolo XII: egli infatti, secondo alcune testimonianze, sarebbe nato a

[4] Si tratta dei commentatori e traduttori arabi cristiani dei testi aristotelici: Abū-l Farağ Ibn al-Ṭayyib, medico e filosofo di Bagdad morto nel 1043; Yaḥyà Ibn ʻAdī, allievo di al-Fārābī vissuto tra l'874 e il 963; Yūḥannà Ibn al-Biṭrīq, traduttore arabo del *De caelo*, attivo a Bagdad nella prima metà del secolo IX.

Cordova verso il 1110, e lì avrebbe ricevuto anche la sua educazione, mentre solo dopo l'arrivo degli Almohadi, verso il 1145, si sarebbe rifugiato nella Spagna cristiana, e in particolare a Toledo, che era allora uno dei centri dove si realizzavano le traduzioni latine dei testi della filosofia e della scienza araba. A questo fenomeno di traduzione, peraltro, secondo un'ipotesi esaminata e sostanzialmente confermata da Marie-Thérése d'Alverny[5], lo stesso Ibn Daud (chiamato, nelle fonti latine, *Avendauth*) avrebbe partecipato nelle vesti di turcimanno: egli avrebbe cioè tradotto oralmente, dall'arabo in vernacolo spagnolo alcuni testi, e in particolare la sezione *De anima* della *Guarigione* (*al-Shifā*), l'enciclopedia filosofico-scientifica di Avicenna, che poi l'arcidiacono Domenico Gundisalvi avrebbe, da questa prima versione orale, volto in latino. Ciò farebbe pensare che si fosse instaurata una collaborazione stretta tra Ibn Daud e alcuni dei filosofi e traduttori latini attivi in Spagna intorno al 1150; e di questa collaborazione si sono voluti trovare altri indizi in alcuni scritti attribuiti ad un autore latino di Toledo, l'arcidiacono Gundisalvo (Gonzalo)[6]: in particolare, il filosofo cristiano e il pensatore ebreo appaiono accomunati dalla polemica contro il neoplatonismo di Shelomoh Ibn Gabirol (cfr. Alonso Alonso 1946). Si presume che Ibn Daud sia morto dopo il 1180.

Nella storiografia, Abraham Ibn Daud viene generalmente qualificato come il primo aristotelico ebreo: in realtà, le fonti della sua opera filosofica sono l'enciclopedia breve *La salvezza* (*al-Nagiāt*) di Avicenna, e *Le intenzioni dei filosofi* (*Maqāṣid al-falāsifa*) di al-Ghazali – a sua volta, quasi una parafrasi araba di un'altra enciclopedia avicenniana in lingua persiana, il *Libro della scienza* (*Danesh nameh*; cfr. Janssens 1986). Per il vero, anche questo ávvicinamento all'aristotelismo per la via di Avicenna sarebbe coerente con la tendenza generale degli autori latini di Toledo: non a caso, a Domenico Gundisalvi vengono ascritte traduzioni latine di parti sia della *Guarigione* di Avicenna, sia delle *Intenzioni* ghazaliane.

Opere. Sono certamente da ascrivere ad Abraham Ibn Daud almeno due opere:

1. il *Libro della tradizione* (*Sefer ha-qabbalah*), risalente al 1160-1161 e scritto in lingua ebraica. Si tratta di una storia del popolo ebrai-

[5] Cfr. d'Alverny 1954; su tutta la questione della collaborazione di dotti ebrei all'attività di traduzione filosofica e scientifica in latino nella Spagna del secolo XII, cfr. d'Alverny 1989.

[6] Per la distinzione tra la figura e l'opera del traduttore Domenico Gundisalvi e quella del filosofo Gundisalvo, cfr. il recente articolo di Rucquoi 1999.

co da Adamo sino alla sua epoca, pubblicata più volte, e recentemente da Gershon D. Cohen nel 1967 con una traduzione inglese; l'opera mirava forse a dare una giustificazione storica della validità della religione ebraica, sulla scorta del principio posto dallo stesso Ibn Daud, secondo cui la tradizione di un fatto storico, avvenuto nel passato ma giunto per tradizione ininterrotta e senza contestazioni da parte dei contemporanei, è altrettanto argomentante quanto lo è una dimostrazione sillogistica;

2. il *Libro della fede esaltata* (*Kitāb al-ʿaqīda al-rafīʿa*), scritto in arabo verso il 1161, il cui testo originale è andato perduto: l'opera ci è pervenuta solo in due traduzioni ebraiche, l'una di Shelomoh Ibn Labi (1370 circa), un autore vicino alla cerchia del filosofo ebreo spagnolo Ḥasdai Crescas, e l'altra di Shemuel Ibn Moṭoṭ, datata del 1391. La prima versione, dal lessico standard e più diffusa nella tradizione manoscritta, è stata recentemente riedita da Norbert Samuelson nel 1984; la seconda versione è stata oggetto dei recenti studi di Amira Eran, che ne ha preparato un'edizione critica. L'opera, le cui dottrine filosofiche riprendono massimamente Avicenna e al-Ghazālī, è divisa in tre libri, come segue:

– *libro I*: suddiviso in otto capitoli, che esaminano, secondo gli schemi delle enciclopedie aristoteliche arabe medievali, rispettivamente le categorie, la questione di forma e materia, il movimento, la quantità, il primo motore, l'anima, gli angeli e la natura dei cieli;

– *libro II*: suddiviso in sei radici (*uṣūl*), secondo una terminologia ispirata al *kalām*, esamina temi quali le fonti della fede (si tratta in realtà di una dimostrazione dell'incorporeità di Dio), l'unità di Dio, gli attributi divini, le azioni divine (ossia, la creazione), la profezia e la provvidenza;

– *libro III*: esamina il tema etico della cura dell'anima, di origine galenica.

Va infine ricordato che tanto la tradizione ebraica (e in particolare l'astronomo del Trecento Yiṣḥaq Israeli) quanto la tradizione latina[7] attribuiscono ad Abraham Ibn Daud scritti astronomici, le cui tracce superstiti – se pure sono autentiche – non sono ancora state fatte oggetto dell'attenzione degli studiosi.

[7] Cfr. al proposito d'Alverny 1954, p. 39, dove si menziona un frammento astronomico latino conservato nel ms. di Madrid, Biblioteca Nacional, n° 10015, attribuito a tale *magister Abraham [et] Ibendeut*.

❑ T15. ELEMENTI DELLA PSICOLOGIA ARISTOTELICO-AVICENNIANA (da *La fede esaltata*, trattato I, cap. 6)[8]

Si tratta della prima esposizione coerente della psicologia aristotelica – nell'interpretazione datane da Avicenna e al-Ghazālī – nella filosofia ebraica medievale. Ibn Daud parte dalla constatazione dell'esistenza dell'anima come «perfezione del corpo» aggiunta al corpo stesso e da esso differente; prosegue con un'esposizione delle caratteristiche dell'anima (sua natura di sostanza e di forma, sua incorporeità, ecc.) secondo lo schema delle «questioni sull'anima» diffuso nella filosofia ebraica e latina del secolo XII (cfr. *supra*, T13, p. 99, il testo di Ibn Ṣaddiq; cfr. anche il *De anima* di Domenico Gundisalvi, che Ibn Daud potrebbe aver conosciuto); passa infine ad esaminare le funzioni delle anime degli esseri vegetali e di quelli animali (compreso l'uomo). Nell'analisi di queste ultime, Ibn Daud inserisce la dottrina, di origine avicenniana, dei «cinque sensi interni» (cfr. Wolfson 1935), ossia delle cinque funzioni della mente umana e animale: il senso comune (una sorta di bacino di raccolta delle sensazioni), l'immaginazione (che astrae dalle percezioni sensibili le forme), la fantasia o pensiero (che consente di creare nella mente forme che non esistono nella realtà), il discernimento (che consente di valutare ciò che si percepisce con i sensi) e la memoria. L'uomo dispone, rispetto agli animali, di una facoltà in più: quella razionale, che Ibn Daud identifica con l'intelletto.

Spiegheremo innanzitutto, per via di interpretazione, il senso del termine: che cosa è ciò che si chiama «anima»? E che cosa è ciò che ci ha condotto a credere nell'esistenza dell'anima? Diciamo: noi vediamo che la pietra, l'albero, il cavallo e l'uomo sono tutti corpi. Poi [vediamo] che l'albero, il cavallo e l'uomo hanno la capacità di nutrirsi, di crescere e di generare ciò che è loro simile – cosa di cui non partecipa la pietra, e che è un aspetto generale e comune a tutt'e tre. Poi vediamo che il cavallo, per esempio, e l'uomo hanno qualcosa di specifico in aggiunta alla capacità di nutrirsi, di crescere e di generare ciò che è loro simile, [che consiste] nella sensazione e nel movimento e nelle percezioni derivanti dall'immaginazione e dalla fantasia, e altre cose che ti sono evidenti, ecc. – cose di cui non partecipa l'albero, e in generale le piante. Vediamo infine che l'uomo, da solo, ha qualcosa di specifico in quanto comprende gli intelligibili, apprende le arti e distingue tra ciò che è opportuno e ciò che è turpe tra le azioni.

[8] Cfr. Samuelson 1986, testo ebraico, pp. 55.2-57.16; 63.2-66.18; 69.15-71.2; 74.2-75.7; 79.16-85.16; 88.10-19 (paginazione inglese: pp. 347-57), nella traduzione ebraica medievale di Shelomoh Ibn Labi. Dove non ho diversamente indicato, accolgo gli emendamenti al testo edito suggeriti da Samuelson in nota alla sua traduzione inglese dell'opera (cfr. ivi, pp. 88-107).

Da tutto questo noi sappiamo che in alcuni corpi vi è qualcosa di aggiuntivo rispetto alla corporeità, in virtù della cosa o delle cose che operano queste azioni [che abbiamo elencato], e predispongono il corpo nel quale si trovano a [ricevere] queste passioni – vale a dire, il fatto che esso veda, oda, odori, gusti e abbia il tatto, e inoltre disponga di immaginazione e fantasia. Ora, se il soggetto di questa azione e predisposizione a subire le passioni fosse il corpo, [di tutto questo] parteciperebbero in egual modo la pietra, l'albero, l'animale e l'uomo, perché essi partecipano in egual modo al fatto di essere corpi. Invece, le cose non stanno così. Pertanto, in alcuni corpi c'è qualcosa che non è un corpo.

Questa è una dimostrazione veridica, perché noi ne possiamo fare un sillogismo condizionale continuo. Ipotizziamo innanzitutto che ciò che opera le azioni che si manifestano nel corpo sia il corpo stesso: ne deriverebbe una conclusione falsa. Poi, poniamo l'opposto della conclusione [ora stabilita] e ricaviamone una nuova cosa opposta alla prima, che smentisce l'ipotesi iniziale: noi chiamiamo questa cosa «anima». Le abbiamo dato questo nome, perché grazie ad essa i corpi sono «rianimati» o mediante la respirazione, o mediante un processo nascosto di fusione[9]. Però, se questo nome secondo te non è giusto, chiama questa cosa con qualsiasi nome tu voglia: noi non vogliamo fare i pedanti con i nomi, una volta che tu sappia che in alcuni corpi vi è una cosa o più cose che non sono un corpo – e questa è la spiegazione di questo nome.

Ora, questa cosa o queste cose, come è bene definirle? Se fosse possibile [definirla], noi lo diremmo; ma a noi non è possibile definirla in alcun modo, e non abbiamo alcuna speranza di poterlo fare, perché noi definiamo ciò che ha un genere e una differenza – e queste due cose noi non le scorgiamo in quella cosa che abbiamo chiamato «anima», e neppure [le troviamo] in una cosa incorporea. Aggiriamo invece la questione e definiamo questa cosa in virtù di ciò che le accade: il fatto che essa governa il corpo. Diciamo [dunque] che essa è la perfezione del corpo[10]. Poi, giacché essa è perfezione nelle piante, e tanto più negli animali, e ancor più nell'uomo, ma non lo è nella pietra, e i corpi sono in parte artificiali – come la casa, la sedia, e la tunica – e non hanno questa perfezione, e in parte naturali – come gli animali, le piante e l'uomo, bisogna che accresciamo la definizione [che abbiamo da-

[9] Si allude qui, probabilmente, alla fotosintesi clorofilliana delle piante: cfr. Samuelson 1986, p. 105, n. 7.

[10] Abraham Ibn Daud avvia qui un'interpretazione della celebre definizione aristotelica dell'anima come «perfezione del corpo naturale organico» (Aristotele, *De anima*, 412b5-6); cfr. anche *supra*, p. 101, n. 48.

to] e diciamo che l'anima è la perfezione del corpo naturale. Poi, tra i corpi naturali ci sono quelli che non hanno organi, come i quattro elementi, e quelli che hanno organi, come le piante e gli animali; e questa perfezione non si trova negli elementi. Dunque, bisogna che accresciamo [ulteriormente] la definizione dell'anima e diciamo che l'anima è la perfezione del corpo naturale organico. Se vogliamo, diciamo [anche] che l'anima è la perfezione del corpo naturale dotato di vita in potenza, giacché gli elementi non sono dotati di vita in potenza.

Ecco, abbiamo già definito l'anima così come la definisce il filosofo [*scil.* Aristotele], tenuto conto che, come abbiamo spiegato, ciò che noi diciamo definizione è in realtà un accidente derivante dalla relazione tra l'anima e il corpo.

In secondo luogo, è bene che studiamo se l'anima sia una sostanza o un accidente. Escludiamo in prima battuta che sia, sotto qualche aspetto, un accidente: è una sostanza. Spieghiamo dunque che «sostanza» [si dice] sotto molti aspetti, in modo che noi possiamo sapere sotto quale di questi aspetti rientri l'anima; infatti, non ci basterebbe spiegare che è una sostanza, se non spieghiamo sotto quale aspetto essa è una sostanza. [...][11]

Ora, gli animali e le piante sono sostanze, e ciò che entra in una sostanza come una parte di essa è [anch'essa] una sostanza – e infatti noi ti abbiamo già dato una definizione dell'accidente come ciò che si trova in una cosa senza essere una parte di essa. Dunque, la cosa che sopravviene al corpo, che lo fa, lo informa, e prende posto in esso come una sua parte, e che, quando se ne va, provoca la distruzione del corpo, sicché esso non resta così com'era, è qualcosa di diverso dal temperamento, ed è diverso da un accidente; e, se non è un accidente, è una sostanza.

In effetti, gli uomini che hanno erroneamente creduto che una cosa sia ora una sostanza, sotto un certo aspetto, e ora un accidente, sotto un altro aspetto, hanno un'opinione fallace, che ha però una sua importanza. Già Ibn Gabirol era di questa opinione, come si trova nel suo libro chiamato *Fonte di vita*[12]. Ma la sostanza e l'accidente non sono sostanza o accidente sotto un certo aspetto [soltanto], o [solo] in relazione a qualcosa d'altro: la sostanza è sostanza di per sé, e l'accidente è accidente di per sé. Noi

[11] Segue una lunga confutazione delle tesi di coloro che vogliono che l'anima sia un accidente.

[12] Il riferimento è qui, probabilmente, alla discussione sui rapporti tra forma, materia, sostanza e accidente svolta in Shelomoh Ibn Gabirol, *Fonte di vita*, libro II, capp. 14-15 (dove, tuttavia, non si trova alcuna espressione letteralmente corrispondente a quanto affermato qui), e si inquadra nella polemica contro Ibn Gabirol affiorante qua e là in tutta l'opera di Ibn Daud.

non ci occupiamo di rispondere a coloro che sostengono questa opinione, in modo da non allungare [troppo] il libro: chi vuole farlo tenga davanti a sé i libri dei filosofi veridici. A noi basta dire che si è già detto prima che l'anima non è assolutamente un accidente, e che tutto ciò che non è un accidente è una sostanza; dunque, l'anima è una sostanza.

Ora, giacché «sostanza» si predica in molti modi, ci resta da spiegare quale di questi modi si applichi quando si dice che l'anima è una sostanza. Infatti, «sostanza» si dice di quattro cose: 1. della materia; 2. della forma; 3. del composto di queste due, ossia del corpo; 4. della [sostanza] separata, in relazione a ciò che ti spiegherò in seguito a proposito dell'esistenza di sostanze che non sono corpi e che non dipendono da alcun corpo – e, dal momento che l'anima dipende da una materia, essa non è una delle sostanze separate dalla cosa, in quanto ha una dipendenza da essa. Ora, che l'anima sia un corpo, è già stato confutato da quanto abbiamo detto prima; pertanto, è ancora più da respingersi l'ipotesi che l'anima sia una sostanza nel senso di «materia», giacché la materia è passiva e non attiva, e l'anima opera un'azione sul corpo. Resta quindi solo che l'anima sia una sostanza nel senso di «forma»: e ti abbiamo già spiegato che la forma è la sostanza che brilla sulla materia comune a cose differenti, che specifica la materia con una di quelle cose e la rende ciò che è, facendola uscire dalla potenza all'atto. [L'anima] è quindi la perfezione del corpo, e ne è la [causa] efficiente ed anche il suo fine: infatti, ti spiegheremo poi che il corpo esiste in virtù dell'anima, in modo che [l'anima] possa raggiungere in esso la propria perfezione – e questo ti apparirà chiaro nel corpo[13] e nell'anima umana in particolare. Ormai, tu sai che l'anima è una sostanza incorporea, e che è una sostanza nel senso di «forma», e che sta in una sostanza che si compone di essa e del corpo, che funge da materia di questo composto, trovandosi nel composto come una parte di esso.

Dopo aver spiegato questo, parliamo ora delle **facoltà dell'anima**, dividendole innanzitutto in tre generi: 1. il genere delle facoltà vegetative; 2. il genere delle facoltà animali; 3. il genere delle facoltà umane.

Le facoltà vegetative sono quelle grazie alle quali avviene il nutrimento, l'accrescimento e la generazione di ciò che è simile. Le facoltà psichiche o animali – o come tu voglia chiamarle – sono quelle grazie alle quali si hanno le percezioni esteriori ed interiori, e i movimenti. Le facoltà umane sono quelle grazie alle quali la specie umana si distingue, in virtù delle potenze teoretiche e pratiche che la specificano.

[13] Leggo *ba-geshem*, «nel corpo», anziché l'edito *ha-geshem*, «il corpo».

❑ Questa suddivisione, se viene esaminata secondo verità, viene trovata migliore della suddivisione stabilita da un grande numero di coloro che fissano queste suddivisioni, e tanto più i medici, che usano nomi diversi a seconda che parlino delle facoltà animali soltanto, o delle facoltà umane soltanto.

Bisogna dunque ammettere che l'intenzione ultima della creazione dei corpi nel mondo naturale è quella di liberare dal mondo della generazione e della corruzione, nel quale tutti i corpi periscono, alcune sostanze incorporee, preservate dalla corruzione: si tratta dell'anima umana perfezionata dalla sapienza e dal ben agire. Prova ne sia il fatto che il perfezionamento inseguito dai corpi cessa quando essi arrivano all'anima umana. Vi sono dei corpi naturali che si muovono verso la perfezione, i quali cessano [di muoversi] e restano in quiete senza esservi costretti: tutto ciò che si muove verso una cosa, infatti, quando cessa [di muoversi] senza costrizione, è arrivato alla sua intenzione finale, che nelle piante è la corporeità e qualcosa di più, negli animali è la vegetalità e qualcosa di più, nell'uomo è l'animalità e qualcosa di più; ma non esiste alcun corpo nel quale si trovi l'umanità e qualcosa di più. Tra i corpi, ve ne sono alcuni la cui perfezione si ferma al limite della sola vegetalità, e il cui temperamento non abbisogna di arrivare ad una perfezione maggiore; ve ne sono altri che arrivano sino al limite dell'animalità, e il cui temperamento non abbisogna di arrivare ad una perfezione maggiore; ve ne sono poi altri che arrivano sino al limite dell'umanità. Negli individui della specie umana, le gradazioni[14] della perfezione presentano una gamma di gran lunga maggiore di quella di ogni altra specie, al punto che il grado più basso di questa specie è quanto vi è di peggio nel mondo della generazione e della corruzione, ed è molto più in basso, nel grado, delle ostriche, mentre ciò che vi è di meglio in questa specie è il meglio che vi sia al mondo, e si avvicina e quasi arriva al grado degli angeli, come dice [la Bibbia]: «Tu l'hai fatto di poco inferiore agli dèi» (Sal 8,6). [...]

L'**anima vegetativa**[15] si trova in tutte le piante, e si trova anche negli animali, anche se non da sola, come ti spiegheremo dopo. Essa ha tre azioni, che si chiamano «primarie» perché ne hanno altre alle loro dipendenze, ed ha quattro [altre] azioni dipendenti dalle prime.

La prima delle azioni primarie è il nutrimento, ossia: i corpi prodotti da una mescolanza sono continuamente soggetti alla dis-

[14] In ebraico, *yitronut*, che letteralmente significa «superiorità», ma traduce qui probabilmente l'arabo *tafāḍul*, «disparità quantitativa».

[15] Per un'esposizione schematica, da parte di al-Ghazālī, delle dottrine presentate nel passo seguente, cfr. Dunyā 1961, pp. 346-47.

soluzione, perché contengono calore ed umidità, e il calore, per sua natura, scioglie continuamente l'umidità immergendosi in essa, separandone le parti e sminuzzandole moltissimo, finché diventano vapori ed escono attraverso i fori dei corpi che si chiamano [in arabo] *masāmm* [*scil.* pori], disperdendosi. Se però questo fenomeno, nei corpi, continuasse [indefinitamente], essi si dissolverebbero e si annichilerebbero prima di aver raggiunto i fini della loro esistenza.

Dunque, bisogna che [vi sia una reintegrazione] in sostituzione di ciò che, di essi, si dissolve; e l'agente deputato a [compiere] questa azione [di reintegrazione] si chiama «potenza nutritiva». Da essa dipendono quattro potenze:

1. una attrae a sé, traendole dall'umidità della terra, le particelle adatte a sostituire ciò che, del corpo, si dissolve;
2. la seconda trattiene ciò che è stato attratto, ossia sul cibo in potenza, in modo da farne cibo in atto;
3. la terza è una potenza che si chiama «digestiva» e «trasformatrice»: essa rende ciò che è stato attratto simile al corpo che lo ha attratto, e lo trasforma in rami, foglie, fiori e quant'altro; e giacché non è possibile assimilare a ciò che attrae tutto ciò che viene attratto, di esso, tolto ciò che è stato assimilato, resta un residuo, di cui non si ha bisogno, il quale, se restasse nel corpo, lo danneggerebbe e lo corromperebbe;
4. c'è dunque bisogno di una quarta potenza, deputata ad espellere ciò che è residuale e a farlo uscire al di fuori, nelle resine. Anche le foglie, che sono utili a proteggere le piante e a custodire i loro frutti, sono un residuo – e la scienza ha già fatto uso dei residui con grande giovamento.

Questa potenza, dunque, ha quattro potenze alle sue dipendenze, ossia: la potenza attrattiva, la potenza ritentiva, la potenza digestiva, la potenza espulsiva. [...][16]

Le potenze dell'anima vegetativa sono tre potenze primarie, ossia quella nutritiva, quella accrescitiva e quella generativa; la nutritiva è alle dipendenze dell'accrescitiva, e l'accrescitiva e la nutritiva sono alle dipendenze della generativa. La potenza generativa rappresenta il compimento e il perfezionamento dell'anima vegetativa. La potenza nutritiva ha alle sue dipendenze le quattro potenze che abbiamo menzionato. Dunque, le potenze dell'anima vegetativa sono sette: tre primarie, e quattro dipendenti.

Ora, se il temperamento non ha successo e non è preparato a [ricevere] qualcosa di maggiore rispetto a questa perfezione, re-

[16] Qui segue una dettagliata descrizione delle attività delle potenze dell'anima vegetativa, con esempi tratti dal mondo vegetale e animale.

sta com'è, e si ha una pianta – o meglio, la pianta richiesta da quel certo temperamento, perché anche le piante presentano un'ampia gamma [di specie], e in esse vi sono molte diverse gradazioni, quasi innumerevoli. Se invece il temperamento è più eccellente, è preparato a ricevere la perfezione di tutto ciò che è superiore, e che abbiamo menzionato.

L'**anima animale**[17]. L'abbiamo già menzionata insieme a quella vegetativa, perché abbiamo parlato insieme del nutrimento, dell'accrescimento e della generazione della pianta e dell'animale. Ora, però, distinguiamo l'una dall'altra, e parliamo di ciascuna anima, con le sue potenze, le sue azioni e le sue passioni.

Diciamo che il temperamento più adatto è quello che aggiunge alle [potenze] che abbiamo già menzionato altre due potenze, che sono in assoluto la percezione e il movimento. Entrambe queste potenze sono alle dipendenze di una potenza con cui si fugge ciò che fa danno e ci si avvicina a ciò che piace, mediante queste due: si chiama «potenza appetitiva».

Tra queste due potenze, quella che per prima muove l'animale è la percezione. Le percezioni sono molte: alcune sono esterne, e altre sono interne. Le prime tra le percezioni esterne sono due: il tatto e il gusto. Il tatto viene prima del gusto – intendo dire che è come la distinzione tra ciò che è animale[18] e ciò che non è animale. Ciò che non ha il tatto non è un animale, anche se a volte si chiamano «viventi» corpi che non hanno sensibilità, e diciamo che [questi corpi] hanno un'anima e sono vivi: si tratta delle piante. Però, noi non chiamiamo [questi corpi] «animali», e affermiamo che sono vivi così come è vivo un membro intorpidito, per così dire; la parte di vita che essi hanno è scarsa. Invece, ciò che ha il senso del tatto è un animale. [...][19]

I sensi che abbiamo menzionato sono spie della potenza appetitiva, che riportano all'anima le cose per le quali la potenza appetitiva stessa li manda, vicino o lontano, verso all'oggetto della sensazione; e pertanto, se è così, essi sono alle dipendenze della potenza appetitiva. Poi, Dio – sia benedetto – ha posto per questi cinque sensi una radice [comune], dalla quale essi escono, e al-

[17] L'esposizione della struttura dell'anima animale e dei cinque sensi, che segue queste parole, è almeno in parte ispirata al capitolo corrispondente (*Sull'anima animale*) della *Salvezza* di Avicenna; corrispondenze più puntuali possono però essere individuate nelle *Intenzioni dei filosofi* di al-Ghazālī: cfr. Dunyā 1961, pp. 350-55 (corrispondenti al capitolo *Sulla verifica dei sensi esterni*).

[18] Letteralmente, nella traduzione ebraica di Shelomoh Ibn Labi: *ba'al ḥayyim*, ossia «dotato di vita» – donde la successiva allusione all'uso improprio del termine «vivente, vita» (*ḥay*) per esseri privi di sensibilità.

[19] Segue una dettagliata descrizione dell'attività dei cinque sensi «esterni» (tatto, gusto, odorato, udito, vista).

la quale tornano le loro percezioni. Per questo, [la potenza appetitiva] ha la possibilità di emettere un giudizio su un senso che viene trasmesso ad un altro senso.

Questa facoltà, dalla quale provengono le cinque potenze [sensoriali], si chiama **senso comune**[20]. Essa si trova negli animali irrazionali, e tanto più negli animali razionali. Grazie ad essa un uomo giudica che [per esempio] questo impasto, che appare di colore verde al di fuori, e bianco all'interno, è pane, ed è il più adatto dei suoi cibi, mentre questa specie gialla, facile da schiacciare e amara, è un cactus. In tal modo, l'occhio può giudicare il dolce e l'amaro, e poi il giudizio su questo [aspetto] giunge all'attenzione della lingua. Parimenti, [l'occhio] giudica, per esempio, che quest'uomo bianco è un musicista con una bella voce. Se noi non avessimo questa facoltà, dovremmo, per ogni cibo, assaporarlo tutto per vedere se può esserci adatto, e dovremmo abituarci a [gustare] cose amare, e altre cose che sono infette o mortali: noi arriveremmo[21] a ciò che vogliamo [solo] dopo una grande fatica, e vivremmo o senza alcuna sicurezza, o comunque, indubbiamente, una vita angosciata.

Troviamo che l'asino, quando ha fame, corre velocemente verso il foraggio, ma non si affretta altrettanto velocemente ad andare verso la sabbia, giudicando che questi grani bianchi sono di buon sapore, e fugge dal bastone alzato contro di lui, giudicando con il senso del tatto, che gli provoca certe impressioni al riguardo, questo corpo lanciato contro di lui. Ora, se i sensi non si rifacessero tutti ad una sola radice comune, questi giudizi non ci sarebbero.

Poi, la grazia di Dio – sia benedetto – ha posto negli animali una seconda facoltà interiore, mediante la quale vengono conservate le impressioni dei sensi, dopo che queste sono state celate ai sensi stessi. [Questa facoltà] si chiama **immaginativa**, e grazie ad essa noi percepiamo la forma di chi resta celato alla nostra vista. Essa si trova anche negli animali irrazionali, perché [per esempio] la colomba, tornando [al nido], conserva [nella sua mente] la forma del suo nido, e vola il più velocemente che può verso di esso. Questa facoltà non è identica a quella prima facoltà [*scil.* al senso comune], perché quella percepisce una cosa presente in un individuo esistente, mentre questa percepisce una cosa presente in un individuo nascosto.

20 Inizia qui l'esposizione della dottrina dei cinque sensi interni. Tra le fonti dirette delle dottrine qui esposte vi sono le *Intenzioni dei filosofi* di al-Ghazālī: cfr. Dunyā 1961, pp. 356-58 (capitolo *Sui sensi interni*).

21 Accolgo la lezione del testo, *nippol*, letteralmente «cadremmo», preferendola a quella suggerita da Samuelson nella sua traduzione (cfr. Samuelson 1986, p. 98, n. 77).

❑ Poi, la grazia di Dio – sia benedetto – ha posto negli animali una terza facoltà interiore, ossia la **fantasia** e il **pensiero**, che negli animali [si chiama] «fantasia» e negli uomini «pensiero». È nella sua natura di comporre e disciogliere le forme percepite dai sensi [costituendo] una forma non percepita dai sensi, come, a volte, noi immaginiamo mezzo uomo combinato con mezzo animale, e immaginiamo un seme di sesamo con le dimensioni di un'anguria. Infatti, noi vediamo il seme di sesamo e l'anguria, e poniamo la grandezza della seconda nel primo. È come se questa facoltà creasse le cose, anche se, nel crearle, non rispetta in tutto e per tutto la verità, ma a volte crea una forma falsa, come queste che abbiamo detto, e a volte escogita una forma vera – come [accade ad] un uomo che pensa come è possibile che una certa stella, ad un certo momento, segua una certa orbita, e poi, dopo un po' di tempo, appaia come se essa procedesse nel senso contrario, e [poi] come se stesse ferma e poi tornasse indietro, e poi si fermasse e di nuovo procedesse in linea retta: questa facoltà fa in modo che egli possa formulare, a proposito dell'orbita [di questo astro], ipotesi corrette e adeguate [a spiegare] le sue cause; e noi diciamo che questa facoltà, nell'uomo, è il pensiero.

La facoltà della fantasia è la perfezione[22] degli animali e il loro fine, da cui provengono le loro azioni: [per esempio], il baco da seta produce, dai suoi escrementi, delle figure simili a mandorle, e l'ape produce esagoni a partire dalla cera predisposta per fare il miele – ma non di ogni cosa produce esagoni, solo dalla cera; così come non da ogni materia il baco da seta produce figure simili a mandorle, ma solo dai suoi escrementi. Infatti, questa facoltà non funge, negli animali, da intelletto: l'uomo produce nella sua mente, con questa facoltà, molte cose nuove, sfruttando molte materie, al punto che gli è possibile creare ciò che fino ad ora non c'era. Quanto invece all'animale, sembra che esso non faccia queste cose né con conoscenza, né con intenzione: intendo dire che esso non percepisce i vantaggi e le finalità di questa facoltà, ma [opera] al servizio di elevati princìpi che più avanti esporremo in modo dimostrativo, i quali lo costringono ad agire a proprio vantaggio, e pongono in esso una diligenza e un impegno scevro della conoscenza della finalità da raggiungere con questa sua azione. L'animale non esercita la sua arte se non in materie definite. L'uomo invece, in quanto è intelligente di per sé, in virtù del fatto che gli elevati princìpi [suddetti] hanno emanato su di lui e posto in lui qualcosa che appartiene alla loro stessa spe-

[22] Adotto qui la lezione *shelemut*, «perfezione» relegata da Samuelson in apparato (cfr. Samuelson 1986, p. 99, n. 84), anziché la lezione *ha-mekuwwan*, «l'intento», inserita nel testo.

cie, comprende intellettualmente il fine delle sue azioni, e non fa nulla se non per un fine che gli è noto, fintantoché è sano di mente; [pertanto], è in grado di fare esagoni di cera, di bronzo, di ferro, d'argento, d'oro, di legno, di pietra, e di tutti gli altri corpi naturali, a seconda di ciò che ha bisogno, e quando vede che ciò è opportuno.

Non stupirti del fatto che un animale sia al servizio di altre entità eccellenti che lo spingono a raggiungere il suo fine, e non pensare che le cose non stiano così, e che invece l'animale stesso comprenda la finalità di tutto ciò che fa: non è così, anzi [l'animale] è come la pianta, che non ha alcuna conoscenza di ciò che fa; in esso non c'è un principio che svolga la funzione di un intelletto, ma indubbiamente gli viene ordinato di servire da un principio intelligente – tu trovi che quest'ultimo conserva la specie, che è la causa del fatto che [la pianta] sia così alta, e che abbia dei fiori tutti di un certo colore, o di un certo odore, o di un certo sapore, o di una certa dimensione, e che tutti gli individui [di quella specie] mantengano queste configurazioni, queste dimensioni, questi colori, questi odori e questi sapori, e il resto, secondo proporzioni approssimative. Questo ci rivela l'esistenza di sostanze elevate che si occupano di realizzare le sostanze non elevate, le quali non hanno comprensione intellettuale, ma operano le loro azioni in vista del perfezionamento, come se fossero dotate di intelletto.

Sappi che questa facoltà, che chiamano «fantasia», sola tra tutte le facoltà dell'anima, opera le sue azioni nel sonno, e si occupa delle forme depositate nella facoltà che chiamano «immaginativa»: essa conserva le forme scomparse, ed è il deposito dei sensi; combina le forme le une con le altre, le separa le une dalle altre, e le manda al senso comune, al quale giungono come se esso le avesse già viste; e queste sono le visioni e i sogni fallaci, di cui parleremo più oltre. Giacché questa facoltà, rispetto alla fantasia e al pensiero, non ha tra le sue condizioni quella di mantenere la verità, i pensieri umani non sono veridici sotto tutti gli aspetti: a volte, l'uomo ha, circa cose che dipendono dalla conoscenza e dall'azione, pensieri veri e falsi. Perciò, è bene paragonare questa facoltà, in quanto è fantasia, alla facoltà intellettiva, o meglio alla facoltà che, per sua natura, è la prima facoltà delle bestie; se invece è pensiero, essa si dirama dalla potenza divina esterna – come diremo parlando delle possibilità dell'imitazione – e introduce fallacie nelle forme vere, e produce opinioni false, idee fallaci, desideri non veri, anche se a volte conduce l'uomo a ciò che è opportuno e giusto.

Dopo di questa, per grazia di Dio – sia benedetto – è stata disposta negli animali una quarta facoltà, che si chiama **facoltà discernitiva**. Essa formula, intorno a cose percepite dai sensi, giu-

❑ dizi particolari non percepibili dai sensi: per esempio, il giudizio formulato dall'agnello, secondo cui questo lupo è un nemico, ed è opportuno evitarlo, e invece questo capretto è un amico, ed è opportuno avvicinarglisi. Grazie ad essa, l'animale si allontana da certi individui senza arrivare veramente a formulare il concetto di allontanamento, e si unisce ad altri individui senza arrivare veramente al concetto di unione. [Questa facoltà] è utile agli animali, perché, quando tu [per esempio] indichi con la mano l'occhio di un neonato o di un cucciolo di animale, al quale non è arrivata affatto la nozione del danno che ne potrebbe avere da te, esso [comunque] chiude subito i suoi occhi, proteggendoli; e se tu fai stare in piedi un infante con la mano, e poi vuoi levare la mano da lui, troverai che egli si aggrapperà a te. Dunque, è chiaro che [questa facoltà] è utile alla vita.

Poi, Dio – sia benedetto – ha concesso altre grazie agli animali, e ha posto in loro una quinta facoltà interna, che si chiama **memoria**, che conserva i concetti che la loro comprensione ha ormai abbandonato. Questa facoltà non è in alcun modo [parte] della facoltà immaginativa, perché quest'ultima facoltà preserva la forma già scomparsa dai sensi, mentre quella [di cui stiamo parlando] preserva i concetti ormai abbandonati. Ora, è evidente che anche gli animali hanno questa facoltà, benché in essi essa sia mescolata all'immaginazione – intendo dire che essi ricordano una qualche forma e un qualche luogo ricordando ciò che è ad essi accaduto di piacevole o di doloroso in conseguenza di quelle forme e di quei luoghi. Troviamo che gli animali evitano i luoghi dai quali hanno già ricevuto un dolore, e vanno verso i luoghi dai quali hanno già ricevuto un piacere.

Queste dieci percezioni [*scil.* sensi], cinque esterni e cinque interni, si trovano negli animali, e sono tutti alle dipendenze della potenza appetitiva. [...]

Bisogna ora che parliamo della **facoltà razionale** e dell'**intelletto**. Diciamo che, se il temperamento non è in grado di ricevere qualcosa di superiore a ciò che abbiamo menzionato, il corpo resta il corpo di un animale. Ma gli animali hanno una grande gamma [di gradazioni], perché alcuni sono prossimi alla natura delle piante, come il baco da seta, altri sono molto vicini alla natura dell'uomo, come la scimmia; e anche tra le piante ve ne sono alcune che sono molto vicine alla natura dei minerali, come i coralli, che, quando vengono tagliati, diventano pietra. Se invece il temperamento animale è in grado di ricevere qualcosa di superiore, si ha l'uomo, il quale ha tutte le facoltà che abbiamo menzionato, ma ha in più la facoltà razionale, che è dapprincipio intelletto in potenza, e poi diventa intelletto in atto.

3. *Mosè Maimonide*

Mosè Maimonide (in arabo, Abū 'Imrān Mūsà Ibn Maymūn)[23] nasce nel 1138 a Cordova. Egli esce dunque da quell'ambiente andaluso caratteristico della filosofia ebraica dei secoli XI-XII, ma se ne distacca immediatamente: nel 1148, probabilmente per sfuggire alle persecuzioni, la sua famiglia si allontana dalla città. La si ritrova a Fez, in Marocco, nel periodo 1160-1165, e da questa località venne costretta ad allontanarsi tra l'altro dopo esser stata accusata di aver apostatato dal giudaismo convertendosi all'islam – notizia che potrebbe trovare qualche appiglio, tra l'altro, nel fatto che il *Trattato di logica*, scritto dal nostro nel 1158, presenta i caratteri tipici di uno scritto di un autore musulmano (a cominciare dalla *basmala*, la formula di benedizione di Allah, che lo introduce). Nel 1165 Maimonide si trasferisce prima ad Akko in Palestina, poi è brevemente a Gerusalemme e si stabilisce infine ad al-Fusṭāṭ, quartiere del Cairo. La rovina economica della sua famiglia d'origine spinge in questo periodo Maimonide a dedicarsi all'attività di medico, occupazione che gli avrebbe procurato una notevole fama: divenne il medico personale del gran vizir del Saladino, al-Fāḍil, aprendo così una tradizione di filosofi ebrei che, mentre nella comunità ebraica si dedicavano allo studio ed eventualmente all'insegnamento della filosofia, svolgevano attività di medici o di astrologi presso le corti.

Tra il 1180 e il 1190 Maimonide si dedica alla redazione dei suoi scritti giuridici e filosofici di maggior mole, e assume di fatto il ruolo di un'autorità per i rappresentanti delle comunità ebraiche dei paesi islamici e del Mediterraneo, con i quali ha un nutrito scambio di corrispondenza – il che gli procurerà, dopo la morte (avvenuta nel 1204), un notevole prestigio come fonte del diritto religioso presso gli ebrei sefarditi. Per contro, alquanto controverso è stato il destino della filosofia di Maimonide nel mondo ebraico medievale. La sua fama di filosofo sembra infatti avere avuto successo, nei primi tempi, anche grazie alla sua notorietà nel mondo islamico: filosofi musulmani come 'Abd al-Laṭīf al-Baghdādī (morto nel 1231) gli avrebbero fatto visita al Cairo, e sappiamo che nel corso del secolo XIII la sua opera (e in particolare la *Guida dei perplessi*) veniva studiata nei circoli *ṣūfī* marocchini, ed era stata commentata, in Persia, da Abū 'Abdallāh Muḥammad al-Tabrīzī; al contrario, nel mondo ebraico, fino dal 1190 le sue tesi avrebbero dato origine ad una controversia trascinatasi almeno

[23] Le opere sulla vita e il pensiero di Maimonide sono troppo numerose per poterle elencare in questa sede; una delle più recenti e succinte è Leaman 1997.

per tutto il secolo XIII (cfr. *infra*, pp. 148 sg.). L'opera filosofica di Maimonide finì comunque per costituire il punto di riferimento ideale di tutto l'aristotelismo ebraico del tardo Medioevo, soprattutto alla luce del suo sforzo di ritrovare le dottrine di Aristotele, e in generale del pensiero antico, dietro le righe del testo biblico, mediante un'esegesi allegorico-razionalistica delle Scritture: sforzo che era stato in realtà già avviato dal pensiero ebraico andaluso (si pensi all'opera di Mosheh Ibn 'Ezra), ma che Maimonide seppe proporre in modo più organico. D'altra parte, tutta la sua opera giuridica e filosofica appare orientata alla realizzazione di un progetto di sostanziale razionalizzazione del giudaismo alla luce del pensiero filosofico greco.

Opere. La produzione letteraria di Maimonide, redatta soprattutto in lingua araba, copre un'amplissima gamma di argomenti, dalla medicina al diritto religioso, dall'astronomia alla teologia e alla filosofia. Ne esistono naturalmente numerose edizioni e raccolte, sia in lingua originale sia, soprattutto, nelle traduzioni ebraiche medievali. Menzioneremo qui singolarmente solo le opere più note e diffuse.

1. *Lettere.* L'epistolario di Maimonide è raccolto, nei testi originali, nella recente edizione, in due volumi, a cura di Yiṣḥaq Shailat (1988).

2. *Scritti medici.* Di Maimonide sono rimasti almeno sette scritti di medicina i quali, benché si limitino perlopiù a riprendere le dottrine di Galeno, ebbero notevole successo – e più di una traduzione ebraica – nel mondo giudaico medievale, come comodi compendi o monografie su temi particolari. Si tratta di testi di patologia (il *Trattato sulle emorroidi*, *Maqāla fī l-bawāsīr*, e il *Trattato sull'asma*, *Maqāla fī l-rabw*), di igiene e dietetica (il *Trattato sul regime della salute*, *Maqāla fī tadbīr al-ṣiḥḥa*, e il *Trattato sul coito*, *Maqāla fī l-giamā'a*), di farmacologia (il *Trattato sui veleni e sugli antidoti dei farmaci mortali*, *Maqāla fī l-sumūm wa-l-mutaḥarriz min al-adwiyya al-qitalā'*); ad essi vanno aggiunti un commento agli *Aforismi* di Ippocrate e un rifacimento degli stessi a cura di Maimonide medesimo (gli *Aforismi di Mosè*, *Fuṣūl Mūsà*). I testi originali arabi di molte di queste opere sono inediti; un'edizione complessiva delle traduzioni ebraiche medievali venne pubblicata tra il 1957 e il 1969 da Suessman Muntner, e una traduzione inglese completa è stata pubblicata da Fred Rosner (cfr. Rosner 1988-1995).

3. *Scritti giuridici.* A parte la responsistica, di Maimonide restano tre grandi opere, nelle quali egli intendeva realizzare il suo progetto di rifondare le basi pratiche della religione ebraica, razionalizzandola e sistematizzandola. In questo progetto rientrano, in ordine cronologico e logico:

– il commento arabo alla *Mishnah* (sotto il titolo di *Libro della lampada, Kitāb al-sirāǧ*), terminato intorno al 1168, che avrebbe dovuto in qualche modo rendere la *Mishnah* intelligibile ai laici, e specialmente ai filosofi. Una moderna traduzione ebraica è stata pubblicata da Yosef Qāfiḥ;

– il *Libro dei precetti* (*Kitāb al-farā'iḍ*), in arabo, dove Maimonide si sforza di riformulare la precettistica ebraica sulla base di quattordici regole ermeneutiche di sua creazione;

– il *Mishneh Torah*, in ebraico, una sorta di ideale rifacimento della *Mishnah* secondo princìpi logico-sistematici, in quattordici parti. L'opera, terminata nel 1180 dopo dieci anni di lavoro, è stata pubblicata numerose volte, dal 1473 circa sino ad oggi.

4. *Scritti teologici e filosofici.* Tra gli scritti filosofici e teologici (ossia, dedicati a questioni teoretiche, e non pratico-giuridiche, della tradizione religiosa ebraica)[24], si annoverano:

a. parti filosofiche di testi giuridici che presentano una tradizione indipendente dal resto dell'opera in cui sono inclusi:

– il *Libro della conoscenza* (*Sefer ha-madda'*), che è la prima delle quattordici parti del *Mishneh Torah*, nella quale Maimonide, tra l'altro, riafferma l'unità e l'incorporeità di Dio, nonché l'identificazione delle intelligenze separate con le cerchie angeliche della tradizione giudaica, e in generale tenta di «canonizzare» alcune dottrine della metafisica e della fisica aristotelica, rendendole di fatto parti integranti della teoria del giudaismo. Il libro ha avuto traduzioni moderne: in francese (di Valentin Nikiprowetzky e André Zaoui, 1961) e in inglese (unitamente ad una riedizione del testo ebraico, a cura di Moses Hyamson, 1962);

– l'*Introduzione al «Pereq ḥeleq»*, ossia la porzione del *Commento alla Mishnah* dedicata a *Sanhedrin* X,1, nella quale Maimonide enuncia i tredici princìpi (*'iqqarim*) in cui egli ritiene di poter sintetizzare le dottrine del giudaismo[25];

– gli *Otto capitoli* (noti generalmente con il titolo ebraico di *Shemonah peraqim*), che costituiscono l'introduzione al commento al trattato misnico *Avot*, dove Maimonide propone gli elementi di un'etica ebraica argomentata con passi biblici, ma fondata in massima parte su

[24] Un'ampia antologia italiana degli scritti filosofico-teologici di Maimonide, che include brevi passi tratti dall'una o dall'altra delle diverse opere, si trova in Laras 1985.

[25] Una traduzione italiana del testo dei «princìpi» è in Laras 1985, pp. 213-221; cfr. anche *supra*, pp. 8 sg.

Galeno (prima edizione del testo arabo: Edward Pococke, Oxford 1655; trad. it. in Laras 1983);

b. monografie a tema, nella forma di lettere a diversi destinatari, tutte in lingua araba, riedite collettivamente da Yosef Qafih nel 1973:

– l'*Epistola sull'apostasia* (generalmente nota col titolo ebraico di *Iggeret ha-shemad*), uno scritto in difesa degli ebrei convertitisi all'islam sotto costrizione;

– l'*Epistola dello Yemen* (in arabo, col titolo di *Risāla al-Yamāniyya*), scritta nel 1172, sul tema del messianismo (l'edizione migliore, con trad. ingl., è di Abraham S. Halkin, 1952);

– l'*Epistola sulla risurrezione dei morti* (in arabo, col titolo di *Maqāla fī «teḥiyyat ha-metim»*), scritta nel 1191 a difesa della dottrina maimonidea sulla resurrezione (edizione di Joshua Finkel, 1938; trad. ingl. di Fred Rosner, 1982);

c. trattazioni più ampie su temi di filosofia generale, entrambe in lingua araba:

– la *Guida dei perplessi* (*Dālalat al-ḥā'irīn*, meglio nota con il titolo ebraico di *Moreh ha-nevukim*), scritta nel periodo 1180-1190 e divisa in tre libri. Non si tratta di un trattato sistematico di filosofia aristotelica, bensì di un tentativo di rendere questa filosofia appetibile ai correligionari di Maimonide, mostrando la sostanziale concordanza tra di essa e gli elementi teoretici che emergono dalla Bibbia e dalla tradizione rabbinica – e da questo intento nasce anche il titolo, ispirato da un passo del teologo islamico al-Ghazālī (cfr. Gil'adi 1982). Il testo originale dell'opera è stato pubblicato interamente per la prima volta, con traduzione francese, da Salomon Munk nel 1856-1866: la sua edizione, riveduta nel 1931 da Issachar Joel, resta tuttora insuperata, benché ancora si attenda una vera edizione critica del testo[26]. Tra le traduzioni più note in lingue moderne, c'è quella inglese di Shelomoh Pines, del 1963;

– il *Trattato sull'arte della logica* (*Māqala fī ṣinā'at al-manṭiq*), scritto nel 1158, e diffusissimo nel Medioevo ebraico, nelle tre versioni ebraiche di Mosheh Ibn Tibbon (1254), di Aḥiṭuv da Palermo e di Yosef Lorqi, come manuale elementare di introduzione alla filosofia di Aristotele. Dell'opera, la migliore edizione resta quella pubblicata da

[26] Cfr. al riguardo Sirat 1988, specialmente pp. 224-29. Per più ampie notizie sui contenuti e la fortuna dell'opera, si rimanda alla nostra traduzione italiana della *Guida*, in corso di stampa nella collana «Classici della filosofia» della Utet. La sola traduzione italiana dell'opera sinora edita, peraltro limitata al solo libro I e ai capp. 1-21 del libro II, venne pubblicata da Davide Maroni nel 1870-76: cfr. al riguardo Tamani 1999.

Israel Efros nel 1938, benché una più recente edizione sia stata pubblicata da Muhabat Türker nel 1960; una ristampa rivista dell'edizione di Efros, con una nuova traduzione annotata in francese ed un'ampia bibliografia, è stata pubblicata da Rémi Brague nel 1996.

T16. ELEMENTI DELLA LOGICA E DELLA FILOSOFIA ARISTOTELICA ❑ (dal *Trattato sull'arte della logica*, capp. 1-2, 9-12, 14)[27]

In quest'operetta, molto fortunata nel mondo ebraico medievale, Maimonide espone, sotto forma di una serie di definizioni o «descrizioni» dei principali termini in questione (un metodo didattico già applicato da Isaac Israeli: cfr. *supra*, T5, p. 46), le basi della logica e, più in generale, di tutta la filosofia aristotelica, nella forma in cui essa era nota nel Medioevo arabo-islamico. Dopo una succinta introduzione di carattere «linguistico» (capp. 1-2), Maimonide passa ad esaminare la teoria del sillogismo (struttura delle proposizioni, loro «conversione» e loro caratteri, le quattro figure del sillogismo: capp. 3-8, qui non tradotti); dopo una sommaria esposizione dei concetti chiave della fisica aristotelica (le quattro cause, materia e forma: cap. 9), egli torna a sintetizzare la struttura della logica aristotelica così com'è presentata nelle opere logiche di Aristotele, dalle *Categorie* in poi (cap. 10), espone i concetti della metafisica dello Stagirita (essenza e accidente, potenza e atto, possesso e privazione: cap. 11), tratta dei diversi sensi del concetto di «precedenza» – fondamentale per la teologia, dove va affermata la precedenza di Dio rispetto al creato (cap. 12). Infine, dopo un capitolo di interesse puramente linguistico, sulle diverse figure retoriche (cap. 13, qui non riprodotto), l'opera si conclude con una sommaria classificazione delle scienze (cap. 14), anch'essa – come buona parte del trattato – ispirata agli scritti di al-Fārābī.

Una personalità tra gli studiosi delle scienze religiose, e tra coloro che conoscono la pura lingua araba e la sanno usare in modo eloquente, chiese ad un uomo che studiava l'arte della logica di spiegargli i significati di molti termini che ricorrono nell'arte della logica, di chiarirgli i termini tecnici impiegati per convenzione dagli studiosi di logica, e, nel fare questo, di puntare il più possibile alla concisione della parola, e di non esagerare nel voler fare una trattazione precisa dei diversi significati, così da non allungare [troppo] il discorso, perché il suo fine – la sua gloria perduri per sempre! – non sta nell'apprendere quest'arte partendo da ciò che io gli dirò di essa ora – poiché sono molte le introduzioni disponi-

[27] Cfr. Brague 1996, testo arabo, pp. 1.4-4.15; 16.4-26.11; 30.5-34.7. Si tratta di una ristampa dell'edizione pubblicata in Efros 1966. Abbiamo qui, per esigenze di spazio, omesso di tradurre i paragrafi finali di ogni capitolo, contenenti una rassegna dei termini esaminati nel capitolo in questione.

bili a chi voglia approfondire l'apprendimento di quest'arte; il suo fine è solo la conoscenza dei termini tecnici impiegati dai logici nella maggior parte delle loro espressioni, e nient'altro.

Ora inizio a menzionare ciò che mi propongo [di dire], e dico:

Capitolo primo

Il termine che il grammatico arabo chiama «il principio» è quello che gli studiosi dell'arte della logica chiamano «il soggetto»; e il termine che il grammatico chiama «informazione sul principio» è quello che gli studiosi dell'arte della logica chiamano «il predicato». Sia che l'«informazione» sia un sostantivo, o un verbo, o una particella, o una frase, tutto questo si chiama «predicato»; e non c'è differenza che l'informazione sia positiva o negativa. Per esempio, noi diciamo: «Zayd sta in piedi»; Zayd lo chiamiamo «soggetto», e «sta in piedi» lo chiamiamo «predicato». Parimenti, noi diciamo: «Zayd non è in piedi», oppure diciamo: «Non è Zayd in piedi»; noi chiamiamo in questo caso Zayd «soggetto», e «non è in piedi» «predicato». Del pari, quando tu dici: «Zayd stava in piedi» oppure «starà in piedi», noi chiamiamo Zayd «soggetto» e «stava» o «starà in piedi» «predicato». Analogamente, se tu dici: «Zayd è in casa», chiamiamo Zayd «soggetto», «è in casa» «predicato». Del pari, se tu dai un'informazione di questo stesso genere con una frase, o con un verbo e i suoi annessi, noi chiamiamo questo «predicato».

Il complesso del discorso composto di un'informazione e di una cosa sulla quale si dà l'informazione, sia [tale informazione] negativa o positiva, ossia del soggetto e del predicato insieme – ebbene, tutto questo si chiama «proposizione», e si chiama anche «discorso decisivo». Anche la proposizione ha sempre due parti: il soggetto, e il predicato, anche se le parole che compongono la proposizione sono molte. Per esempio, noi diciamo: «Zayd di Bassora, che abitava nella casa di 'Amr, ha ucciso suo figlio Abu Bakr l'egiziano»; ora, noi diciamo che il soggetto di questa proposizione è: «Zayd di Bassora, che abitava nella casa di 'Amr», e il predicato è: «ha ucciso suo figlio Abu Bakr l'egiziano»; eccetera. [...]

Capitolo secondo[28]

Ogni proposizione o afferma positivamente qualcosa a riguardo di qualcosa, come quando tu dici: «Zayd è sapiente» o «Zayd sta in piedi», o nega qualcosa a riguardo di qualcosa, co-

[28] I contenuti di questo capitolo sono ripresi in buona parte da due dei compendi logici di al-Fārābī: il *Libro del sillogismo* (*Kitāb al-qiyās*) e il *Piccolo libro del sillogismo* (*Kitāb al-qiyās al-ṣaghīr*). Cfr. Brague 1996, pp. 36-39, nn.

me quando tu dici: «Zayd non è sapiente» o «Zayd, non stare in piedi». Quella che afferma positivamente qualcosa a riguardo di qualcosa, noi la chiamiamo «proposizione positiva»; quella che nega qualcosa a riguardo di qualcosa, noi la chiamiamo «proposizione negativa».

Talora, la proposizione positiva afferma positivamente il predicato per tutto il soggetto, come quando tu dici: «Ogni uomo è un animale». Questa proposizione, noi la chiamiamo «positiva universale», e chiamiamo «ogni» «segno positivo universale». Talora, invece, la proposizione positiva afferma positivamente il predicato per una parte [soltanto] del soggetto, come quando tu dici: «Alcuni uomini scrivono». Questa proposizione, noi la chiamiamo «positiva particolare», e chiamiamo «alcuni» «segno positivo particolare».

Talora, la proposizione negativa nega il predicato per tutto il soggetto, come quando tu dici: «Nessun uomo è una pietra». Questa noi la chiamiamo «negativa universale», e chiamiamo «nessuno» «segno negativo universale». Talora, invece, la proposizione negativa nega il predicato per una parte del soggetto, come quando tu dici: «Non ogni uomo scrive» o «alcuni uomini non scrivono», o «non alcuni uomini scrivono». Questa la chiamiamo «negativa particolare». Secondo noi, non c'è differenza tra [queste] tre espressioni contenute nella proposizione negativa particolare; però, noi preferiamo sempre esprimere la negazione particolare con «non ogni», e chiamiamo [pertanto] «non ogni» «segno negativo particolare».

I «segni» sono quattro: «ogni», «alcuni», «nessuno», «non ogni»; e le proposizioni dotate di questi segni sono quattro: positiva universale, positiva particolare, negativa universale, negativa particolare.

Se al soggetto della proposizione non è connesso alcun segno, come quando noi diciamo: «l'uomo è un animale», oppure: «l'uomo scrive», noi chiamiamo questa proposizione «indefinita», intendendo dire che essa resta indefinita e non è marcata con un segno. Noi la valutiamo sempre come una proposizione particolare, sia essa positiva o negativa. Se dunque noi diciamo: «l'uomo scrive», secondo noi questa proposizione è equipollente a: «alcuni uomini scrivono». Del pari, noi diciamo: «non l'uomo scrive» nel senso: «non ogni uomo scrive».

Quando il soggetto della proposizione è un individuo singolo, come quando diciamo: «Zayd è un animale» e «'Amr scrive» e «Bakr è sapiente», noi chiamiamo questa «proposizione individuale».

Dunque, le proposizioni si dividono necessariamente in sei [categorie]: proposizioni positive universali, proposizioni positive particolari, proposizioni negative universali, proposizioni negative particolari, proposizioni indefinite – che sono equipollenti alle proposizioni particolari, tanto nell'affermazione quanto nella negazione – e proposizioni individuali, che sono anch'esse o positive o negative.

Noi chiamiamo ciò che la proposizione indica in termini di generalità o di specificità «quantità» della proposizione, e chiamiamo ciò che la proposizione indica in termini di positività o di negatività «qualità» della proposizione. Per esempio, noi diciamo: «Ogni uomo è un animale»; e diciamo che questa proposizione ha come sua quantità l'universalità, e come sua qualità la positività; e se diciamo: «Alcuni uomini non scrivono», noi diciamo che questa proposizione ha come sua quantità la particolarità, e come sua qualità la negatività. [...]

Capitolo nono

Le cause degli enti sono quattro: la materia, l'efficiente, la forma, il fine. Un esempio di questo, tra le cose artificiali, è la sedia: la sua materia è il legno; la sua causa efficiente è il falegname; la sua forma è il quadrato, se è quadrata, o il triangolo se è triangolare, o il cerchio se è circolare; il suo fine consiste nel sedercisi sopra. Lo stesso vale per la spada, per esempio: la sua materia è il ferro; la sua causa efficiente è il fabbro; la sua forma è l'allungamento, la scarsa larghezza e l'affilatezza dei due lati; il fine consiste nel [servirsene per] uccidere.

Queste quattro cause sono chiare ed evidenti in tutte le cose artificiali, perché ogni artefice dà ad una materia la forma che vi imprime, sia [la materia] legno, ferro, rame, cera o vetro, in vista di una qualche intenzione, mediante quel certo strumento. Le cose vanno così anche negli enti naturali: bisogna dunque cercare in essi queste stesse cause. Però, nelle cose naturali noi non chiamiamo «forma» la figura e il disegno [esteriori]; noi chiamiamo «forma», nelle cose naturali, solo il concetto che fa sussistere quella specie, che è ad essa proprio, tale che, se esso potesse essere tolto a quella cosa, quella cosa non sarebbe più uno degli individui di quella specie.

Per esempio: quest'uomo è una delle cose naturali; la sua materia è l'animalità; la sua forma è la facoltà razionale; il suo fine è la percezione degli intelligibili; la sua causa efficiente è Colui che gli ha dato la forma, ossia quella facoltà razionale – perché il senso di «efficiente», secondo noi, è: ciò che fa esistere le forme nelle materie – e si tratta di Dio – sia Egli glorificato ed esaltato – anche secondo l'opinione dei filosofi – senonché costoro dicono che [Dio] è la causa efficiente remota, e cercano per ogni ente creato una sua causa efficiente prossima.

Infatti, queste quattro cause sono in parte prossime, e in parte remote. Per esempio, a proposito della causa efficiente: metti che un grande vapore[29] esca dalla terra, e muova l'aria con un movimento tale da produrre una violenta tempesta. Quel forte vento, soffiando, spezza un tronco di palma, il quale cade sopra un muro. Da quel muro, nel momento in cui viene distrutto, cade una pietra sul braccio di Zayd, e glielo spezza. Ora, la causa efficiente prossima della frattura del braccio è la pietra; ma la causa efficiente remota è l'uscita del vapore. Anche il vento e il tronco della palma sono due cause efficienti della frattura, l'una più prossima dell'altra. Un [altro] esempio di questo, nel caso della materia: la materia prossima di questo Zayd sono le membra del suo corpo, ma la materia più remota sono i quattro umori, dai quali vengono prodotte le membra, e la materia ancora più remota sono i cibi, dai quali vengono prodotti gli umori. Ora, è noto che l'elemento base di ogni cibo sono le piante della terra, e quindi la materia ancora più remota sono l'acqua, l'aria, il fuoco e la terra, dalla cui unione provengono le piante – e questi quattro sono quelli ognuno dei quali noi chiamiamo «elemento». Ora, la materia più remota, rispetto a questi elementi, è la cosa comune a questi quattro, e la sua relazione con essi è pari alla relazione tra la cera e ciò che è fatto di cera, oppure alla relazione tra l'oro e tutto ciò che è lavorato nell'oro, giacché si è già dimostrato che questi quattro elementi si trasformano gli uni negli altri e si generano gli uni dagli altri, ed hanno, senza dubbio, una cosa comune che è la loro materia. Questa cosa comune ai quattro elementi, che si comprende necessariamente, è ciò che noi chiamiamo «materia prima», e il suo nome, in lingua greca, è *hyle* – ma molti dei medici e dei filosofi la chiamano *'unṣur*.

Secondo lo stesso ordine noi procediamo nel caso della forma e del fine: si distingue dunque il fine prossimo dal fine remoto, e del pari la forma prima e la forma ultima. [...]

Capitolo decimo

Quando noi prendiamo in considerazione, con le nostre menti, il concetto generale che comprende un certo numero di individui, e che fa sussistere l'essenza di ognuno di essi, lo chiamiamo «specie»; mentre il concetto generale che comprende due specie o più di due, e che le fa sussistere, noi lo chiamiamo «genere». Invece, il concetto mediante il quale si distingue una specie dall'altra, ossia quel concetto che fa sussistere la specie, noi lo chiamia-

[29] Leggo qui *bukhār*, «vapore», anziché *baḥḥār*, «marinaio», come risulta dal testo edito, in accordo con la traduzione proposta da Brague (cfr. Brague 1996, p. 67).

mo «differenza». Tutto ciò che si trova sempre in tutti gli individui della specie, ma non è ciò che fa sussistere quella specie, noi lo chiamiamo «proprietà»; mentre il concetto che si trova in molti o in pochi [degli individui] di quella specie, noi lo chiamiamo «accidente».

Questi cinque sono i concetti universali, secondo l'enumerazione fattane dagli antichi. Per esempio, noi diciamo: «l'uomo», o «il cavallo», o «l'aquila»; ebbene, ognuna di queste cose, noi la chiamiamo «specie»; e ognuna di esse comprende gli individui di quella specie, come Zayd e 'Amr e [altri] individui della [specie] «uomo». Noi chiamiamo «animale» un genere, perché [«animale»] comprende un certo numero di specie, come l'uomo, il cavallo, l'aquila, e altre; e chiamiamo la «ragione» differenza [specifica] dell'uomo, perché [la ragione] differenzia la specie umana distinguendola dalle altre [specie], e questa ragione – ossia la facoltà mediante la quale si concepiscono gli intelligibili – è ciò che veramente fa sussistere l'uomo. Del pari, bisogna studiare ognuna delle specie, finché non se ne conosca la differenza che la fa sussistere.

Noi chiamiamo il «ridere» proprietà dell'uomo, perché [è una caratteristica che] si trova sempre in tutti gli individui umani, e non si trova in alcuna altra specie diversa da quella umana. Parimenti, l'ampiezza del petto, la statura eretta e l'ampiezza delle unghie: noi chiamiamo ognuna di queste cose proprietà dell'uomo, perché [queste caratteristiche] non si trovano altro che nella specie umana, e si trovano per natura in tutti gli individui di questa specie. Parimenti, in ogni specie si trovano necessariamente una proprietà o un certo numero di proprietà.

Il concetto universale che noi troviamo più generale o più particolare della specie, noi lo chiamiamo «accidente». Per esempio, il movimento nell'uomo: infatti, nell'uomo il movimento è più generale della specie; oppure, il colore nero nell'uomo: infatti, è più particolare della specie, giacché non tutta la specie umana è nera; però, il colore nero si trova anche al di fuori dell'uomo, ed è quindi più generale della specie umana. Ora, noi chiamiamo il colore nero, il movimento, e ciò che è simile a queste due cose, «accidente»; e l'accidente è di due tipi:

1. l'accidente che perdura sempre nel suo sostrato, senza poterne essere separato, come il colore nero nella pece e il colore bianco nella neve, e il calore nel fuoco;
2. l'accidente separabile, come, in Zayd, il fatto di stare in piedi o di stare seduto, e il calore nel ferro e nella pietra.

Ora, è chiaro che, come «animale» comprende tutte le specie animali, così «pianta» comprende tutte le specie vegetali; dunque, anche «pianta» è un genere. Parimenti, la cosa che comprende tanto le piante quanto gli animali, ossia il «corpo nutrito», noi la chiamiamo genere; e come «corpo nutrito» comprende tanto gli animali quanto le piante, ed è un genere, così «corpo non nutrito» comprende i cieli, gli astri[30], gli elementi e i minerali, ed è anch'esso un genere. Poi, quando noi parliamo del «corpo» in assoluto, [questo concetto] comprende tutto l'universo, e non c'è nulla che sia più generale di esso. Noi chiamiamo il corpo anche «sostanza», e chiamiamo il corpo, in senso assoluto, «genere generalissimo»; invece, chiamiamo l'uomo, il cavallo, l'aquila, la palma, il ferro, e le cose di questo genere, «specie ultime», giacché al di sotto di ognuna di queste specie non vi sono altro che gli individui di quella specie; e chiamiamo l'animale «genere intermedio», oppure «specie intermedia», giacché è un genere in relazione alle specie animali che stanno al di sotto di esso, ed è una specie in relazione al «corpo nutrito», che sta al di sopra di esso e che comprende sia esso sia le piante. Parimenti, anche «pianta» è tutto un genere intermedio in rapporto a ciò che sta al di sotto di esso, ed è una specie intermedia in rapporto a ciò che sta al di sopra di esso. Noi chiamiamo dunque l'animale e la pianta «specie partitive» e «generi partitivi», giacché il genere del «corpo nutrito» si ripartisce nell'animale e nella pianta, e in nient'altro.

Sappi che i generi generalissimi di tutti gli enti, secondo ciò che spiega Aristotele, sono dieci: la sostanza; la quantità; la qualità; la relazione; il quando; il dove; la posizione; la categoria «di lui»[31]; l'agire; il patire.

Di questi dieci generi, l'uno, ossia il primo, è la sostanza, mentre gli altri nove sono accidenti. Ognuno di questi generi ha specie intermedie e specie ultime, individui, differenze e proprietà; e questi dieci generi generalissimi sono quelli che noi chiamiamo «categorie».

Il discorso su queste categorie, sui loro connessi, e sugli esempi dei loro generi intermedi e dei loro individui non è appropriato al discorso che stiamo facendo.

[Il libro delle *Categorie*] è il primo dei libri della logica, e tratta degli intelligibili separati indicati da termini separati. Il secondo dei libri della logica, ossia quello che tratta degli intelligibili composti e dei termini composti, è il libro *Dell'espressione* [*scil.* il *De interpretatione*]. Il terzo libro è il libro *Del sillogismo* [*scil.* gli *Analitici priori*], nel quale si fa menzione del concetto di sillogismo e delle figure e dei diversi tipi di esso. Questi tre libri sono libri di carattere generale, se confrontati con i cinque libri restanti, che vengono dopo di essi. Il primo di questi cinque libri, che è il quarto libro [della logica di Aristotele], è il libro *Della di-*

[30] Leggo *al-kawākib*, «gli astri», anziché l'edito *al-rawākib*, che non dà senso.
[31] Si tratta della categoria del «possesso».

mostrazione [*scil.* gli *Analitici posteriori*]; il quinto libro è il libro *Della dialettica* [*scil.* i *Topici*]; il sesto libro è il libro *Della retorica*; il settimo libro è il libro *Della sofistica* [*scil.* le *Confutazioni sofistiche*]; l'ottavo libro è il libro *Della poesia* [*scil.* la *Poetica*]; e le finalità di questi cinque libri sono evidenti[32].

Quando spieghiamo il significato del nome di una di queste specie, menzionandone il genere e la differenza, noi chiamiamo questo una «definizione»; e se noi lo spieghiamo [dandone] il genere e una delle sue proprietà, noi chiamiamo questo una «descrizione». Per esempio, noi diciamo, nella definizione di uomo: «è un animale razionale», dove «animale» è il suo genere, «razionale» è la sua differenza. Talora, noi troviamo anche che l'uomo è [definito] «animale razionale mortale», e «mortale» è la differenza ultima, che fa la differenza tra l'uomo e gli angeli. Se invece noi spieghiamo il termine «uomo» dicendo che è un «animale dal petto ampio», oppure dicendo che è un «animale di statura eretta», o un «animale che ride», noi chiamiamo queste «descrizioni». Parimenti, noi talora spieghiamo il termine e lo caratterizziamo con il suo genere e i suoi accidenti, come quando diciamo, per spiegare il termine «uomo»: «è un animale che scrive», oppure «è un animale che vende e compra»; e anche questo, noi lo chiamiamo «descrizione». [...]

Capitolo undicesimo

Qualunque cosa si trovi in una cosa sempre, come il fatto che la pietra cada verso il basso <e> che la morte dell'animale risulti necessariamente quando esso viene sgozzato, noi la chiamiamo «ciò che è per essenza»[33]. Parimenti, anche ciò che si trova [in una cosa] nella maggior parte dei casi, noi diciamo che è «essenziale», come quando diciamo: «Ogni uomo è dotato di cinque dita per essenza», anche se talora si trova qualcuno che è dotato di sei dita. Parimenti, qualunque cosa si trovi in un certo momento nella maggior parte dei casi, come il fatto che vi sia freddo durante l'inverno e caldo durante l'estate: e anche di questo si dice che è «per essenza». In generale, tutte le cose naturali, anche se si verificano nella maggior parte dei casi [ma non sempre], sono «essenziali».

Invece, qualunque cosa si trovi in pochissimi casi si dice che sia «per accidente»: per esempio, scavare le fondamenta [di una

[32] La fonte di questa succinta descrizione dei contenuti dell'*Organon* di Aristotele è da ricercarsi, secondo Brague (cfr. Brague 1996, p. 75, n. 129), nell'*Introduzione* (*Tawṭi'a*) di al-Fārābī ai suoi compendi di logica.

[33] Secondo Brague (Brague 1996, p. 78, n. 141), la fonte di tutto questo passo è in un altro compendio di logica di al-Fārābī, il *Libro delle categorie* (*Kitāb al-maqūlāt*).

casa] e trovare una somma di denaro. In generale, di qualunque cosa risulti da tutte le cose casuali non intenzionali, provengano esse dall'uomo o da qualcosa d'altro, si dice che è «per accidente».

Questo è il significato di «ciò che è per essenza» e di «ciò che è per accidente».

Ogni caratteristica che qualifica una cosa, tale da trovarsi in quella cosa quando la cosa viene qualificata, noi diciamo che si trova «in atto». Quando invece la cosa viene qualificata con una caratteristica che non si trova in essa in quel momento, ma che essa è predisposta e pronta a ottenere, noi diciamo che quella caratteristica è «in potenza». Per esempio, noi diciamo di un pezzo del ferro: «questa spada»; in effetti, esso è predisposto a diventare una spada, ed è quindi una spada in potenza, mentre un pezzo di legno o di cuoio non si trova nella stessa situazione – c'è infatti una grande differenza tra l'assenza del concetto di spada in un pezzo di ferro e l'assenza del concetto di spada in un pezzo di cuoio. Del pari, noi diciamo del fanciullo, quando nasce: «questo scriba»; e il senso è che è uno scriba in potenza remota; e diciamo di chi è già cresciuto, prima che abbia iniziato ad apprendere, che è uno scriba in potenza – e si tratta certo di una potenza più prossima della prima; diciamo poi di costui, quando ha appreso, che è uno scriba in potenza – e questa potenza è ancora più prossima di quella precedente; e diciamo di chi è abile nell'arte scrittoria, quando dorme, che è uno scriba in potenza – e certo anche questa [potenza] è più prossima di quella; e diciamo di costui, quando è sveglio, e davanti a lui ci sono la penna, l'inchiostro e la carta, che egli è uno scriba: ma anche in questo caso egli è uno scriba in potenza, benché in potenza molto prossima [all'atto]. Però, noi non lo chiamiamo «scriba in atto» se non quando egli effettivamente scrive. Lo stesso vale per ogni caso di questo genere.

Ci siamo dilungati a spiegare questo concetto, perché i filosofi dicono che chiunque non distingua tra ciò che è in potenza e ciò che è in atto, ciò che è per essenza e ciò che è per accidente, e tra le cose che sono per convenzione e quelle che sono per natura, e tra i concetti universali e i concetti individuali, non fa un discorso [sensato].

Quando, di due cose, l'esistenza dell'una in un sostrato elimina l'esistenza dell'altra, noi chiamiamo quelle due cose «contrari»: per esempio, il caldo e il freddo, l'umido e il secco. Dei contrari, ve ne sono alcuni in mezzo ai quali vi sono dei [gradi] intermedi, come nel caso del caldo e del freddo, in mezzo ai quali c'è il tiepido, e ve ne sono altri in mezzo ai quali non vi sono intermedi, come il pari e il dispari tra i numeri, perché ogni numero è o pari, o dispari.

❑ Quando non è possibile che due cose si uniscano insieme nello stesso sostrato, senza che una comporti l'esistenza di qualcosa e l'altra l'eliminazione di quell'esistenza, noi chiamiamo la cosa che, delle due, esiste «possesso», e chiamiamo l'eliminazione di quell'esistenza «privazione». Noi diciamo della cecità e della vista che la vista è un possesso, e che la cecità è una privazione; ma non diciamo di queste due cose che sono due contrari, come diciamo [invece] del caldo e del freddo, perché il caldo e il freddo hanno eguale posizione[34] nell'esistenza, e il calore non ha un'esistenza più solidamente stabilita del freddo, né il freddo ha un'esistenza più solidamente stabilita del caldo, ma le cose non stanno così nel caso della vista e della cecità. In questo sta la distinzione tra la privazione e il possesso, e i contrari.

Lo stesso noi diciamo nel caso della conoscenza e dell'ignoranza: diciamo che la conoscenza è un possesso, e che la privazione di quel possesso è l'ignoranza; e lo stesso vale per la ricchezza e la povertà, la presenza di capelli sul capo e la calvizie, la presenza di denti in bocca e l'assenza di denti, la parola e il mutismo: tutte queste cose, noi le chiamiamo «possesso» e «privazione». Non si qualifica con una di queste privazioni se non chi, per sua natura, dispone di quel possesso che è opposto a quella privazione. In effetti, noi non diciamo che il muro è ignorante, o cieco, o muto. Questo è il significato di possesso e privazione nella nostra convenzione [terminologica].

Tra i termini, ve ne sono alcuni dei quali, quando vengono uditi, tu comprendi il significato che hanno in quella lingua senza che ci sia bisogno di fare un confronto tra quel significato e un'altra cosa: per esempio, quando noi diciamo «ferro», «rame», «mangiare», «bere», «stare seduti», «stare in piedi», e simili.

Tra di essi, ve ne sono altri dei quali tu non riesci a comprendere il significato che hanno se non confrontando quel significato con un'altra cosa, come quando noi diciamo «lungo» e «corto»: infatti, il senso del fatto che questa cosa sia lunga non viene compreso dalla mente se non quando si confronta tale cosa con una cosa che sia più corta, e non si concepisce che questa cosa sia corta finché non si presenta nelle nostre menti una cosa più lunga di essa. Ora, questo rapporto tra il lungo e il corto e simili, noi lo chiamiamo «relazione», e chiamiamo ognuna di queste due cose «relativa», e l'insieme delle due cose «correlativi»; e lo stesso vale per il «sopra» e il «sotto», per la «metà» e il «doppio», per il «prima» e il «poi», per l'«eguale», per il «comune», per l'«amico», per il «padre» e per il «figlio», per il «servo» e per il «pa-

[34] Leggo qui la parola *khuṭṭa*, «condizione, posizione», anziché l'edito *khaẓẓ*, che non dà senso.

drone»: di tutte queste cose e delle cose simili ad esse, noi chiamiamo ognuna «relativo», perché il [suo] senso non viene recepito dalla mente se non mediante una comparazione e un confronto tra di essa e un'altra cosa; e questo rapporto che sussiste tra queste due cose è ciò che noi chiamiamo «relazione».

Per quanto riguarda il concetto che i grammatici della lingua araba chiamano «relativo», come [il primo termine nelle espressioni] «il servo di Zayd» e «la porta della casa», noi chiamiamo questo «nome obliquo»[35]. E come noi diciamo che l'affermazione e la negazione sono due opposti, come abbiamo detto prima, così noi diciamo di ogni privazione e possesso, e di ogni coppia di contrari, e di ogni coppia di correlativi, che sono «opposti». [...]

Capitolo dodicesimo

Secondo noi, si dice che una cosa è precedente ad un'altra cosa in cinque modi[36]:

1. la precedenza temporale, come quando diciamo che Mosè è precedente a Gesù;
2. la precedenza di natura, come nel caso dell'animale e dell'uomo: infatti, se tu potessi eliminare l'animale, verrebbe meno [anche] l'esistenza dell'uomo, mentre, se tu potessi eliminare l'uomo, non verrebbe comunque meno l'esistenza dell'animale; e noi diciamo dunque che l'animale è precedente all'uomo per natura, e che l'uomo è posteriore all'animale per natura;
3. la precedenza di grado di due individui umani, uno dei quali [per esempio] è seduto vicino al re, e l'altro è seduto più lontano da lui: noi diciamo che il primo precede il secondo nel grado;
4. la precedenza di nobiltà, ossia la più perfetta e la più eccellente tra due cose, sia [che esse appartengano] ad una sola e medesima specie, sia che si trovino in due specie differenti. Per esempio, due medici o due grammatici, l'uno dei quali è più sapiente dell'altro: noi diciamo del più sapiente dei due che è, in quell'arte, il precedente per nobiltà. Perciò, se le specie [di arte] sono differenti, per esempio se un uomo è sapiente, pur non essendo eminente nella sapienza, e un altro uomo è un danzatore abile nella danza, noi diciamo che questo sapiente precede il danzatore per nobiltà, perché l'arte della sapienza [*scil.* la filosofia] precede l'arte della danza per nobiltà;

[35] Si tratta del sostantivo che, in arabo e in ebraico, legato ad un secondo sostantivo che lo segue, assume il cosiddetto stato costrutto.

[36] La fonte di questo passo è da ricercarsi nei *Cinque capitoli* (*al-Fuṣūl al-khamsa*) di al-Fārābī.

5. la precedenza nella causa, ossia: se vi sono due cose equipollenti nell'esistenza, l'una delle quali non esiste senza l'altra, ma l'una è anzi causa dell'esistenza dell'altra, noi diciamo che la causa è precedente rispetto alla cosa causata, come diciamo che il sorgere del sole è precedente rispetto al nascere del dì, benché l'una e l'altra cosa avvengano insieme, perché il sorgere del sole è la causa dell'esistenza del dì.

Noi diciamo che due cose avvengono insieme nel tempo, quando esse vengono ad esistere in un solo [medesimo] attimo, mentre diciamo che sono insieme nello spazio quando stanno in un solo [medesimo] luogo. Parimenti, ogni volta che due cose distano entrambe da un principio, mantenendo da esso la stessa distanza, noi diciamo che queste cose sono insieme nel grado; e ogni volta che due cose sono equipollenti nello sviluppo dell'esistenza e l'una non è la causa dell'altra, noi diciamo che queste cose sono insieme nella natura, come il doppio e la metà; e parimenti, tutti i correlativi sono insieme dal punto di vista della relazione. [...][37]

Capitolo quattordicesimo

Il termine «logica», secondo la convenzione stabilita dai sapienti antichi appartenenti ai popoli del passato, è un termine equivoco che ha tre significati[38]:

1. la facoltà che è propria dell'uomo, mediante la quale egli comprende gli intelligibili, si immerge nelle arti, distingue tra ciò che è turpe e ciò che è bello. Chiamano questa cosa anche «facoltà razionale»;
2. l'intelligibile stesso, che l'uomo ha già compreso. Chiamano questa cosa anche «*lògos*[39] interiore»;
3. l'espressione linguistica di questi concetti impressi nell'animo. Chiamano questa cosa anche «*lògos* esteriore».

Giacché quest'arte, che Aristotele ha stabilito e della quale egli ha perfezionato le diverse parti in otto libri, dà alla facoltà razionale le regole relative agli intelligibili, ossia al *lògos* interiore, in modo da preservarlo dall'errore e guidarlo verso la correttezza, così che possa raggiungere la certezza in tutto ciò di cui è nelle possibilità umane raggiungere la certezza, e giacché quest'arte dà anche le regole comuni a tutte le lingue, mediante le quali il *lògos* esteriore viene guidato verso la correttezza e preservato dall'errore, in modo tale che ciò che viene espresso mediante la

[37] Si omette qui il tredicesimo capitolo, che tratta di questioni grammaticali e linguistiche.
[38] Cfr. al-Fārābī, *Introduzione* (cfr. Brague 1996, p. 94, n. 198).
[39] In arabo, *nuṭq*.

lingua corrisponda a ciò che si trova nella mente, e sia eguale ad esso, e non avvenga che l'espressione vada oltre il concetto presente nell'animo e neppure che resti inferiore ad esso – ebbene, per queste cose che quest'arte fornisce, la chiamano «arte della logica», e dicono che l'arte della logica sta all'intelletto come l'arte della grammatica sta alla lingua[40].

Il termine «arte», secondo gli antichi, è un termine equivoco, che essi applicavano ad ogni scienza speculativa, e applicavano anche alle pratiche legate ad un mestiere. Essi chiamavano dunque ognuna delle scienze filosofiche «arte speculativa», e chiamavano ognuna [di quelle altre cose, per esempio] la falegnameria, l'arte di fabbricare corde, la sartoria, e simili, «arte pratica».

Questo termine di «filosofia» è anch'esso un termine equivoco, con il quale talora chiamavano l'arte della dimostrazione, e talora chiamavano le scienze. Secondo loro, questo termine si applicava a due scienze, ed essi chiamavano una delle due scienze «filosofia teoretica», e l'altra «filosofia[41] pratica», e anche «filosofia umana» e «scienza politica».

La filosofia teoretica si divide in tre parti: la scienza delle matematiche; la scienza naturale; la scienza divina.

La scienza delle matematiche non studia i corpi in quanto tali, bensì studia i concetti privati delle loro materie, anche se quei concetti non esistono altrimenti che nelle materie. Le parti di questa scienza, che sono le sue basi, sono quattro, ossia: la scienza del numero [*scil.* l'aritmetica], la scienza della geometria, la scienza degli astri, ossia l'astronomia, e la scienza della composizione delle melodie, ossia la musica. L'insieme di queste parti viene chiamato «le scienze matematiche».

La scienza naturale studia i corpi che esistono in natura, non per volontà dell'uomo, come le specie dei minerali, le specie delle piante e le specie degli animali. La scienza naturale studia tutte queste cose, e tutto ciò che si trova in queste cose, ossia tutti i loro accidenti, le loro proprietà e le loro cause, e tutto ciò in cui queste cose si trovano necessariamente, come il tempo, lo spazio, il movimento.

La scienza divina si divide in due parti:

1. lo studio di tutto ciò che esiste, ma non si trova in un corpo, e non è neppure una potenza in un corpo: si tratta del discorso

[40] Tutto questo passo si ritrova in due opere di al-Fārābī: l'*Introduzione* e l'*Enumerazione delle scienze* (*Iḥṣā' al-ʿulūm*).

[41] Le parole «"teoretica", e l'altra "filosofia"», cadute nel testo arabo, sono state ripristinate da Brague sulla base del confronto con le versioni ebraiche: cfr. Brague 1996, p. 96, n. 203.

circa ciò che dipende da Dio – sia glorificato il Suo nome – e anche circa gli angeli, secondo la loro opinione – perché [questi filosofi] non credono che gli angeli siano corpi, ma li chiamano «intelletti separati», intendendo con questo che essi sono separati dalle materie;

2. la seconda parte della scienza divina studia le cause molto remote di tutto ciò che comprendono tutte le altre scienze.

Costoro chiamano la scienza divina anche «ciò che viene dopo la fisica [*scil.* la metafisica]»[42]. E questo è il complesso delle scienze degli antichi.

Quanto all'arte della logica, secondo loro essa non fa parte del complesso delle scienze, ma è uno strumento delle scienze. Essi affermano che [ogni] insegnamento o apprendimento non è corretto nel suo ordine, se non [lo si compie] con l'arte della logica; [quest'arte] è dunque lo strumento per tutte [le scienze], e ciò che funge da strumento per una cosa non è parte di quella cosa.

Quanto all'arte politica, essa si divide in quattro parti: il governo che l'individuo umano fa di sé stesso; il governo della casa; il governo della città; il governo di una grande nazione o di più nazioni[43].

Il governo che l'uomo fa di sé stesso consiste nel fatto di conseguire i costumi virtuosi e di respingere i costumi viziosi, se ne ha acquisiti. I costumi sono le disposizioni usuali che si stabiliscono nell'anima, finché diventano abitudini, e dai quali derivano le azioni. I filosofi qualificano i costumi in termini di virtù e vizio, e chiamano i buoni costumi «virtù etiche» e i cattivi costumi «vizi etici»; essi chiamano le azioni che derivano dai costumi virtuosi «beni», e le azioni che derivano dai costumi viziosi «mali». Parimenti, essi qualificano anche la ragione, ossia la concezione degli intelligibili, in termini di virtù e vizio, e parlano di «virtù dianoetiche» e di «vizi dianoetici». Vi sono molti libri dei filosofi sui costumi. Essi chiamano ogni governo che l'uomo esercita su qualcosa di diverso da sé «amministrazione».

Per quanto riguarda il governo della casa, esso consiste nel fatto di insegnare come [i membri della casa] si aiutano reciprocamente, e in che cosa debbono limitarsi, in modo che il benessere

[42] L'espressione araba qui impiegata da Maimonide è *mā ba'd al-ṭabī'a*, letteralmente «ciò che viene dopo la fisica», ch'è una traduzione letterale del greco *tà metà tà physikà*, il titolo della *Metafisica* di Aristotele.

[43] Questa suddivisione della scienza politica – che corrisponde in questo caso alla «filosofia pratica» dei commentatori alessandrini di Aristotele – è ispirata al *Libro della religione* di al-Fārābī (cfr. Mahdi 1968, p. 43.4-6), ed è invece differente dalla classica suddivisione aristotelizzante di etica, economia e politica.

dei loro stati sia ordinato per quanto è possibile, a seconda di quelle situazioni che conseguono a quel determinato momento e a quel determinato luogo.

Per quanto riguarda il governo della città, esso è una scienza che offre alla gente della città la conoscenza della felicità veritiera, offrendo loro la via per conseguirla, e la conoscenza dell'infelicità veritiera, offrendo loro la via per preservarsene, ed esercita i loro costumi a respingere le felicità [falsamente] credute tali, affinché non ne provino piacere, così che non si precipitino verso di esse, e così che le felicità [falsamente] credute tali appaiano loro nella loro evidenza, in modo che costoro non ne soffrano, e non le temano. Del pari, [questa scienza] formula per costoro le regole di giustizia con le quali vengono ordinate le loro comunità sociali. I sapienti delle nazioni del passato hanno congegnato delle regole di governo, in ragione della perfezione di ciascuno dei loro individui, con le quali i loro re governano i sudditi, e hanno chiamato queste regole «leggi»[44]; e le nazioni venivano governate con queste leggi.

Su tutte queste cose i filosofi hanno scritto molti libri: [alcuni di essi] sono stati pubblicati [*scil.* tradotti] in arabo, ma forse quelli che non sono stati pubblicati sono ancora più numerosi[45]. Però, in questi tempi si può fare a meno di tutte queste cose, ossia delle amministrazioni e delle leggi: la gente, infatti, viene governata dai precetti divini.

[44] Il termine arabo impiegato da Maimonide è qui *nawāmīs*, plurale di *nāmūs*, a sua volta calco del greco *nòmos*, «legge».

[45] Maimonide allude forse qui al fatto che solo pochi degli scritti etico-politici degli antichi sono stati tradotti in arabo: si consideri, per esempio, la mancata traduzione della *Politica* di Aristotele, e in generale la relativamente scarsa diffusione di opere come l'*Etica Nicomachea* di Aristotele.

Capitolo sesto
La filosofia ebraica nell'Europa del Duecento

1. *Introduzione storica*[1]

Nel corso del secolo XIII, la filosofia ebraica, almeno nei paesi dell'Europa meridionale dove incontra più fortuna (Provenza, Spagna, Italia), assume i caratteri che conserverà fondamentalmente immutati sino alla fine del periodo medievale, ossia:

– l'identificazione di un ideale maestro in Mosè Maimonide, che diventa fin dall'inizio del secolo la «bandiera» della filosofia aristotelica contro gli attacchi ad essa portata dai difensori più accaniti della tradizione religiosa giudaica – attacchi che, collettivamente ma non sempre appropriatamente designati come la «controversia intorno a Maimonide», segnano le tappe più importanti dello sviluppo della filosofia ebraica del Duecento. Questa identificazione trova le sue manifestazioni più evidenti nella lunga serie di commenti ebraici, parziali o totali, alla *Guida dei perplessi*, che, iniziata proprio nella seconda metà del Duecento, continuerà sino all'epoca rinascimentale;

– la centralità dello studio dei testi della scuola aristotelica, e in particolar modo dell'interpretazione arabo-islamica dell'aristotelismo data da Averroè, che diventerà in qualche modo la lente attraverso la quale le dottrine e gli scritti dello Stagirita arriveranno al mondo ebraico medievale. L'interesse per Aristotele si esprime, in questo periodo, innanzitutto attraverso una lunga serie di traduzioni, prevalentemente dall'arabo all'ebraico, sia di alcuni scritti originali del filosofo (i *Meteorologici*, il *De generatione et corruptione*, il *De anima*, gli scritti zoologici), sia di alcuni commenti tardoantichi (le *Parafrasi*, opera di Temistio, del libro XII della *Metafisica* e del *De caelo*), sia delle *Epitomi* di Averroè, che rappresentavano la migliore introduzione disponibile

[1] Sul periodo storico trattato in questo capitolo, cfr. Sirat 1990, pp. 263-354; Frank-Leaman 1997, pp. 331-50 (Idit Dobbs-Weinstein).

alle singole opere del *Corpus Aristotelicum*; e queste traduzioni vedono protagonista la famiglia degli Ibn Tibbon (cfr. Zonta 1996, pp. 177-228). Accanto alle traduzioni, esercitano in questo secolo un ruolo di primo piano, come strumenti per la diffusione dell'aristotelismo, le enciclopedie filosofiche (diffuse anche nell'Europa cristiana del tempo) – opere, cioè, in grado di raccogliere una notevole massa di informazioni e di citazioni selezionate delle interpretazioni tardoantiche e arabe della filosofia e della scienza aristotelica.

L'egemonia dell'aristotelismo non riesce comunque a soffocare l'interesse per gli autori e le dottrine del neoplatonismo, che si manifesta in Spagna con l'eclettico poligrafo Shem Tov Ibn Falaquera (cfr. *infra*, pp. 155 sgg.) – l'autore che forse meglio di ogni altro sintetizza nella sua opera gli interessi dell'epoca – e in Provenza con l'enciclopedista ed esegeta Levi ben Abraham ben Ḥayyim, mentre in Italia traspare nell'opera di uno dei traduttori, Zeraḥyah ben Yiṣḥaq Ḥen. Sempre in Italia, la seconda metà del secolo vede, con Hillel da Verona, le prime manifestazioni di quella simbiosi culturale tra filosofia ebraica e scolastica latina che caratterizzerà in misura sempre crescente il pensiero giudaico del tardo Medioevo.

La cosiddetta «controversia intorno a Maimonide», che rappresenta uno degli aspetti più studiati del pensiero ebraico europeo del Duecento, è in realtà tutt'altro che una vicenda monocorde, continua ed estesa a tutta l'area geografica in questione. Si tratta in effetti di una diatriba intorno al ruolo da riservare, nell'educazione ebraica, allo studio della filosofia greca, contro il quale già il *Talmud* aveva messo in guardia (cfr. *supra*, pp. 5 sg.). Nella discussione in merito, si oppongono dunque, per la prima volta, due differenti approcci allo studio:

– da una parte, quello del *Talmud*, caratterizzato da una logica associativa, la cui interpretazione giuridicamente autorevole è riservata ai rabbini, e che è imperniato su un'esegesi scritturistica ora letterale (il *peshaṭ*), ora simbolico-esemplificativa (il *derash*);

– dall'altra parte, l'approccio della filosofia di Maimonide e di Averroè, caratterizzata da un'interpretazione sistematica e razionale dei testi, ispirata alle regole della logica dimostrativo-sillogistica della scuola aristotelica. Riflesso di questo approccio è l'esegesi allegorica della Bibbia (il *remez*), che consente di leggere dietro al testo biblico una serie di allusioni alle dottrine della fisica e della metafisica aristotelica (identificate dai filosofi dell'epoca, sulla scia di Maimonide, rispettivamente con l'«opera della creazione» [*ma'aseh bereshit*] e con l'«opera del carro» [*ma'aseh merkavah*] cui alludeva lo stesso *Talmud*).

Questo secondo approccio era visto di malocchio dai tradizionalisti per due motivi: innanzitutto, perché metteva in questione l'autorità dei rabbini come interpreti dei testi (se la verità della Bibbia corrisponde a quella di Aristotele, i suoi interpreti più veri possono essere solo i filosofi); in secondo luogo, perché poteva indurre a svalutare il valore normativo dei precetti, ridotti anch'essi alla stregua di mere allegorie di superiori verità metafisiche, e quindi svuotati del loro significato etico – alla morale precettistica, i filosofi contrapposero talora l'etica greca, ripresa dagli scritti di Aristotele e di Galeno.

In realtà, la diatriba non investe affatto tutto il giudaismo europeo dell'epoca: pressoché ignorata in Italia, essa si sviluppa in Provenza e in Catalogna, ed è segnata da pochi, brevi periodi di scontro virulento, alternati a lunghi intervalli di apparente stasi; non è nemmeno escluso che essa sia in realtà il riflesso, nel mondo ebraico, delle analoghe controversie filosofiche e teologiche del mondo cristiano dell'epoca (l'eresia albigese, le condanne parigine del 1270-1277, ecc.). Infine, l'obiettivo stesso della polemica muta nel tempo: se all'inizio la diatriba è tutta imperniata sull'interpretazione allegorica della Bibbia data da Maimonide, le critiche dei rabbini si spostano poi sulla *Guida* e sul *Libro della conoscenza* – ossia sui contenuti filosofici del pensiero maimonideo – e finiscono per colpire, ormai agli inizi del secolo XIV, non più Maimonide bensì l'interpretazione radicale dell'aristotelismo data da alcuni filosofi dell'epoca (cfr. al riguardo *infra*, pp. 175 sg.). Infine, va rilevato che, apparentemente, gli sviluppi degli studi filosofici nel mondo ebraico europeo vennero tutt'altro che ostacolati da questa polemica: un'ulteriore prova, questa, del carattere occasionale e non normativo delle condanne emanate da autorità che avevano un'influenza molto limitata nel tempo e nello spazio.

La controversia, in Occidente, ha inizio intorno al 1190, quando il rabbino provenzale Abraham ben David di Posquières rivolge a Maimonide l'accusa di avere dato un'interpretazione allegorica della Bibbia e dei precetti, che avrebbe inevitabilmente minato il corretto adempimento di questi ultimi. Ai filosofi viene dunque imputato un «lassismo morale» che, forse non a caso, era imputato anche dalla Chiesa ai Catari, allora diffusi proprio in area provenzale, i quali partivano, per la loro dottrina, appunto da una lettura allegorica della Bibbia[2]. A que-

[2] Le dottrine esegetiche dei Catari (o Albigesi) erano certamente conosciute nella cultura ebraica provenzale; non a caso, riferimenti ad esse si leggono in una celebre raccolta di sermoni filosofici sul Pentateuco, opera di un traduttore e filosofo ebreo provenzale del secolo XIII, Ya'aqov Anaṭoli: *Il pungolo dei discepoli* (*Malmad ha-talmidim*).

sta polemica fa seguito l'attacco rivolto nel 1202 da Me'ir Abulafia di Toledo contro la dottrina maimonidea della resurrezione, a difesa della tradizionale dottrina ebraica della resurrezione fisica nell'aldilà: attacco che provocherà la risposta del razionalista Sheshet ben Yiṣḥaq di Saragozza, il quale ribadisce in sostanza il carattere divulgativo di questa dottrina, adatta alle masse ma non all'élite filosofica.

Gli echi di questa prima fase della polemica si spengono abbastanza presto, ma la diatriba riemerge con forza, nella stessa area geografica, nel 1232, e coincide proprio con la conclusione della crociata che aveva estirpato l'eresia catara dalla Provenza (pace di Parigi, 1229) e l'instaurazione, in quella zona, dell'inquisizione (1233). Su richiesta di Shelomoh ben Abraham di Montpellier, i rabbini francesi lanciano un bando (*ḥerem*) contro lo studio della filosofia e contro *Guida* e *Libro della conoscenza*: questa volta, dunque, è tutto il pensiero di Maimonide, e non solo alcuni singoli aspetti di esso, ad essere condannato. Tuttavia, le posizioni degli stessi rabbini sulla questione non sono affatto univoche: al bando, i rabbini aragonesi rispondono l'anno stesso con un contro-bando a favore di Maimonide. La diatriba è sopita grazie alla mediazione di un altro celebre rabbino ed esegeta, Naḥmanide (Mosheh ben Naḥman, 1194-1270): a detta sua, la condanna dei tradizionalisti non doveva rivolgersi contro Maimonide – che aveva invece tentato un'utile conciliazione tra giudaismo e filosofia – bensì contro la filosofia stessa, che pretendeva di sostituirsi alla Bibbia negando ai fatti narrati da quest'ultima ogni valore reale e storico, e trattandoli come mere allegorie. In realtà, solo quando, dopo il rogo del *Talmud* a Parigi nel 1240, gli ebrei si sentiranno sottoposti ad un attacco dall'esterno, le polemiche interne cesseranno davvero, per riapparire solo sporadicamente – come sarà, per esempio, nel 1288, quando il rabbino francese Shelomoh Petit scriverà la sua polemica contro la *Guida*, cui darà risposta proprio Shem Tov Ibn Falaquera.

L'ultima manifestazione della controversia, almeno in questa sua prima fase – una polemica tra sostenitori della tradizione e filosofi riemergerà di nuovo nella Spagna del Quattrocento (cfr. *infra*, pp. 208 sgg.) – si ha con il bando emesso nel 1305 dal rabbino Shelomoh ben Adret a Barcellona. Tuttavia, dal testo del bando e dalle testimonianze coeve, è chiaro che l'oggetto della polemica era mutato: non si trattava più di Maimonide, bensì delle nuove tendenze radicali del pensiero ebraico dell'epoca, ossia averroismo e astrologismo neoplatonizzante (quest'ultimo, incarnato da Levi ben Abraham ben Ḥayyim). Anzi, la *Guida dei perplessi* si avviava ormai a diventare un classico del concordismo tra filosofia e giudaismo.

In effetti, proprio dopo il 1250 compaiono i primi esempi di commenti ebraici alla *Guida*. Il primo di essi, quello di Mosheh ben Shelomoh da Salerno, non a caso è condotto non direttamente sull'originale arabo o su una delle due versioni ebraiche medievali, bensì sulla traduzione latina dell'opera di Maimonide: il che fa pensare che anche l'interesse per la *Guida dei perplessi* sia sorto negli ambienti ebraici europei quasi in conseguenza del notevole interesse che l'opera aveva suscitato, nella prima metà del secolo XIII, tra gli scolastici cristiani[3]. Non molto tempo dopo, la *Guida* sarà oggetto di altri due commenti ebraici: quello di Ibn Falaquera (cfr. *infra*, p. 157), e quello di Zeraḥyah Ḥen. Quest'ultimo, scritto probabilmente nel decennio 1280-1290 a Roma, riveste un certo interesse come testimonianza di una lettura neoplatonizzante dell'opera di Maimonide: Zeraḥyah, in effetti, commenta la *Guida* (cfr. Friedman 1974) facendo più volte riferimento alle dottrine dello pseudo-Empedocle, di Shelomoh Ibn Gabirol e dei Fratelli della purità – dottrine che egli riprende in parte dalla lettura della versione ebraica del *Libro del giardino* di Mosheh Ibn 'Ezra.

Del neoplatonismo di Ibn Gabirol, commisto ad elementi già cabbalistici, è peraltro dichiarato portavoce *La porta dei cieli* (*Sha'ar ha-shamayim*) di Yiṣḥaq ben Abraham Ibn Laṭif di Toledo (1210-1280 circa), scritto nella prima metà del Duecento (cfr. Heller-Wilensky 1967). Si tratta però di un neoplatonismo costruito ormai non solo sulle tradizionali fonti altomedievali (la *Fonte di vita*, lo pseudo-Empedocle), ma aperto anche agli apporti della filosofia araba più tarda (la *Città virtuosa* di al-Fārābī), e apertamente critico nei confronti di Aristotele e Tolomeo.

D'altra parte, elementi neoplatonici, commisti alle credenze nel determinismo astrale già presenti in Abraham Ibn 'Ezra, riappariranno più tardi nell'opera del già menzionato filosofo ed esegeta provenzale Levi ben Abraham ben Ḥayyim di Villefranche (1245-1315 circa). Di lui resta un breve scritto enciclopedico in prosa rimata, i *Cofanetti di profumo e di amuleti* (*Batte ha-nefesh we-ha-leḥashim*) del 1276, ma la sua opera maggiore è l'*Ornamento di grazia* (*Liwyat ḥen*), composto nel corso dell'ultimo quarto del secolo XIII e circolante in diverse redazioni. Il testo originale dell'opera, i cui contenuti sono stati recentemente studiati da Warren Z. Harvey (cfr. Harvey 2000, pp. 171-88), constava di due grandi parti: la prima, *Yaqin*, era suddivisa in cinque libri, dedicati rispettivamente – secondo la ricostruzione di Harvey – a etica e

[3] Sul commento di Mosè da Salerno e sulla fortuna della *Guida* nella scolastica latina, cfr. Sermoneta 1969, pp. 31-55; cfr. ora anche Rigo 1999.

logica e psicologia, aritmetica e geometria, astronomia, fisica, metafisica; la seconda, *Bo'az*, consisteva di un sesto libro, dedicato a problemi teologici (la profezia, la creazione, ecc.), e tutto intessuto di esegesi della Bibbia e dei racconti talmudici. Di tutto ciò, però, restano solo le sezioni dedicate ad astronomia, metafisica e teologia, e non è escluso che sulla perdita del testo completo abbia influito anche la condanna su di esso pronunciata dai rabbini, i quali sembrano aver incolpato Levi ben Abraham soprattutto per aver divulgato pubblicamente, «a molti» (*le-rabbim*), dottrine che sarebbero state accettabili solo in una ristretta cerchia di studiosi. In realtà, l'opera sembra fondata sul presupposto che «la scienza è lo strumento con il quale esaminare la credenza»[4], e che la Bibbia sia credibile solo nella misura in cui, interpretati allegoricamente, i suoi contenuti riflettono le verità della filosofia.

L'*Ornamento di grazia* rientra peraltro, data la sua struttura, nel genere delle enciclopedie filosofico-scientifiche – genere di cui, nel corso del Duecento, si hanno almeno tre importanti esempi nella letteratura filosofica ebraica: *L'insegnamento della scienza* (*Midrash ha-ḥokmah*) di Yehudah ha-Cohen, *Le dottrine dei filosofi* (*De'ot ha-filosofim*) di Shem Tov Ibn Falaquera, e *La porta dei cieli* (*Sha'ar ha-shamayim*) di Gershom ben Shelomoh[5]. Queste enciclopedie, in quanto portavoce dell'aristotelismo, rientrano assai bene nel clima creato dalle traduzioni ebraiche dei testi della filosofia greca, iniziate proprio nel 1210 con la versione commentata dei *Meteorologici* redatta da Shemuel Ibn Tibbon, il traduttore ebraico della *Guida*. In effetti, anche le enciclopedie sono spesso, in realtà, traduzioni compendiose e antologiche delle fonti dell'aristotelismo, e in primo luogo dei commenti di Averroè, suddivisi in *Epitomi* (ossia libere rielaborazioni dei temi trattati in ciascuna opera di Aristotele), *Commenti medi* (parafrasi dei testi originali) e *Commenti grandi* (analisi letterali dei testi stessi, integralmente inclusi nel commento). Enciclopedisti e traduttori sono dunque, in questo periodo, soprattutto divulgatori dell'aristotelismo; e di fatto, i filosofi ebrei dell'Europa del Duecento rientrano quasi tutti – con poche eccezioni – in una di queste due categorie.

L'*Insegnamento della scienza* di Yehudah ben Shelomoh ha-Cohen (Ibn Matqah) venne scritto dapprima in arabo, e poi dall'autore stesso tradotto in ebraico, tra il 1245 e il 1247, alla corte di Federico II di Svevia – uno dei primi mecenati europei che protesse filosofi, astronomi e

[4] Cfr. Sirat 1990, p. 316.

[5] Sulle enciclopedie ebraiche del Duecento, cfr. ora l'aggiornata bibliografia raccolta da Charles H. Manekin in Harvey 2000, pp. 465-521. Per la sezione logica, cfr. il saggio dello stesso Manekin in ivi, pp. 277-99.

medici ebrei[6]. L'opera è divisa in tre grandi sezioni, dedicate rispettivamente alla filosofia aristotelica, alle scienze matematiche (astronomia, geometria), e all'esegesi dei testi della tradizione religiosa ebraica. Le prime due sezioni sono quelle più espressamente dedicate alla divulgazione della filosofia e della scienza antica: esse espongono infatti, nell'ordine, gli elementi essenziali della logica, della fisica e della metafisica dello Stagirita, ispirandosi spesso ai rispettivi commenti di Averroè, e passano poi a studiare i contenuti degli *Elementi* di Euclide e l'*Almagesto* di Tolomeo, anche qui rifacendosi spesso a commenti arabi (tra le fonti accertate, ci sono i *Princìpi di astronomia* di Abū Isḥāq al-Bitrūǧī). Anche questa divulgazione, tuttavia, non nasce da una totale ed acritica adesione all'eredità del pensiero antico, bensì rientra nello schema maimonideo di conciliazione tra ragione e rivelazione: non a caso, se da una parte alcune dottrine di Aristotele o di Tolomeo vengono apertamente criticate, dall'altra Yehudah ha-Cohen non manca di sottolineare che le teorie da lui esposte si trovano già, a ben vedere, negli stessi testi sacri dell'ebraismo, come rivelano le sue interpretazioni allegoriche, quasi «cabbalistiche» di passi della Bibbia, imperniate sui sensi nascosti delle lettere dell'alfabeto ebraico.

Più aderente ai contenuti e alla lettera delle sue fonti appare invece l'enciclopedia di Ibn Falaquera, composta verso il 1270 (cfr. *infra*, p. 157)[7]. La sua funzione è, ancora più apertamente, quella di fornire un comodo riassunto scolastico delle interpretazioni di Aristotele elaborate dai commentatori greci tardoantichi e arabi medievali, secondo un uso consueto all'autore: quello di integrare le sue citazioni di ampi passi di un commento su un testo con più brevi e precisi riferimenti diretti al testo stesso; e così, se i commenti di Averroè continuano a fare, tra le fonti di questa enciclopedia, la parte del leone, in essa trovano posto anche cenni alle interpretazioni aristoteliche di al-Fārābī (l'*Epistola sull'intelletto*, la *Città virtuosa*), del filosofo arabo cristiano Abū l-Farağ Ibn al-Ṭayyib, di Avicenna. Infine, è di chiaro intento divulgativo la terza ed ultima delle maggiori enciclopedie aristoteliche ebraiche del Duecento, la *Porta dei cieli* di Gershom ben Shelomoh d'Arles (composta tra il 1275 e il 1300)[8], che impiega l'ope-

[6] Sull'opera, cfr. la copiosa bibliografia di Resianne Fontaine citata tra l'altro nel suo saggio sul tema in Harvey 2000, pp. 191-210; per la sezione matematica, cfr. il saggio di Tony Lévy in Harvey 2000, pp. 300-12.

[7] Sull'enciclopedia di Falaquera, cfr. il recente saggio di Steven Harvey in Harvey 2000, pp. 211-47.

[8] Cfr., sull'opera, il quadro esauriente delle fonti e dei contenuti presentato da James T. Robinson in Harvey 2000, pp. 248-74.

ra di Ibn Falaquera tra le sue fonti. Si tratta, con ogni evidenza, di un'opera popolare, che mira non a dare una trattazione logico-sistematica dei diversi temi affrontati, ma a venire incontro alla curiosità del lettore di livello medio-basso: essa è strutturata secondo lo schema – proprio della tradizione cristiana più che di quella ebraica – degli «esameroni», che esponevano le diverse realtà del mondo secondo l'ordine della creazione, partendo dalle cose inanimate (fenomeni meteorologici, minerali) e da lì risalendo, attraverso vegetali e animali, sino all'uomo, esaminato nella sua struttura fisica e spirituale. Tra le fonti di Gershom vi è, tra l'altro, quello che è in certo modo il prototipo delle enciclopedie: lo *Spirito di grazia* (*Ruaḥ ḥen*), un'operetta in dieci capitoli che riassume i contenuti principali della fisica e della metafisica aristotelica con l'intento di fornire un viatico al lettore medio della *Guida* di Maimonide; il suo autore resta a tutt'oggi incerto (Shemuel Ibn Tibbon? Ya'aqov Anaṭoli?), ma la sua datazione va probabilmente collocata nella prima metà del secolo XIII[9].

2. *Shem Tov Ibn Falaquera*

I pochi dati noti sulla vita di Shem Tov ben Yosef Ibn Falaquera[10] fanno ritenere che egli sia nato in una località della Spagna nordoccidentale intorno al 1225, si sia dedicato in gioventù a scrivere di poesia, sia stato medico e sia morto dopo il 1290. Certo, dalla sua vastissima opera filosofico-scientifica emerge la figura di un autore sotto certi aspetti esemplare della filosofia ebraica ispano-provenzale del secolo XIII, per la quale il punto di riferimento ideale è rappresentato ormai dall'opera di Maimonide – Falaquera fu anzi uno dei primi a redigere un commento filosofico alla *Guida dei perplessi* – e dall'aristotelismo di Averroè, ma senza dimenticare la lezione del neoplatonismo ebraico e islamico (rappresentato da Shelomoh Ibn Gabirol e dall'*Enciclopedia dei Fratelli della purità*), né le interpretazioni pre-averroistiche del *Corpus Aristotelicum*, come quelle di al-Fārābī e di Avicenna – due autori le cui opere trovano ampio spazio tra le fonti letterarie di Falaquera. Più originale è forse, in questo autore, l'eclettismo, che lo spinge a farsi divulgatore di tutti gli aspetti della filosofia greca e arabo-islamica (fisica, metafisica, etica), con la sola eccezione della logica, redigendo opere che sono in realtà in buona parte autentici mosaici di

[9] Per una sommaria presentazione dei contenuti del *Ruaḥ ḥen*, cfr. Sirat 1990, pp. 296-97.
[10] Sull'autore e la sua opera, cfr. Jospe 1988.

citazioni, spesso preziose testimonianze di scritti antichi e medievali altrimenti andati perduti. Nel complesso, il fine dichiarato dell'attività filosofico-letteraria di Falaquera è quello di mostrare – in linea con le tesi maimonidee – la sostanziale congruenza tra le conclusioni della filosofia, da lui intesa nel senso più lato, e quelle della religione ebraica.

Opere. Sono ascritte a Falaquera almeno tredici opere originali[11] in lingua ebraica che presentano, in tutto o in parte, contenuti di interesse filosofico. In approssimativo ordine cronologico, sono:

1. l'*Epistola etica* (*Iggeret ha-musar*), un'antologia di detti filosofici di varia lunghezza, tratti da scritti gnomologici di origine greca, araba ed ebraica. L'opera è stata pubblicata in edizione critica nel 1936 da Abraham M. Haberman;
2. il *Balsamo del dolore* (*Ṣeri ha-yagon*), un testo ascrivibile al genere letterario delle «consolazioni», e in buona parte ripreso da un analogo scritto di al-Kindī, integrato con citazioni dal *De indolentia* di Galeno e da altre opere. L'opera, più volte pubblicata, dal Cinquecento ad oggi, in una versione alquanto manipolata rispetto all'originale, è ora disponibile in un'edizione critica, con traduzione inglese, a cura di Roberta Klugman Barkan (1971);
3. l'*Epistola della polemica* (*Iggeret ha-wikkuaḥ*), un trattato sulla conciliazione tra filosofia e religione, ispirato al *Trattato decisivo* (*Faṣl al-maqāl*) di Averroè: l'edizione – con traduzione inglese – più recente e affidabile è quella di Steven Harvey (1987);
4. il *Principio della scienza* (*Reshit ḥokmah*), un'introduzione alla filosofia aristotelica e platonica, che nella sua parte principale è ripresa da scritti di al-Fārābī e di Avicenna sulla classificazione delle scienze. Un'edizione completa venne pubblicata da Moritz David (1902);
5. il *Libro dei gradi* (*Sefer ha-ma'alot*), un'antologia di passi di argomento prevalentemente etico, tratti da varie opere di autori antichi e medievali (da Aristotele e Galeno, alla *Teologia di Aristotele* e agli scritti di al-Fārābī, Avicenna, Ibn Bāggia). L'edizione completa venne pubblicata da Lajos Venetianer (1894; cfr. anche Chiesa-Rigo 1993);
6. il *Libro del ricercatore* (*Sefer ha-mevaqqesh*), un'enciclopedia filosofico-scientifica di tipo divulgativo, datata del 1263, dove si immagina un dialogo tra un allievo e una serie di maestri delle diverse di-

[11] Ad esse andrebbero comunque aggiunti i suoi compendi di due importanti fonti del neoplatonismo ebraico medievale: quello della *Fonte di vita* di Shelomoh Ibn Gabirol (edito da Salomon Munk nel 1857; cfr. però ora Gatti 2001) e quello del *Libro delle cinque sostanze* dello pseudo-Empedocle (edito da David Kaufmann nel 1899).

scipline. La prima parte dell'opera – il cui testo completo è stato stampato più volte ma mai in edizione critica – è stata parzialmente tradotta in inglese da M. Levine (1976); la seconda parte, di cui si traducono per la prima volta qui ampi passi (cfr. *infra*, T17, p. 158), è ispirata tra l'altro all'*Enciclopedia dei Fratelli della purità*;

7. *Le dottrine dei filosofi* (*De'ot ha-filosofim*), una grandiosa e sistematica enciclopedia della fisica e della metafisica di Aristotele, costituita pressoché interamente da citazioni riprese dai commenti e dalle interpretazioni di Averroè sul *Corpus Aristotelicum*. L'opera, quasi totalmente inedita, è conservata solo in due manoscritti (cfr. Zonta 1992);

8. il *Libro dell'anima* (*Sefer ha-nefesh*), un trattato di psicologia secondo i dettami della scuola aristotelica, intessuto di citazioni dai diversi compendi e commenti del *De anima*. L'edizione critica dell'opera è stata pubblicata recentemente da Rafael Jospe;

9. la *Perfezione delle azioni* (*Shelemut ha-ma'asim*), uno scritto di argomento etico, in parte basato su un compendio tardoantico dell'*Etica Nicomachea*. L'edizione di Jospe, pubblicata nel 1988, non è esente da mende, più volte segnalate[12];

10. l'*Epistola del sogno* (*Iggeret ha-ḥalom*), un trattatello etico ispirato agli scritti etici di Galeno e dedicato alla cura del corpo e dell'anima, che venne pubblicato da Henry Malter nel 1911;

11. la *Guida alla «Guida»* (*Moreh ha-moreh*), un commento al primo libro della *Guida dei perplessi* di Maimonide, datato del 1280 e ricchissimo di citazioni della filosofia greca e araba, del quale è in preparazione un'edizione critica a cura di Yair Schiffman;

12. lo *Scritto sulla questione della «Guida»* (*Miktav 'al devar ha-Moreh*), una difesa filosofica di Maimonide dagli attacchi di Shelomoh Petit, composta nel 1290 e pubblicata nel 1838;

13. un *Commento al Pentateuco* (*Perush 'al ha-Torah*), del quale restano numerose citazioni nel commento biblico *Fonte di vita* (*Meqor ḥayyim*) del filosofo ed esegeta ebreo spagnolo del Trecento Shemuel (Ibn) Ṣarṣa, in buona parte edite tra il 1988 e il 1993 da R. Jospe e Dov Schwartz[13].

[12] Le edizioni del *Libro dell'anima* e della *Perfezione delle azioni* si trovano in Jospe 1988; per le mende di quest'ultima, cfr. Chiesa 1990; Zonta 1990b, alle pp. 222-25.

[13] Cfr. al riguardo Jospe 1988, pp. 459-84; Jospe-Schwartz 1993.

T17. FILOSOFIA, SCIENZA E RELIGIONE NELL'EBRAISMO TARDOMEDIEVALE (dal *Libro del ricercatore*, parte II)[14]

Nel *Libro del ricercatore*, Falaquera presenta in forma quasi romanzesca (il viaggio ideale di un discepolo alla ricerca della felicità intellettuale tra i maestri delle diverse discipline del *curriculum* di un ebreo del tardo Medioevo) i temi più ricorrenti nella sua produzione, e in generale della filosofia ebraica del suo tempo: la necessità di sanare la frattura tra filosofia e religione, creata dall'incomprensione dei difensori più rigidi della tradizione talmudica (qui impersonati dalla prima figura incontrata, quella del «credente»), ponendosi sulla linea di chi, come Maimonide (qui adombrato dietro la seconda figura, quella del «sapiente»), trova una perfetta, benché nascosta, corrispondenza tra Aristotele e la Legge religiosa ebraica; e la volontà di esporre in forma chiara e divulgativa la «sapienza dei Greci», proprio nello sforzo di mostrarne la sua conciliabilità con la Bibbia (ed è questo il fine dei fittizi dialoghi del «ricercatore» con i «matematici», con il «logico», con il «naturalista» e infine con il «filosofo», cultore della metafisica aristotelica, che è per Falaquera il culmine della conoscenza umana).

Quando il ricercatore ebbe terminato di studiare con gli uomini con cui aveva studiato[15], si accorse che costoro non avevano raggiunto la felicità da lui cercata, ossia la felicità vera, e non li vedeva dotati della qualifica di uomo virtuoso. Egli comprese allora che tutte le loro azioni e le loro dottrine erano proposte e gradini [da percorrere] per ascendere fino alla vera felicità, che è la conoscenza. Allora, egli studiò e cercò bene di capire in quale conoscenza consistesse questa felicità, da dove essa provenisse e quale ne fosse il luogo, e quale scienza potesse spiegarne l'essenza.

Cominciò dunque a discutere con un credente nella Legge religiosa, [per vedere] se [la vera felicità] si trovasse lì, e discusse con un credente nella vera Legge, che è la Legge di Mosè – su di lui sia la pace. [Il credente] gli rispose che buona parte del mondo concorda sul fatto che questa Legge, che Mosè stabilì davanti agli Israeliti, viene dal Signore – sia esaltato e benedetto; e che le altre leggi delle genti sono state ordinate dai loro sapienti e dai loro capi secondo ciò che conveniva loro, e a seconda dell'opportunità del momento e delle opinioni [correnti]. Costoro si sforzano di rendere le loro leggi simili alla nostra Legge, e di avvicina-

[14] Falaquera 1778, pp. 64.23-65.15; 65.21-66.31; 70.7-17; 70.21-71.14; 71.37-72.7; 72.34-73.8; 73.21-32; 88.7-18; 89.2-21; 90.34-91.7; 91.35-92.9; 94.13-18; 94.21-95.1; 95.18-97.20; 101.37-38; 102.12; 102.16-103.34.

[15] Si allude qui agli studiosi con cui il ricercatore si era intrattenuto a colloquio fino ad allora.

re le loro azioni alle azioni [della nostra Legge], come chi fa una sagoma somigliante a quella di un uomo si sforza in tutto di rassomigliarla ad una sagoma umana. [Anche] costoro attribuiscono le loro leggi al Signore – sia esaltato e benedetto – per magnificarle agli occhi del volgo, affinché [la gente] creda che vi è una pena per le azioni cattive, e un premio per le azioni buone.

Disse il sapiente: «L'ingiustizia è nella natura dell'anima, e riesce ad impedirla solo una di queste due cose: o la paura della pena, o il vantaggio del premio».

Il ricercatore cercò dunque un sapiente nella nostra Legge, che era anche la Legge della sua religione, e gli venne detto che egli se ne stava solitario in un luogo. [Il ricercatore] si affrettò ad andarvi, e lo trovò che stava leggendo la *Torah*: era *shabbat bereshit*[16]. Gli disse: «Dio sia con te. Il pio teme Dio e fugge il male». E quell'uomo gli rispose: «Dio ti guidi, figlio mio, con la sua verità, e apra i tuoi occhi con la luce della Sua legge».

Gli disse il ricercatore: «Qual è la tua professione, signor mio?».

Disse [il credente]: «Io temo Dio che ha fatto il mare e la terraferma, e la mia anima desidera la Sua Legge. Io non mi do pena per le vanità del mondo, che sta nelle mani di altri. Anche tu fammi conoscere che cosa desideri, che cosa cerchi, e chi ti ha condotto qui».

Rispose il ricercatore: «Questo è il mio desiderio, e questo è ciò che cerco: conoscere la felicità umana, perché [l'uomo] sia stato creato, e quale sia il suo scopo. Io ho già studiato molte cose, che affermano di aver raggiunto tale scopo. Però, dopo averle studiate, ho trovato che esse sono remote dalle cose umane, e finora non ho raggiunto questo scopo [...]».

Rispose il credente: «Pace a te e pace alla tua venuta, se veramente e perfettamente il tuo spirito è disposto a conoscere lo scopo dell'uomo e perché egli è stato creato. Porgimi il tuo orecchio, e ascolta il mio insegnamento, e sappi che l'uomo è stato creato per occuparsi della Legge e per meditarla giorno e notte, così da continuare a fare tutto ciò che sta scritto. Infatti, in tal caso egli avrà successo nelle sue vie e disporrà dell'intelligenza: questo è dunque lo scopo dell'uomo e la sua felicità vera. Rispettando la Legge l'uomo vivrà in questo mondo, e avrà sempre successo, a lungo. Pertanto, sta scritto: '[Dio] è la tua vita e la lunghezza dei tuoi giorni' (Dt 30,20). I nostri sapienti – di benedetta memoria – hanno detto che questo mondo non è stato creato altro che per chi si affatica nella Legge: 'Da dove viene ogni uomo? Tutto il

16 Si tratta del primo sabato dopo la festa dei Tabernacoli, poco dopo l'inizio dell'anno ebraico.

mondo non è stato creato altro che per dargli ordini'; e hanno detto: 'Il Santo – sia benedetto – non dispone, nel Suo mondo, altro che di quattro princìpi di diritto'; e hanno detto: 'Il mondo e ciò che lo riempie non sono stati creati altro che per la Legge'[17]».

Chiese il ricercatore: «E qual è il principio base della Legge?».

Rispose il credente: «Il principio base della Legge è quello di credere che c'è un Creatore del mondo, il quale è uno solo e ha fatto esistere tutte le creature *ex nihilo*; di credere che il mondo è creato e non eterno *a parte ante*[18], come sostengono invece i miscredenti, e che Egli – sia benedetto – ha infuso la profezia sul profeta, mandandolo a far conoscere agli uomini la Sua volontà, modificando per mano [il corso] della natura e compiendo i miracoli; e di credere nella sopravvivenza dell'anima dopo la sua separazione dal corpo, e nella pena e nel premio [nell'aldilà]».

Chiese il ricercatore: «Dimmi se tu hai avuto conoscenza di questi princìpi mediante un ragionamento o per tradizione. Infatti, ho sentito dire che chi conosce una cosa per tradizione è come se camminasse nel buio e nell'oscurità della notte».

Rispose il credente: «Ho udito le parole dei miscredenti, e ti dirò che io non ho altra prova di questo se non il fatto che così ha tramandato Mosè nostro maestro – su di lui sia la pace – dal monte Sinai, e che noi abbiamo ricevuto questa tradizione da lui: che bisogno c'è di altre prove? I nostri occhi vedono, e le nostre orecchie odono».

Chiese il ricercatore: «E se qualcuno mettesse in dubbio la tua fede, e dicesse che gli dèi sono due: l'uno provvede alle cose superiori, e l'altro alle cose inferiori, come credono alcuni[19], e stesse a quell'altra opinione, che afferma che [...] ci sono due princìpi, e non dà retta alla tua tradizione? E se [costui] dicesse che tutto il mondo è eterno, e ne portasse delle prove traendole da ciò che si vede? E se dicesse che è impossibile che la natura si alteri, e che è dubbio se l'anima sopravviva [o no]? Tanto più che si trova che Salomone – su di lui sia la pace – disse: 'Chi sa se l'anima dell'uomo sale verso l'alto?' (Qo 3,21). [E se costui] condividesse la credenza dei filosofi, i quali affermano che tutte le leggi nascono dal governo umano, e da sé, in modo che l'ordinamento degli uomini non si corrompa e per prolungare la pace tra di loro, tu che cosa gli risponderesti?».

[17] Cfr. *Bereshit rabbah*, I, 4 (cfr. Ravenna 1978, p. 32).

[18] In ebraico, *qadmon*, letteralmente «antico»; per questo uso tecnico del termine, cfr. Sermoneta 1969, p. 259.

[19] Allusione alle dottrine manichee, che non erano del tutto ignote al pensiero filosofico e teologico ebraico medievale.

Rispose il credente: «Questa è, in breve, la mia risposta. Dico che l'uomo deve, in tutte queste cose, appoggiarsi su ciò che sta scritto nella Legge, e non deve appoggiarsi sul suo intelletto, perché nella Legge ci sono misteri divini, che l'intelletto umano non è in grado di comprendere. Per questo Salomone dice: 'Ciò che è è remoto e molto profondo ecc.' (Qo 7,24); e dice: 'Anche il mondo [Egli] ha posto nel loro cuore' (Qo 3,11)».

Se l'uomo fosse in grado di comprendere quei misteri con il suo intelletto, egli potrebbe appoggiarsi al suo intelletto, e non avrebbe bisogno della profezia, né potrebbe trarne utilità alcuna. Ora, le cose menzionate nella Legge, che l'intelletto respinge e considera ripugnanti, non sono remote e ripugnanti nella realtà, ma anzi sono vere secondo l'intelletto divino. L'uomo, però, per quanto sia giunto al vertice della perfezione umana, è, rispetto agli intelletti separati, nella condizione tenuta dal bambino e dallo stupido rispetto all'uomo perfetto. Infatti, come molti dei bambini respingono con il loro intelletto molte cose che non sono assurde, ma sono anzi possibili, così fa l'uomo al vertice della perfezione di fronte agli intelletti divini[20]. [...]

Disse il credente: «Tu mi dici cose difficili da capire e confuse, che non giungono alle mie orecchie, e che sono fastidiose ai miei occhi. Sono come le parole di coloro che, in sogno, dicono cose assurde e senza spiegazione, e che parlano così, senza costrutto».

Gli disse il ricercatore: «Anch'io ho capito che l'ignoranza ha indurito il tuo cuore, impedendoti di capire, e ha assordato le tue orecchie, impedendoti di ascoltare, e ha accecato i tuoi occhi. Ecco, ora mi è chiaro che tu non sai nulla né delle cose evidenti, né tantomeno delle cose nascoste, e che tutta la tua conoscenza è per sentito dire, e che tutta la tua credenza è una cosa appresa, sono precetti dati dagli uomini».

Il credente si adirò molto con il ricercatore, e gli disse: «Va' per la tua strada e riguardati, ma non farti più vedere da me!».

Il ricercatore gli disse: «Non mi farò più vedere da te» [...].

Allora, il ricercatore andò a cercarsi un sapiente [esperto] nella Legge e nella filosofia, e gli raccontò tutto quanto gli era accaduto con il credente, le domande che gli aveva posto e le risposte [che ne aveva ricevuto].

Il sapiente gli disse: «Sappi che la vera felicità umana si raggiunge osservando la Legge. Così disse Salomone – su di lui sia la pace –: 'Fine del discorso; tutto è stato udito; temi Dio e osserva i Suoi precetti, perché questo è tutto l'uomo' (Qo 12,13) – ossia: il fine dell'uomo è il timore del Signore – sia benedetto ed esalta-

[20] Tutto questo paragrafo ha, come fonte remota, un passo del capitolo quinto dell'*Enumerazione delle scienze* di al-Fārābī.

to. Da parte sua, la conoscenza dei fondamenti della Legge e la causa dei suoi princìpi non si può [avere] se non dalla conoscenza delle scienze che ne danno spiegazione: si tratta delle scienze che spiegano l'esistenza di Dio e la Sua unità, e la conoscenza della sostanza dell'anima umana, e come avvenga la sua congiunzione con il suo Creatore – perché è in questa congiunzione che consiste la vera felicità, e il bene senza fine, come sta scritto: 'Quanto è grande la Tua bontà, che hai riservato a coloro che Ti temono!' (Sal 31,20); e giacché la conoscenza delle scienze è necessaria alla perfezione dell'uomo, [i sapienti del *Talmud*] dissero – sia benedetta la loro memoria – che nel giorno del giudizio chiedono ad un uomo: 'Hai compiuto con regolarità lo studio della Legge? Hai studiato con cura la scienza?'[21].

Disse il saggio[22]: 'Come il corpo riluce della luce dell'anima, e l'anima [riluce della luce] dell'intelletto, così l'intelletto riluce della luce della fede e non raggiunge la perfezione se non grazie ad essa. Sappi che c'è differenza tra la conoscenza che si acquista grazie all'intelletto – che si chiama "conoscenza" – e la conoscenza che si acquista grazie alla tradizione – che si chiama "fede". Infatti, la conoscenza è la forma dell'oggetto conosciuto nell'anima di colui che conosce; ma è possibile che la forma presente nell'anima del soggetto conoscente non abbia un'esistenza al di fuori della sua anima – e questa non è una conoscenza veritiera, e in questo modo coloro che conoscono incappano in errori. Invece, la fede consiste nel fatto che l'uomo approva colui che gli comunica quella cosa [che è l'oggetto della fede], e lo segue in ciò che gli narra; ma è possibile che quello gli comunichi delle cose nelle quali non crede, e che gli dica oralmente il contrario di ciò che ha in cuor suo e che ha messo per iscritto: in questo modo, alcuni dei credenti incappano in errori'.

Sappi che grazie alla conoscenza delle scienze veridiche l'uomo comprende i misteri e i segreti della Legge. Colui che cerca di ottenere la perfezione umana, dunque, deve occuparsi di queste [scienze] dopo essersi occupato della Legge, e allora potrà sapere che tutto ciò che è narrato nella *Genesi* è vero per chi sa comprenderlo: è una cosa per la quale vi sono delle prove, ricavabili dal ragionamento, e ciò che i nostri sapienti – sia benedetta la loro memoria – dissero di queste cose ha una spiegazione; non si tratta di cose semplici, ma sono cose che attirano l'attenzione dell'uomo su molte questioni, in modo allusivo e sintetico».

[21] Cfr. *Talmud babilonese*, *Shabbat* 31a (abbreviato e alterato).

[22] Il paragrafo seguente è ripreso dalle *Epistole dei Fratelli della purità*, che rappresentano una delle principali fonti di questa parte del *Libro del ricercatore*: cfr. Ikhwān al-ṣafā' 1957, vol. IV, pp. 61.13-17 e 65.1-8.

Gli disse il ricercatore: «Ti chiedo di spiegarmi queste cose, perché la mia anima ha sete di esse».

Rispose il sapiente: «Non lo farò, altrimenti varcherei il limite posto dai nostri sapienti – sia benedetta la loro memoria – e infrangerei i loro ordini, che prescrivono di tenere queste cose nascoste al volgo, dicendo: 'Il latte e il miele [restino] sotto la tua lingua'. [...]»

Gli disse il ricercatore: «Io vedo nella Legge molte cose che ripugnano all'intelletto».

Rispose il sapiente: «I nostri sapienti – sia benedetta la loro memoria – ci hanno risolto questi dubbi, dicendo: 'La Legge parla la lingua degli uomini'[23]. E Maimonide – sia benedetta la sua memoria – ha composto su questo argomento il libro chiamato *La guida dei perplessi*, un'opera nobilissima e utile, e un modo per dare una risposta veridica e per sciogliere molti dei dubbi a chi è in grado di comprenderli. Ma chi studia queste cose non può approfondire la sua comprensione e arrivare sino in fondo al suo fine se non si occupa prima delle scienze. Ciononostante, tu devi sapere che, nella Legge, vi sono cose nascoste, che né il sapiente, né tantomeno gli altri sono in grado di approfondire. [...]

Tu ricercatore, se hai in mente conoscere tutto perfettamente, dopo esserti occupato della Legge, occupati delle scienze, e comincia dalle scienze che fungono da introduzione alla scienza fisica e metafisica: capirai allora il timore di Dio, e troverai la conoscenza di Dio. Però, presta la massima attenzione, riguardati e sorvegliati molto, così da non dimenticarti delle parole della Legge, e da non farle sfuggire dal tuo cuore. Non credere alle parole dei dotti che riflettono razionalmente poco o tanto di ciò che viene nascosto nelle parole della Legge. Infatti, la credenza nella Legge è il principio base, perché proviene dal Signore – sia esaltato e benedetto – ed è al di sopra della riflessione razionale, e guida alla conoscenza della verità. Molte delle dottrine dei dotti razionalisti sulla metafisica, infatti, sono tutto il contrario della verità, mentre nelle loro dottrine sulla fisica il falso si mescola al vero: pertanto, io devo metterti in guardia, così che tu non ponga l'occhio del tuo intelletto sulle loro parole e sulle loro prove e dimostrazioni, e ti fidi e creda in esse, perché in tal caso tu avrai una formazione cattiva. [...]»

Quando il ricercatore ebbe finito tutta questa discussione con il sapiente credente nella Legge, andò, secondo gli ordini di questi, a studiare le scienze matematiche, ossia la scienza che studia gli enti separati dalla materia, cui inerisce una misura. Le scienze [matematiche] sono cinque:

[23] Cfr. *Talmud babilonese*, *Yevamot*, 71a.

1. la scienza del numero [*scil.* l'aritmetica], che studia tutto ciò che concerne il numero e le sue proprietà;
2. la scienza della geometria, che studia la linea, la superficie e il corpo in assoluto;
3. la scienza degli specchi [*scil.* l'ottica], che studia la linea, la superficie e il corpo in quanto sono oggetto della vista;
4. la scienza degli astri [*scil.* l'astronomia], che studia le quantità dei movimenti dei corpi celesti, le loro disposizioni, le misure delle loro grandezze, e le loro distanze;
5. la scienza della melodia [*scil.* la musica], che studia le melodie, le loro proporzioni e le loro combinazioni.

Egli iniziò dalla scienza del numero, e trovò un uomo sapiente in questa scienza, della scuola di Pitagora, lo studioso di questa scienza. [...][24]

Quando il ricercatore ebbe finito di discutere con gli esperti delle scienze matematiche, ed ebbe capito che la sua intenzione era quella di rinnovare il pensiero, andò a parlare con un esperto della scienza della logica, per conoscere l'utilità di questa scienza e il suo grado tra le scienze. Trovò dunque un uomo esperto di questa scienza, e gli disse: «Mio signore, ho sentito dire che sei esperto in questa scienza, e per questo ti chiedo che mi spieghi un poco di essa, così che io possa comprenderne l'utilità». [...]

Gli rispose il sapiente logico: «Sappi che ogni conoscenza è o una concezione, o una verifica[25]. La concezione si conosce mediante una definizione e simili: per esempio, la quiddità dell'uomo; la verifica si conosce mediante un sillogismo, come quando verifichiamo che ogni cosa ha un principio. Mediante la definizione e il sillogismo[26] l'uomo conosce le cose che non conosceva, quando le prende in considerazione. [...] Questa è l'utilità di questa scienza: essa sta alla riflessione intellettuale come la grammatica sta alla lingua – senonché chi, tra gli uomini, ha un ingegno per-

[24] A queste parole segue il fittizio resoconto degli incontri tra il ricercatore e una serie di esperti nelle diverse scienze matematiche elencate sopra. Falaquera si ispira anche qui, come altrove, alla struttura dell'*Enciclopedia dei Fratelli della purità*, dove le matematiche precedono logica, fisica e metafisica.

[25] Traduco con «concezione» e «verifica» rispettivamente i termini ebraici *ṣiyyur* e *haṣdaqah*, che a loro volta rendono i termini arabi *taṣawwur* e *taṣdīq*, il primo dei quali designa il «che cosa è», il secondo il fatto che una cosa esista o meno. Il passo che segue (qui non riprodotto per intero) è tratto, con poche modifiche, dalle prime pagine de *La salvezza*, l'enciclopedia filosofica breve di Avicenna: cfr. Ibn Sīnā 1992, pp. 9.1-10.4.

[26] Nel testo edito si legge, probabilmente per errore, il termine *hatḥalah*, «principio».

fetto può non avere bisogno di apprenderla. Però, non è possibile che un uomo di studio non abbia bisogno di questa scienza.

I libri dedicati a questa scienza sono nove: otto sui fondamenti [della scienza] e uno come introduzione ad essi. Quest'ultimo si chiama **Isagoge**, e il suo intento è quello di spiegare cinque termini[27]:

1. 'genere': è ogni termine che indichi molte cose le cui forme siano diverse, e che siano comprese in un solo concetto, come 'animale', che comprende l'uomo, le bestie [di terra] e gli uccelli;
2. 'specie': è ogni termine che indichi molte cose le cui forme siano concordi, e che siano comprese in un solo concetto, come 'uomo', che indica molti [individui] che hanno una sola forma e che si distinguono negli accidenti;
3. 'proprietà': è ogni termine che indichi una caratteristica di una sola specie tra le molte, come il riso nell'uomo;
4. 'accidente': è ogni termine che indichi una caratteristica che si verifica nel suo oggetto rapidamente, e se ne scompare altrettanto rapidamente, come l'arrossamento nella carne;
5. 'differenza': indica un concetto mediante cui la specie si differenzia dal genere, come la ragione nell'uomo e il ruggito nel leone.

Il primo degli otto libri [della logica] si chiama **Categorie**[28]. In esso vengono spiegate le dieci categorie, ossia i generi generalissimi che comprendono tutti gli enti: sostanza, quantità, qualità, relazione, dove, quando, posizione, possesso, azione e passione. [...]

Nel secondo libro si spiega come avviene la composizione dei concetti corruttibili in una frase affermativa o negativa, così che ne risulti una proposizione. Questo si chiama **Libro dell'interpretazione**.

Nel terzo libro [*scil.* gli *Analitici priori*] si spiega la composizione delle proposizioni, così che ne risulti un sillogismo. [...]

Nel quarto libro [*scil.* gli *Analitici posteriori*] si spiega il sillogismo dimostrativo, con il quale l'uomo perviene alla verità, sulla quale non c'è dubbio. Questa è la vera scienza, e questo libro viene prima degli altri per grado.

Nel quinto libro [*scil.* i *Topici*] si spiegano i sillogismi utili a chi ha una mente incapace di comprendere il sillogismo dimo-

27 La descrizione qui proposta delle *quinque voces* studiate da Porfirio nell'*Isagoge* è ispirata in buona parte all'*Enciclopedia dei Fratelli della purità*: cfr. Ikhwān al-ṣafā' 1957, vol. I, pp. 395-96.

28 La ripartizione della logica qui presentata si rifà a quella data da al-Fārābī nella sua *Enumerazione delle scienze*.

strativo, e [si spiega] come, a partire dai discorsi comunemente ammessi, si compone il sillogismo dialettico.

Nel sesto libro [*scil.* le *Confutazioni sofistiche*] si spiega come l'uomo può preservarsi dall'errore nel sillogismo 'ingannevole', chiamato 'sofista'.

Nel settimo libro [*scil.* la *Retorica*] si spiegano le questioni retoriche utili per trasmettere alla gente insegnamenti sotto forma di consigli e di assicurazioni, di lodi a qualcosa e di biasimo ad altre cose, e simili.

Nell'ottavo libro [*scil.* la *Poetica*] si spiegano i discorsi poetici e la loro utilità. [...]»

Dopo queste parole, quando il ricercatore ebbe capito che tutte le scienze precedenti sono introduttive alla percezione della sostanza degli enti e alla loro quiddità, andò a studiare con un sapiente esperto nelle scienze che studiano la quiddità degli enti naturali. Egli trovò un uomo che studiava le cose naturali, e che studiava i prodigi compiuti in esse dal Signore – sia benedetto ed esaltato – e la Sua meravigliosa sapienza, e gli disse: «Signore mio sapiente, l'anima mia ha sete della tua sapienza veritiera». [...]

Gli rispose il naturalista: «Questa scienza, che è la scienza della natura [*scil.* la fisica], studia i corpi naturali e i loro accidenti, e i soggetti di questa scienza sono i dieci generi che sono stati spiegati nella logica [*scil.* le categorie]».

Gli disse il ricercatore: «Potresti farmi conoscere le generalità della natura, e che cosa essa sia?».

Rispose il naturalista[29]: «Sappi che la natura è una potenza dell'anima celeste universale. Questa potenza è estesa e procede in tutti i corpi che si trovano sotto il cielo. I sapienti la chiamano 'natura della generazione e della corruzione', mentre la Legge [religiosa] la chiama 'angelo'. Si tratta di una sola anima, che ha molte potenze estese negli elementi, e in ognuno dei corpi minerali, vegetali e animali c'è una potenza di quest'anima, che guida quel corpo, e che si chiama 'anima particolare'.

La prima cosa generata con la generazione sono le impressioni generate, come la pioggia, il vento e simili. [...]

Poi, si produce il minerale[30]: esso nasce dai vapori nascosti nelle viscere della terra, i quali si compattano e si mescolano, ed è pronto, in virtù dei suoi diversi temperamenti, a ricevere forme diverse, che vengono emanate su di esso dal 'datore delle forme'.

[29] La prima parte della risposta del naturalista riassume praticamente i temi dell'epistola 18 dell'*Enciclopedia dei Fratelli della purità*: cfr. Ikhwān al-ṣafā' 1957, vol. II, pp. 62-86.

[30] Tutta la parte seguente della risposta del naturalista è evidentemente ispirata alle dottrine psicologiche di Avicenna.

Se invece gli elementi si mescolano con un temperamento più vicino all'equilibrio di quanto lo sia il temperamento del minerale, allora quel temperamento è pronto a ricevere forme più nobili della forma del minerale, e gli sopraggiunge qualcosa che non si trova nel minerale: si chiama 'anima vegetativa', ed ha tre azioni, ossia il nutrimento, l'accrescimento e la generazione.

Se poi [gli elementi] si mescolano in modo più perfetto, e più vicino all'equilibrio, [quel temperamento] è pronto a ricevere l'anima animale, che è più perfetta dell'anima vegetativa, perché dispone della potenza [propria] dell'anima vegetativa, e [in più] di due altre potenze: la prima di esse dà la percezione, e la seconda dà il movimento. Queste due potenze pertengono ad una sola anima, e per questo l'azione dell'una è legata a quella dell'altra: infatti, la percezione produce il desiderio, ossia il movimento [spinto] o alla ricerca di qualcosa o ad evitare qualcosa. Se il desiderio è diretto a respingere qualcosa, si chiama 'irascibile'. I cinque sensi rientrano tra le potenze di quest'anima, ed hanno un senso comune, dal quale quei cinque sensi sono prodotti, e al quale ritornano. Quest'anima ha poi la potenza dell'immaginazione, che è una potenza che conserva le forme impresse nel senso comune: infatti, la conservazione è cosa diversa dalla ricezione – per esempio, l'acqua riceve sì la forma, ma non la conserva.

Se poi il temperamento degli elementi è ancora più equilibrato e più perfetto, ed è a un punto tale che sarebbe impossibile che ve ne fosse uno più perfetto, come lo è il seme umano, che è il prodotto della concozione nel corpo umano di cibi che sono più puri e più fini dei cibi degli altri animali e delle piante, allora [questo temperamento] è pronto a ricevere la forma dal 'datore delle forme', che è la forma più elevata di tutte, ossia l'anima umana.

L'anima umana ha due potenze: una pratica, e l'altra teoretica. La potenza pratica è la conoscenza [che serve] per compiere azioni, come le buone azioni e i buoni costumi; la potenza teoretica percepisce la quiddità di una cosa, come avviene quando noi percepiamo la quiddità dell''umanità', distinguendola da tutto ciò che non è umano. Questa [seconda] potenza si chiama 'intelletto', ed è diversa dall'immaginazione. Infatti, l'immaginazione non è in grado di percepire questo, perché noi non siamo in grado di immaginarci un uomo se non lontano o vicino, seduto o in piedi – e tutte queste cose sono estranee alla quiddità dell'uomo; invece, con questa potenza [*scil.* l'intelletto] si percepiscono le cose che non appaiono esteriormente. Per questo, l'uomo ha una proprietà che non è condivisa da nessun altro animale, ossia il fatto di concepire e verificare gli universali.

La potenza dell'intelletto ha diversi gradi, che hanno dei nomi:

1. il primo grado è quello in cui nell'intelletto non vi sono intelligibili, ma vi è [solo] la predisposizione [ad essi], come accade nel bambino. Si chiama 'intelletto materiale' e 'intelletto in potenza';

2. il secondo grado è quello in cui appaiono in esso due specie di forma intelligibile: gli [intelligibili] primi e veridici, che si hanno senza doverli acquisire, e gli [intelligibili] comunemente ammessi, che si ricevono per sentito dire, senza riflessione. Si chiama 'intelletto in acquisizione'[31], perché è in grado di acquisire gli intelligibili, se vuole;

3. e quando li acquisisce, pensando ad essi, assume il nome di 'intelletto in atto' – come colui che conosce, il quale è impressionato dall'oggetto della sua conoscenza, ed è in grado di conoscerlo, se vuole;

4. quando infine la forma dell'oggetto conosciuto si trova sempre nel suo pensiero, quella forma prende il nome di 'intelletto emanato' – s'intende, emanato dalla causa divina.

Ora, non è possibile che queste percezioni [intellettuali] avvengano grazie ad una potenza corporea, così come non è possibile che le percezioni sensoriali avvengano altrimenti che grazie ad una potenza corporea. Dunque, ciò che percepisce questi intelligibili è una sostanza che sussiste di per sé, non è né un corpo né una cosa corporea, e non finisce al finire del corpo, ma sopravvive per l'eternità».

Gli disse il ricercatore: «Io ti chiedo di spiegarmi quali sono le parti della scienza della natura».

Rispose il naturalista: «Le parti della scienza naturale sono otto[32]:

1. la conoscenza degli universali che riguardano tutti gli enti naturali, come la materia, la forma, il luogo e il movimento, e ciò che accade ad essi quando sono posti in relazione gli uni con gli altri, nonché il collegamento dei movimenti con gli oggetti mossi, e il fatto che [tali oggetti] hanno un motore che non è a sua volta mosso, che ha una potenza infinita, che non è né un corpo né una potenza corporea. Questa parte è compresa in quel libro che si chiama *Fisica*;

2. la conoscenza del cielo e del mondo, ossia la conoscenza della quiddità delle sostanze celesti e degli astri, nonché la causa del

[31] La traduzione qui proposta è quella suggerita dal contesto. In realtà, la locuzione ebraica *sekel be-qinyan* qui impiegata da Falaquera designa il cosiddetto «intelletto in abito».

[32] La suddivisione della scienza naturale qui presentata si rifà all'*Epistola sulle divisioni delle scienze intellettuali* di Avicenna. Cfr. al riguardo Zonta 1995b.

loro girare in cerchio. [Questa parte] studia se [i cieli] subiscano la generazione e la corruzione, così come la subiscono gli elementi, e qual è la causa dei movimenti degli astri, [quali sono] le variazioni nella velocità [del loro moto], e qual è la causa per cui la terra sta ferma al centro [dell'universo], nonché se vi sia al mondo un vuoto. Tutto questo si trova nel libro *Sul cielo e sul mondo*;

3. la conoscenza della generazione e della corruzione, ossia la conoscenza della quiddità delle sostanze degli elementi, e come esse si trasformino le une nelle altre, e come da esse si generino il minerale, il vegetale e l'animale. [Questa parte studia] la scienza di Dio – sia esaltato e benedetto – nelle Sue connessioni con gli enti terrestri e celesti, nonché la sopravvivenza delle specie al perire degli individui, e i due movimenti celesti: quello verso oriente, e quello verso occidente. Tutto questo si trova nel libro *La generazione e la corruzione*;

4. la conoscenza degli enti prodotti nell'aria, ossia la conoscenza della qualità dell'alterazione dell'aria – per esempio, le impressioni prodotte [in essa] dagli astri mediante i loro raggi, che arrivano sino agli elementi, e i loro spostamenti; e in particolare l'aria che è sempre sottoposta ad alterazione da parte della luce e delle tenebre, del caldo e del freddo; inoltre, [la conoscenza di] come si producono i venti, la nebbia, le nubi, la pioggia, la neve, la grandine, il fulmine e il tuono, le stelle cadenti, l'arcobaleno, la tempesta, i mari e i fiumi, e le cose del genere che si verificano al di sopra del nostro capo[33];

5. la conoscenza del minerale, ossia la conoscenza delle sostanze petrigne e compatte [prodotte] dai vapori racchiusi nel ventre della terra, come le diverse specie di pietre preziose, l'argento, l'oro, il rame, il ferro, lo zolfo, il sale e simili. Tutto questo è incluso nel libro *Sui minerali*[34];

6. la conoscenza delle piante: la semina, la piantagione e ciò che se ne produce, e le proprietà di quelle specie [vegetali][35];

7. la conoscenza degli animali, ed inoltre la conoscenza di tutto ciò che si nutre, si arrampica e si muove, di come avviene la loro generazione, nel ventre [materno] o mediante uova o mediante putrefazione, e la conoscenza dell'utilità delle loro membra[36];

[33] Sono, grosso modo, i contenuti dei libri 1-3 dei *Meteorologici* di Aristotele.

[34] Si tratta di un'opera pseudo-aristotelica, diffusa nel Medioevo arabo e più volte tradotta in latino ed in ebraico.

[35] Si tratta dei contenuti del *De plantis* di Nicola di Damasco, diffuso nel Medioevo arabo, ebraico e latino sotto la falsa attribuzione ad Aristotele.

[36] Sono questi i contenuti dei tre scritti zoologici di Aristotele noti al Medioevo ebraico: l'*Historia animalium*, il *De partibus* e il *De generatione animalium*.

❑ 8. la conoscenza dell'anima, e delle potenze degli animali che hanno percezione e movimento, e in particolare dell'anima dell'uomo, che non muore al morire del corpo, e che è una sostanza spirituale. Tutto questo si trova nel libro *Sul senso e sul sensato*»[37]. [...]

Il ricercatore studiò con il naturalista i libri di [scienza] naturale, e rimase con lui sei anni. Poi, [...] il ricercatore andò per la sua strada, e il naturalista rimase dov'era. [...]

Dopo queste parole, quando il ricercatore ebbe capito che tutti gli uomini con i quali aveva discusso non avevano raggiunto il fine che [egli] cercava, e la loro mente non era stata in grado di rispondere a tutte le sue domande, [...] allora cercò di parlare con l'uomo dai costumi perfetti, ossia con colui che studia tutti gli enti e si sforza di capire la loro reale natura, standosene separato dagli uomini in modo da poter percepire il suo Creatore e congiungersi con Lui: si tratta di colui che, in lingua greca, è chiamato «filosofo», ossia «amante della sapienza».

Il ricercatore trovò il filosofo e gli disse: «Dio sia con te, filosofo signor mio».

Il filosofo gli rispose: «Dio, che insegna all'uomo, ti dia l'intelletto e ti guidi a procedere su questa via, e illumini l'occhio della tua mente con la luce dell'intelletto».

Il ricercatore gli narrò la sua ricerca, e tutto ciò che gli era accaduto, nonché ciò di cui aveva parlato con i sapienti che lo avevano preceduto, le sue domande e le loro risposte.

Il filosofo gli disse: «Bene, hai esaminato bene la questione, domandando e studiando. Sappi, però, che in tutti quegli uomini tu non troverai il fine che cerchi: tutte le loro dottrine sono [solo] gradini per arrivare a raggiungerlo. È perfettamente vero che la felicità dell'uomo consiste nella percezione del suo Creatore e nella congiunzione con Lui; e ciò non è possibile se non mediante la conoscenza delle creature e mediante la concezione della Sua unità e del fatto che Egli è la causa di tutte le creature. Ora, la scienza che spiega queste cose è la scienza divina [*scil.* la metafisica]».

Gli disse il ricercatore: «Ti prego di spiegarmi qualcosa di questa scienza e di ciò che essa studia».

Rispose il filosofo: «Sappi che i fondamenti di questa scienza, [ossia] i princìpi, sono tre[38]:

[37] Con questo titolo si chiamavano, nel Medioevo arabo ed ebraico, i cosiddetti *Parva Naturalia* di Aristotele.

[38] Nel testo edito, per errore, si legge: «cinque». Le tre parti della metafisica qui elencate da Falaquera corrispondono alle tre parti descritte da al-Fārābī nel quarto capitolo della sua *Enumerazione delle scienze*.

1. lo studio della conoscenza dei concetti universali che abbracciano tutti gli enti: l'unità e la molteplicità, l'accordo e la diversità, la potenza e l'atto, la causa e l'effetto, e tutto ciò che si verifica negli enti in quanto sono enti;

2. lo studio dei fondamenti e dei princìpi di tutte le scienze speculative particolari, nonché la confutazione delle dottrine erronee: per esempio, il credere che il punto, la linea e la superficie siano sostanze e siano separate;

3. la terza parte studia gli enti che non sono corpi e non sussistono nei corpi; e spiega che alcuni di essi hanno una superiorità rispetto ad altri nella perfezione; spiega, dimostrandolo, che, benché tali enti siano molti, essi ascendono dalla manchevolezza sino alla perfezione, sino a che raggiungono l'estrema perfezione – della quale non è possibile che vi sia nulla di più perfetto, e neppure che vi sia qualcosa dello stesso grado – e si arriva al Primo, del quale è impossibile che vi sia qualcosa che viene prima. [Questa parte della metafisica] spiega, dimostrandolo, che Egli, grazie alla Sua divinità, è distinto da tutti gli altri enti, e che è impossibile che un altro ente sia accomunato a Lui nel grado; e [spiega] che Egli soltanto ha un'esistenza necessaria di per sé, mentre l'esistenza di ogni altra cosa è resa necessaria da Lui. Studia i Suoi attributi, e [spiega] che il nome di ognuno di essi ha un significato, e riconduce ognuno dei nomi riferiti ai Suoi attributi – per esempio, l'unità, Ente, Eterno, Sapiente, Potente – ad un concetto; [spiega] che non è possibile che una Cosa unica, che non ha in sé alcuna molteplicità, abbia molte branche; insegna come bisogna intendere questi attributi, affinché essi non comportino alcuna molteplicità in Lui: la Sua unità è l'unica ad essere sostanziale e reale. Spiega che nelle Sue azioni non vi è alcun male, non vi è alcun disordine, e non vi è alcuna manchevolezza».

Disse il ricercatore in cuor suo: «Questo si accorda con ciò che disse Mosè nostro maestro – su di lui sia la pace: 'La Roccia; perfetta è la sua azione ecc.' (Dt 32,4)». E disse al filosofo: «Ti chiedo in ginocchio, signor mio: spiegami le questioni di questa scienza».

Il filosofo gli rispose: «Non lo farò, perché i filosofi metafisici comandano che non si rivelino i segreti di questa scienza. Piuttosto, se tu leggi il libro composto su questa scienza dai filosofi, che si chiama *Metafisica*, ti sarà chiaro ciò che tu non conosci, e potrai capire le cose nella loro reale natura».

Chiese il ricercatore: «E qual è il motivo per nascondere questa scienza? Perché non è così nelle altre scienze speculative, che si occupano degli altri enti?».

Rispose il filosofo: «Il motivo sta nella profondità di questa scienza, e nel fatto che non tutte le menti riuscirebbero a sopportarla: non tutti gli studiosi sono pronti a percepirne la reale natura, e tanto meno lo sono gli altri uomini; inoltre, molte cose che sono perfette agli occhi di Dio – sia esaltato e benedetto – sono ritenute manchevoli dal volgo – il che non avviene nel caso degli altri enti».

Disse il ricercatore in cuor suo: «Forse a questo allude Salomone – su di lui sia la pace – quando dice: 'Gloria di Dio è nascondere una cosa' (Pro 25,2)».

Capitolo settimo

La filosofia ebraica nell'Europa del Trecento

1. *Introduzione storica*[1]

Il secolo XIV è certamente uno dei più fecondi della storia della filosofia ebraica medievale in Europa. Purtroppo, la grande maggioranza delle opere filosofiche in lingua ebraica redatte in questo periodo è ancora inedita e poco accessibile, ed è pertanto tuttora difficile tentare una valutazione storica generale delle diverse linee di tendenza manifestatesi nel pensiero ebraico del Trecento.

In ogni caso, le testimonianze sinora note e studiate sulla letteratura filosofica ebraica in Provenza e in Spagna nel corso di questo secolo consentono di individuare l'esistenza di diversi orientamenti di pensiero, per quanto non sempre chiaramente distinti tra di loro:

1. da una parte, un gruppo di autori, soprattutto provenzali, continua lo studio di Aristotele, o meglio dell'interpretazione araba di Aristotele, iniziata con le traduzioni e le enciclopedie filosofiche del secolo XIII: tra di essi emerge soprattutto la figura di Mosheh Narboni. Probabilmente su loro commissione, in questo periodo viene completata la traduzione ebraica dei commenti di Averroè ad Aristotele (e in particolare dei *Commenti medi* e *grandi*), ad opera soprattutto di Qalonymos ben Qalonymos di Arles (cfr. Zonta 1996, pp. 229-55);
2. d'altra parte, una sorta di scuola, raccolta, sempre in Provenza, intorno alla figura di Gersonide (probabilmente il pensatore più originale della sua epoca), reinterpreta la filosofia di Averroè e di Maimonide anche assumendo posizioni critiche nei loro confronti, e rivaluta lo studio delle scienze naturali e matematiche;
3. qualche filosofo provenzale di tendenze radicali vede la filosofia come una via sostanzialmente alternativa a quella rappresentata dalla

[1] Sul periodo storico trattato in questo capitolo, cfr. Sirat 1990, pp. 355-443; Frank-Leaman 1997, pp. 350-79 (Charles H. Manekin).

tradizione religiosa: a questa tendenza possono ascriversi tanto un sostenitore della cosiddetta dottrina della «doppia verità» come Yiṣḥaq Albalag, quanto un seguace di Alessandro di Afrodisia e accanito nominalista come Shemuel di Marsiglia;

4. una serie di pensatori sembra rifarsi ad Avicenna e ai testi ritenuti in linea con il suo pensiero (in particolare, le *Intenzioni dei filosofi* di al-Ghazālī) per costruire una filosofia diversa da quella averroistica, a difesa della tradizione religiosa ebraica dagli attacchi dei filosofi più radicali. Autori di questa tendenza si ritrovano sia in Provenza, sia in Spagna (Yosef Ibn Waqqār, e forse l'enciclopedista Mosheh ben Yehudah);

5. un circolo di neoplatonici, attivi nella Spagna del nord nella seconda metà del Trecento, si dedica allo studio e al commento delle opere di Abraham Ibn 'Ezra, nel quadro di un'adesione al determinismo astrale;

6. spicca infine la figura di Avner di Burgos, attivo come matematico e filosofo nella Spagna del primo Trecento, il cui pensiero, impregnato di elementi avicenniani e deterministici, è ancora di difficile interpretazione.

Mosheh ben Yehoshua' Narboni (1300-1362 circa), autore di numerosi commenti (alla *Guida* e al *Trattato di logica* di Maimonide, a diverse delle opere di Averroè, alle *Intenzioni* di al-Ghazālī) e di alcuni scritti originali, è un personaggio paradigmatico della filosofia ebraica dell'epoca: di lui è soprattutto nota l'adesione pressoché totale alle tesi del filosofo di Cordova, che egli vide come l'ideale interprete di Aristotele. Questa adesione non si carica tuttavia di significati ideologici: nei rapporti tra filosofia e religione, Narboni segue la linea concordistica di Maimonide, come emerge anche dalla sua polemica contro le tesi deterministiche di Avner di Burgos (ne è espressione il *Trattato sul libero arbitrio*, *Ma'amar ha-beḥirah*, composto nel 1361). In sostanza, l'opera di Narboni, che – stando al notevole numero di copie manoscritte superstiti – deve aver riscosso un notevole successo nei secoli XIV e XV, sembra aver rappresentato più che altro uno dei più importanti tramiti per la diffusione dell'aristotelismo nella cultura ebraica dell'epoca (cfr. al riguardo Hayoun 1989).

Posizioni più articolate e più originali emergono invece dal pensiero di Gersonide (su cui cfr. *infra*, pp. 178 sg.) e della sua scuola, rappresentata da un gruppo di allievi che sembrano essere stati in contatto con il loro maestro al di fuori di qualsiasi struttura accademica istituzionale (cfr. Glasner 1995; il mondo ebraico dell'epoca non conobbe realtà paragonabili alle università del mondo cristiano). Accanto a questi allievi (S. ha-Levi, Porfash, Shelomoh di Urgul, Vital), dediti principalmente a redigere, sulla scia di Gersonide stesso, una serie di supercommentari ai commenti averroistici alla logica e alla fisica di Aristotele, spicca la figura di Yeda‘yah ben Abraham ha-Penini di Béziers (1280-1340 circa), che con la scuola di Gersonide fu in contatto e talora in polemica. Quest'ultimo è noto da una parte per la sua difesa dello studio della filosofia (l'*Epistola di apologia*, *Iggeret ha-hitnaṣṣelut*), che rappresenta una delle ultime manifestazioni della controversia intorno a Maimonide svoltasi nel secolo precedente, dall'altra per le sue posizioni innovative nel campo della metafisica, che fa-rebbero pensare ad una tacita influenza della scolastica cristiana[2]: tra le dottrine sostenute da Yeda‘yah si trova, per esempio, l'esistenza di una forma individuale che Shelomoh Pines ha paragonato all'*haecceitas* di Giovanni Duns Scoto[3].

Solo da alcuni filosofi Averroè, o comunque l'aristotelismo, è visto come il portavoce di un pensiero non sempre in accordo con le credenze tradizionali del giudaismo. In questa linea rientra un pensatore attivo a cavallo tra Due e Trecento, Yiṣḥaq Albalag, autore di un commento alle *Intenzioni* di al-Ghazālī significativamente intitolato *La correzione delle «Intenzioni»* (*Tiqqun ha-de‘ot*), dove egli polemizza col teologo musulmano per difendere una tesi che appare affine a quella spesso attribuita ai cosiddetti «averroisti» latini (Sigieri di Brabante, Boezio di Dacia; cfr. Vajda 1960): quella secondo cui la verità filosofica, trasmessa dall'aristotelismo e fondata sulla dimostrazione razionale, e la verità religiosa, trasmessa dai profeti attraverso le sacre scritture e talora in contrasto apparente con la prima, rappresentano due piani incomunicabili di conoscenza, non conciliabili tra di loro (e qui Albalag entra in palese contrasto con Maimonide da una parte, con la *qabbalah* dall'altra). Nell'ottica di Albalag, la distinzione tra le due verità risponde ad un criterio di differenziazione sociale e intellettuale: fine della *Torah* è – egli sostiene – la felicità e l'educazione morale e intellettuale dei «semplici», secondo le possibilità della loro mente, men-

[2] La prima ed unica prova certa della conoscenza della scolastica tra i filosofi ebrei provenzali del primo Trecento è però data dal commento ai *Tractatus* di Pietro Ispano composto da Ḥizqiyyah bar Ḥalafta (*alias* Bonenfant de Millau) nel 1320. Su questo tema, e in generale sulla logica nella filosofia ebraica tra il 1300 e il 1350, cfr. Zonta 1997b.

[3] Cfr., su questo punto e in generale sulla fortuna di elementi del pensiero scolastico latino nella filosofia ebraica provenzale di questo periodo, Pines 1967 (rist., in trad. inglese, in Pines 1997, pp. 489-589). Cfr. anche, più recentemente, Glasner 1997.

tre fine della filosofia è la virtù etica e dianoetica di un'élite di «perfetti». Su posizioni simili si colloca l'opera di un autore provenzale di alcuni decenni posteriore, Yosef Ibn Kaspi (1279-1340 circa): autore di una serie di commenti alla Bibbia e alla *Guida* di Maimonide, egli assume nei confronti del testo biblico posizioni razionalistiche e distaccate. Nella sua ottica, le sacre scritture contengono un resoconto storico dietro il quale non ha senso cercare un senso allegorico ed esoterico; è alla filosofia che spetta invece insegnare con chiarezza le verità della fisica e della metafisica.

Sempre su posizioni radicali in filosofia sembra porsi Shemuel ben Yehudah di Marsiglia (1294-1340 circa), che esprime le sue scelte ideologiche nelle sue traduzioni e nelle critiche ai filosofi suoi contemporanei. Shemuel è infatti, da una parte, il traduttore ebraico tanto del libro I del *De anima* di Alessandro di Afrodisia (nella postfazione dell'opera, egli dichiara Alessandro superiore a tutti gli altri filosofi, compreso lo stesso Aristotele), quanto del *Commento medio* di Averroè all'*Etica Nicomachea*, la cui versione diventa il primo veicolo per la conoscenza, tra gli ebrei, di un sistema di etica filosofica sostanzialmente differente dalla morale tradizionale giudaica. Infine, nei frammenti recentemente scoperti di una sua critica dell'interpretazione data da Gersonide dell'*Isagoge* di Porfirio e delle *Categorie*, Shemuel adotta posizioni rigidamente nominalistiche, negando assolutamente l'esistenza extramentale degli universali, con espressioni alquanto simili a quelle attribuite ad alcuni nominalisti latini della sua epoca (cfr. Zonta 2000).

Questi tentativi di emarginare la tradizione religiosa ebraica spingono alcuni filosofi provenzali e spagnoli a porre le basi di una nuova filosofia, lontana dalle imperanti tendenze averroistiche e fondata semmai sullo studio di Avicenna e dei suoi «seguaci» musulmani (al-Ghazālī, Fakhr al-dīn al-Rāzī, ecc.), al fine di arrivare ad una nuova conciliazione tra ragione e rivelazione: non si tratta più – come aveva suggerito Maimonide – di arrivare ad una divisione di ruoli tra l'una e l'altra, bensì di utilizzare la prima per difendere le verità della seconda. L'interesse per gli scritti di Avicenna e della sua scuola è evidente nell'opera di due commentatori e traduttori attivi tra il 1330 e il 1340: Todros Todrosi di Arles e Yehudah ben Shelomoh Natan. Il primo, nella sua «antologia filosofica» (gli *Estratti*, *Liqquṭim*), riprende ampi passi della logica dell'enciclopedia avicenniana *La guarigione*; il secondo scrive un commento alle *Intenzioni dei filosofi* fondato su un confronto con i testi di Avicenna e al-Rāzī, e dichiaratamente teso a confutare le dottrine dei «filosofanti» (*mitfalsefim*) averroisti. Questi tentativi di creare una filosofia più moderata vengono ripresi in Spagna intorno al

1350 da altri due autori. Mosheh ben Yehudah scrive, nel 1354, un'enciclopedia filosofica dal titolo *L'amore dei piaceri (intellettuali)* (*Ahavah ba-ta'anugim*)[4], che sembra ispirarsi nello schema generale, nonché in una parte dei contenuti, alle *Intenzioni* di al-Ghazālī: il suo fine, dichiarato nell'introduzione all'opera, è quello di mostrare l'accordo di fondo tra filosofia e *Torah*. Sulla stessa linea si colloca il *Trattato conciliante tra la filosofia e la Legge (religiosa)* (*al-Maqāla al-giāmi'a bayna l-falsafa wa-l-sharī'a*) di Yosef ben Abraham Ibn Waqqār, risalente al 1360 circa. L'opera, studiata nelle sue fonti e nei suoi contenuti da Georges Vajda (cfr. Vajda 1962, pp. 117-297), rivela l'adesione sostanziale del suo autore alle tesi di Avicenna e al-Ghazālī sulla natura del primo motore, e segna il primo tentativo di mostrare l'identità di fondo della dottrina delle dieci intelligenze separate (di origine avicenniana), di quella delle dieci *sefirot* (propria della *qabbalah*) e di quella del determinismo astrale, che assegnava il governo del mondo alle dieci sfere celesti.

Il determinismo astrale era in effetti ben presente nel pensiero ebraico spagnolo dell'epoca: sembrano averlo sostenuto gli esponenti di un circolo neoplatonico di seguaci di Abraham Ibn 'Ezra (Shelomoh Ibn Ya'ish, Shelomoh al-Qostantini, Shemuel Ibn Ṣarṣa, Shem Tov Ibn Shaprut) individuato e studiato da Dov Schwartz (cfr. Schwartz 1996), i quali, pur riconoscendo che le sfere celesti erano prodotto dell'emanazione divina, attribuivano ad esse l'effettivo governo delle cose umane. Su una linea analoga si collocava probabilmente Avner di Burgos (1270-1345 circa), che arrivò a scrivere un'*Epistola sul fato* (*Iggeret ba-gezerah*) ispirata alla dottrina del predestinazionismo e che si spinse tanto in là nella sua polemica con la tradizione giudaica da convertirsi al cristianesimo verso il 1320. Le sue più tarde opere di polemica antiebraica (rimasteci in traduzioni castigliane) appaiono peraltro riprendere fonti avicenniane e ghazaliane.

Infine, un filone a sé stante della filosofia ebraica del secolo XIV è rappresentato dal pensiero ebraico italiano, sempre caratterizzato da quel tomismo ebraico avviato nel secolo precedente da Hillel da Verona. I suoi esponenti più noti sono, nella prima metà del Trecento, i due cugini Giuda Romano e Emanuele Romano (altrimenti noto come Manoello Giudeo): il primo si distingue per la sua capacità di riprodurre i metodi della Scolastica nei suoi scritti originali, redigendo nel contempo una serie di traduzioni, parziali o totali, di scritti della filosofia cri-

[4] Cfr., su quest'opera, i sintetici dati forniti da Esti Eisenmann in Harvey 2000, pp. 429-40.

stiana contemporanea (Alberto Magno, Tommaso d'Aquino, Egidio Romano e altri); il secondo, poeta ed esegeta, è un abile divulgatore del pensiero del primo, al quale si ispira soprattutto per i suoi commenti biblici (cfr. Sermoneta 1965). In ogni caso, questo filone precorre in qualche modo l'assimilazione della filosofia e della teologia scolastica che sarà caratteristica del pensiero ebraico del secolo seguente.

2. *Gersonide*

La cronologia della vita e delle opere di Levi ben Gershom – più noto con il nome di Gersonide – è stata oggetto di recenti studi, che ne hanno potuto precisare assai bene le coordinate storiche e geografiche[5]. Nato nel 1288, probabilmente ad Orange, Gersonide sarebbe rimasto per tutta la vita in Provenza, ruotando intorno alla corte papale di Avignone, dove svolse funzioni di astronomo ed astrologo per conto di almeno due papi: Benedetto XII (1334-1342) e Clemente VI (1342-1352). Non si possono escludere anche suoi contatti con un'altra corte: quella di Roberto d'Angiò re di Napoli, presente in Provenza dal 1319 al 1324 (cfr. Zonta 1994); e in questi ambienti di corte, egli potrebbe aver intrattenuto rapporti con i filosofi e teologi cristiani che, al tempo di papa Giovanni XXII (1316-1334), si trovavano ad Avignone, come Guglielmo di Occam e Francesco de Meyronnes. Negli ultimi anni di vita, Gersonide risulta avere collaborato con l'agostiniano Pietro d'Alessandria, che tradusse in latino alcuni suoi scritti astronomici. Morì il 20 aprile 1344.

Gersonide è stato definito il primo vero e proprio «scienziato» non solo del mondo ebraico, ma del mondo europeo in generale. Sarebbe infatti stato il primo ad applicare alla fisica aristotelica un pionieristico criterio protosperimentale di osservazione e verifica dei fenomeni (non a caso, sarebbe sua la prima idea di realizzazione di un microscopio), dando ai dati della fisica e dell'astronomia – che gli studiosi del suo tempo consideravano solo sotto l'aspetto di ipotesi teorico-matematiche – un credito tale da porli come fondamento di tutta la sua speculazione filosofica (cfr. Freudenthal 1992, pp. 317-52). È stata inoltre rilevata, nella sua opera, la presenza di possibili echi della scolastica, non solo a livello dottrinale, ma anche, e in modo forse più evi-

[5] Su Gersonide come filosofo e «scienziato», cfr. Freudenthal 1992; sulla datazione delle sue opere, cfr. in particolare ivi, pp. 355-65. Sulla vita e l'opera di Gersonide, cfr. Touati 1973. Per una sintesi recente, cfr. Frank-Leaman 1997, pp. 379-99 (Seymour Feldman) e soprattutto Nasr-Leaman 1996, vol. I, pp. 739-754 (Gad Freudenthal).

dente, a livello di metodi e schemi argomentativi. In ogni caso, la fonte filosofica principale di Gersonide è rappresentata, sulla scia del razionalismo della scuola di Maimonide, dall'interpretazione averroistica di Aristotele: interpretazione che egli contribuì ad avallare, difendendola talora anche contro le innovazioni proposte dalla nuova fisica di Occam, con la redazione di una serie di *Supercommentari* allo stesso Averroè. Questo suo razionalismo filosofico gli avrebbe attirato, nel Tre e Quattrocento, gli attacchi di rabbini e filosofi più di lui ligi alla tradizione religiosa ebraica.

Opere. I più importanti scritti di Gersonide di cui ci è giunta testimonianza[6] possono essere raggruppati in tre grandi ambiti tematici: le scienze matematiche, l'esegesi biblica e la filosofia.

– *Scritti matematici*. Si tratta delle opere di Gersonide forse più innovative, che hanno avuto discreta fortuna anche nella scienza europea medievale e della prima età moderna. Tra di esse si annoverano:

1. *Il libro dell'opera del matematico* (*Sefer ma'aseh ḥoshev*), un trattato di aritmetica datato del 1321, edito nel 1909 da Gerson Lange. Ad esso si possono accostare l'*Opera sulla scienza geometrica* (*Ḥibbur ḥokmat ha-tishboret*) e i commenti agli *Elementi* di Euclide, pubblicati nel 1910 da Joseph Carlebach;
2. il trattato *De numeris harmonicis*, un trattato di teoria musicale di cui ci resta solo la versione latina medievale, edito sempre da Carlebach;
3. varie tavole astronomiche e predizioni astrologiche, di cui restano solo o anche le traduzioni latine, solo in parte edite;
4. la cosiddetta *Astronomia* di Gersonide, costituita dalla parte 1 del libro V delle *Guerre del Signore* (cfr. *infra*), che si presenta quasi sempre, nella tradizione manoscritta, scorporata dal resto dell'opera: ebbe una traduzione latina quasi completa, ed un'altra, parziale, ad opera di Pietro d'Alessandria, entrambe inedite.

– *Scritti esegetici e religiosi.* A Gersonide sono attribuiti, oltre ad una serie di poesie sinagogali e ad una preghiera o «confessione» (*widduy*), pubblicate da Charles Touati nel 1958, commenti all'Antico Testamento ebraico. Questi commenti (*perushim*), composti dal 1325 al 1338, sono stati pubblicati ripetutamente, tra Quattro e Cinquecen-

[6] Per una lista delle edizioni e traduzioni delle diverse opere di Gersonide, cfr. Menachem Kellner in Freudenthal 1992, pp. 367-414, e specialmente le pp. 369-78.

to, nelle Bibbie rabbiniche; del *Commento al Pentateuco* (*Perush 'al ha-Torah*) è uscita un'edizione critica recente, a cura di Ya'aqov Leib Levi (Gerusalemme, 1992-1998). Loro caratteristica comune è una struttura innovativa, sotto certi aspetti ispirata all'esegesi latina contemporanea: ad un'interpretazione letterale di ciascun passo biblico, segue un'esposizione dei contenuti generali del brano, che si conclude con una serie di «utilità» (*to'aliyyot*), ossia con le conclusioni morali, giuridiche e filosofiche da trarre dal passo commentato.

– *Scritti filosofici.* Rientrano in questa categoria:

1. i *Supercommentari* sui commenti di Averroè ai diversi scritti di Aristotele. Quasi completamente inediti, questi scritti, redatti tra il 1321 e il 1325 o poco dopo, sono forse da intendersi come lavori preparatori alle *Guerre del Signore*. Essi coprono le *Epitomi* di *Fisica*, *De caelo*, *De generatione*, *Meteorologici*, *De anima*, *De sensu et sensato* e scritti zoologici, nonché i *Commenti medi* di *Topici* e *Confutazioni sofistiche* e del *De caelo*, il *Commento grande* della *Metafisica*, e il testo del *De plantis* di Nicola Damasceno;
2. il *Libro del sillogismo corretto* (*Sefer ha-heqqesh ha-yashar*), datato del 1319, un'originale «correzione» della sillogistica aristotelica, della quale è disponibile una recente versione inglese (1992) a cura di Charles Manekin;
3. il *Libro delle guerre del Signore* (*Sefer milḥamot ha-Shem*), la massima espressione del pensiero di Gersonide. La storia dell'opera, ricostruita da Ruth Glasner (cfr. Glasner 1996), sembra essere stata piuttosto complessa: la prima redazione del testo, compiuta tra il 1317 e il 1321, comprendeva probabilmente il materiale dei soli libri V-VI, e consisteva di una monografia sul tema dell'eternità del mondo. Negli anni 1321-1325, sulla scorta delle riflessioni compiute redigendo i *Supercommentari*, Gersonide vi avrebbe aggiunto il materiale degli attuali libri I-IV dell'opera; infine, entro il 1329, l'autore avrebbe dato al testo la sua forma finale, con la seguente struttura:

libro I: l'immortalità dell'anima (con un confronto tra le diverse teorie antiche e medievali sulla natura e l'immortalità dell'intelletto umano: cfr. *infra*, T19, p. 190);
libro II: la profezia;
libro III: l'onniscienza di Dio;
libro IV: la provvidenza divina;
libro V: la natura delle sfere celesti, esaminata sia nei suoi aspetti astronomico-matematici (parte 1), sia nei problemi fisici che pone (parte 2), sia nei suoi risvolti metafisici (parte 3);
libro VI: l'eternità del mondo.

Le guerre del Signore non hanno mai avuto un'edizione critica: dell'opera si impiegano ancora l'edizione cinquecentina di Riva del Garda, nonché la ristampa berlinese del 1866 – entrambe prive della parte astronomica. Dei trattati I-IV è disponibile la traduzione inglese di Seymour Feldman (1984-1987), che si affianca alla versione francese dei trattati III-IV, di Charles Touati (1968); da parte sua, Bernard R. Goldstein sta studiando e traducendo tutta la parte 1 del libro V, di cui ha trattato in diversi studi[7].

T18. FILOSOFIA E RELIGIONE SECONDO GERSONIDE (dalle *Guerre del Signore*, Introduzione)[8] ❑

Questa introduzione al capolavoro di Gersonide affronta, in forma sintetica, il tema centrale della filosofia ebraica tardomedievale: il rapporto tra verità filosofica e verità religiosa. L'autore vi presenta innanzitutto le grandi questioni oggetto delle *Guerre del Signore*: l'immortalità dell'anima (che Gersonide identifica con l'intelletto della tradizione aristotelica); la validità della profezia e della divinazione (ossia, se essa provenga da Dio o no); se Dio conosca tutti i particolari o solo gli universali; l'estensione e l'azione della provvidenza divina; le strutture fisiche del mondo (con particolare riguardo per le sfere celesti); se il mondo sia eterno o sia stato creato da Dio in un dato momento – nonché due questioni aggiuntive, tipiche dell'ebraismo: come mai Dio compie miracoli, che violano le leggi della natura da lui stesso fissate, e come si riconosce il vero profeta. Gersonide è consapevole della gravità di queste questioni, sulle quali filosofia aristotelica e tradizione religiosa ebraica hanno posizioni almeno apparentemente contrastanti, e sa che nessuna di esse è stata risolta in modo decisivo prima di lui; ciononostante, egli si accinge all'impresa ritenendo che le verità religiose, come la creazione del mondo, possano coincidere sostanzialmente con le verità filosofiche, comprensibili da qualunque studioso. In realtà, Gersonide fa capire di ritenere che la verità certa sia quella raggiunta dalla speculazione filosofica e che, se i testi religiosi la contraddicono, essi vadano comunque interpretati in modo allegorico, piegandoli ad ammettere e a confermare le affermazioni della filosofia.

Dopo aver pregato e ringraziato Iddio e averGli chiesto di indicarci la Sua via, abbiamo ritenuto bene di studiare, in questo libro, le questioni assai importanti e poco chiare dalle quali dipendono grandi princìpi, che guidano l'uomo alla felicità mentale:

[7] Cfr. Freudenthal 1992, pp. 375-77.

[8] Cfr. Lewi ben Gershon 1560, cc. 2*ra*26-2*vb*32. Il testo di questa edizione è stato qui corretto sulla base degli emendamenti suggeriti nella traduzione inglese di S. Feldman: cfr. Feldman 1984, pp. 91-98 e 227-28.

1. se l'anima razionale sopravviva quando ha conseguito una qualche perfezione, e, se sopravvive, se vi siano, tra gli uomini, gradi differenti di questa sopravvivenza. Infatti, questa questione è importante ed è molto discussa: gli errori che vi possono nascere allontanano fortemente gli uomini dalla vera felicità;

2. se, quando l'uomo viene a conoscere il futuro mediante un sogno o mediante un oracolo o mediante una profezia, egli lo venga a conoscere in modo essenziale o in modo accidentale, ossia senza una causa efficiente, e se vi sia una causa efficiente, quale sia, e come porti a compimento [questa azione]. Infatti, su questo punto vi sono grossi dubbi, comunque esso venga posto;

3. se il Signore – sia benedetto – conosca le cose esistenti, e se le conosce, sotto quale aspetto le conosca. Infatti, comunque venga posta questa questione, ad essa conseguono dubbi poco chiari e confusi;

4. se il Signore – sia benedetto – provveda agli enti [di questo mondo], e sotto quale aspetto, e in particolare alla specie umana e ai suoi individui;

5. come i motori dei corpi celesti muovano tali corpi, e quale sia il numero di questi motori, per quanto è a noi dato conoscere, e in quale modo venga portato a compimento questo movimento, e quale sia la gradazione reciproca di essi, e quale sia il grado occupato da Dio – sia benedetto – di fronte ad essi. In effetti, questa questione è molto dubbia;

6. se il mondo sia eterno o creato, e, se è creato, quale sia il modo in cui è stato creato. Infatti, anche quest'ultima questione è assai dubbia, e da essa dipendono in qualche modo i princìpi che guidano l'uomo alla sua felicità mentale e politica.

Ora, è chiaro che colui che studia questo tema studia una cosa tutt'altro che piccola. In effetti, l'eccellenza della questione è conseguente all'eccellenza del soggetto trattato nella questione: e non vi è soggetto più onorevole del soggetto trattato da questa questione. Infatti, il mondo nel suo complesso è molto più onorevole di ognuna delle sue parti; e poi, le divergenze tra gli studiosi a proposito di questa questione porta le loro opinioni a divergere su molte e importanti cose. Perciò, questa questione è una di quelle che fungono da princìpi di molte cose; ed è chiaro che comprendere la reale natura dei princìpi è cosa molto onorevole, perché conduce lo studioso a comprendere la reale natura [anche] di ciò che viene dopo tali princìpi – così come l'errore che può occorrere su di essi è grave, perché conduce ad errori [anche] a proposito di quelle cose che hanno questi princìpi, in particolare quando le questioni che dipendono da un principio sono cose che dovrebbero condurre l'uomo alla felicità mentale e politica, com'è il caso di questa questione. Perciò, nel passato si è consumato in questo studio un tempo considerevole, giacché [la soluzione di] questa questione, data la sua importanza, è naturalmente oggetto del desiderio di ogni studioso. Bisogna peraltro che non resti nascosto il fatto che, di questa questione, non c'è una dimostrazione ricavabile da qualcosa che preceda l'esistenza del mondo, come dire dalla causa prima: infatti, la nostra conoscenza dell'essenza della causa prima è molto scarsa, e quindi non è possibile che ne traiamo un principio [su cui costruire] una dimostrazione di questa questione. Le dimostrazioni che possiamo fare a proposito di questa questione pertengono necessariamente al genere della prova fenomenica, ossia sono desunte da cose che sono posteriori a questa realtà generata – ammesso che il mondo sia generato.

Ecco, abbiamo poi connesso a queste questioni due questioni religiose, oggetto di molti dubbi:

1. a proposito dei segni [divini] e dei miracoli: in quale modo sia possibile che vi siano tali cose, per mano di chi vengano compiute e chi ne sia l'agente, in accordo con ciò che consegue alle nostre credenze quando esse vengono messe in relazione con ciò che risulta dalla speculazione [filosofica];

2. se vi sia una designazione grazie alla quale sia possibile esaminare il profeta [valutandone la veridicità], come appare [per esempio] dal discorso di Geremia – su di lui sia la pace – a Ḥananyah ben 'Azzur[9].

Non c'è dubbio che chi studia questo libro debba prima studiare le matematiche, la fisica e la metafisica. Infatti, queste questioni che abbiamo menzionato concernono alcune la scienza fisica, altre la scienza metafisica, altre ancora sono comprensibili grazie alle scienze matematiche – per esempio, la questione del numero dei motori dei corpi celesti, giacché noi possiamo conoscere questo numero dal numero dei corpi celesti mossi da questi [motori], e la nostra comprensione del numero dei corpi celesti si ha grazie alla astronomia matematica, come ha spiegato il filosofo nel libro *lambda* della *Metafisica*[10].

Inoltre, la questione se il mondo sia eterno o creato può essere compresa, necessariamente, o sotto l'aspetto dell'essenza del mondo, o sotto l'aspetto dei suoi accidenti concomitanti – fisici o matematici che siano – o sotto l'aspetto del suo Agente – ammesso che quest'ultima cosa sia possibile. In questo libro, non vogliamo ricordare come si possa spiegare la verità a proposito di queste cose mediante l'uso dei modi argomentativi [appropriati]

[9] Gersonide si riferisce qui ad un episodio narrato nella Bibbia (Ger 28,1-17), dove il falso profeta Ḥananyah ben 'Azzur viene smentito da Geremia.
[10] Cfr. Aristotele, *Metafisica*, 1073b3-5.

❑ ad esse[11]: infatti, se seguissimo questa strada, questo nostro libro dovrebbe abbracciare tutte le scienze o almeno buona parte di esse. Anzi, porremo come base ciò che è stato dimostrato lì [*scil.* in quelle scienze]. Del pari, il lettore non speri che noi gli presentiamo in modo completo quei fondamenti in base ai quali si verifica ciò che noi affermiamo positivamente; noi, anzi, ci limiteremo a trattarli in qualche punto, giacché essi sono evidenti a chi legge questo libro.

La nostra intenzione è quella di parlare con estrema brevità, perché dilungarsi su queste materie oscure confonde la vista del lettore. Certo, in alcuni punti ci siamo dilungati a spiegare ciò il lettore può pensare che sia stato già spiegato [a sufficienza] da altri, e abbiamo presentato a tale proposito qualcosa di nuovo, oppure abbiamo proposto [la cosa] in modo più corretto, così che se ne accerti [meglio] la veridicità.

Certo, è evidente da quanto si è detto prima che le specie delle dimostrazioni da farsi in questo libro sono necessariamente pertinenti alcune alla matematica, altre alla fisica, altre ancora alla filosofia [*scil.* metafisica], a seconda delle materie di cui si occupa la questione.

Sappiamo che sarebbe opportuno che ci astenessimo dall'occuparci di tali questioni, per diversi motivi:

1. a causa delle difficoltà che rendono molto difficile lo studio di tali questioni, tanto più in considerazione di ciò che accade in molte di queste questioni, a proposito delle quali gli antichi non hanno detto nulla in modo [rigorosamente] speculativo, e ciò che hanno detto a tale proposito in termini speculativi risulta essere tutto il contrario del vero, così come risulterà chiaro da quanto diremo in questo libro. Infatti, ciò aggiunge una grande difficoltà a compiere questi studi, che va a unirsi al disturbo dei tempi, che ci impedisce qualsiasi studio;

2. il fatto che, senza dubbio, molti respingeranno le nostre parole trovandovi discorsi che suonano loro strani alla luce delle loro opinioni, che costoro hanno ricevuto da altre persone, non alla luce della speculazione [filosofica] né alla luce dei princìpi religiosi. Però, noi non intratteniamo alcun discorso con questo genere di persone, perché a costoro basta credere: essi non si sforzano di conoscere. Il nostro discorso riguarda coloro che sono confusi da tali grosse questioni, e la cui mente non si accontenta di percepire solo ciò che si dice circa i segreti dell'esistenza, ma [vuole conoscere anche] ciò che si deve pensare a tale riguardo;

[11] Alla lettera, nel testo: *bi-meqomotehem*, «con i loro luoghi» – dove per «luoghi» s'intendono i *tòpoi* aristotelici.

3. il fatto che, penso a causa dell'invidia umana, che non è mai scomparsa e mai scomparirà, molti ci attribuiranno impudenza e audacia per il fatto di avere studiato la questione dell'eternità e della creazione del mondo. Infatti, forse costoro pensano che l'intelletto di un sapiente non possa trovare il modo di comprendere la verità a proposito di questa questione, a meno che non sia un profeta, tanto più perché hanno visto che i più perfetti [saggi] della nostra religione che ci hanno preceduto – e in particolare il diadema dei sapienti, la gloriosa corona dei giuristi, rabbi Mosè Maimonide nostro maestro – non hanno affrontato questa ricerca in questo modo. Da questo, costoro hanno concluso che è impossibile comprendere questa questione mediante lo studio [filosofico], perché, se fosse possibile, ciò non sarebbe sfuggito ai [saggi] precedenti.

Quest'ultima motivazione è molto debole: infatti, non è inevitabile che ciò che è sfuggito ai predecessori debba sfuggire anche ai loro successori. In effetti, il tempo è sufficiente a far venire fuori la verità, come dice il filosofo nel secondo libro della *Fisica*. Altrimenti, noi non troveremmo nessuno che studi le scienze, ad esclusione di quelle cose che gli hanno insegnato gli altri; e se le cose stessero così, non esisterebbe nessuna scienza – il che è evidentemente assurdo.

Inoltre, se le nostre parole a proposito di questa questione sono vere, ciò che costoro ritengono biasimevole da parte nostra sarebbe [in realtà] motivo di lode – intendo dire, se noi abbiamo compreso ciò che è sfuggito ai nostri predecessori; se invece [queste nostre parole] sono false, è evidente che solo sotto questo aspetto noi potremo essere biasimati, [ma non per altro].

Certo, è possibile che costoro dicano che la verità intorno a questa questione può essere colta solo da un profeta. Costoro forse diranno che ciò che il profeta conosce mediante la profezia non può essere conosciuto da un sapiente mediante lo studio; infatti, questa questione è stata chiarita al profeta mediante una profezia, e da questo deriverebbe necessariamente l'impossibilità che essa possa essere conosciuta da un sapiente mediante lo studio.

Ora, risolvere questo dubbio non è difficile: infatti, il profeta deve comunque essere un sapiente, e per questo le cose che il profeta comprende gli sono note in parte solo in quanto è profeta – e ciò vale per la maggior parte dei casi in cui egli narra vicende particolari e possibili che avverranno in un certo momento – ma in parte possono essere da lui comprese anche in quanto egli è un sapiente – e si tratta di ciò che egli comprende dei segreti dell'ordine dell'esistenza. Però, la differenza tra il sapiente e il profeta sta solo nella facilità del conseguimento [della conoscenza], giacché la sapienza del profeta è per lo più maggiore della sapienza del sapiente che non sia anche profeta. Per questo, la profezia è connessa alla sapienza, non nel senso che ciò che per il sapiente è un intelligibile secondo, per il profeta è un intelligibile primo, come pensano alcuni[12]: infatti, se le cose stessero così, la conoscenza del sapiente sarebbe [addirittura] più perfetta, perché egli conoscerebbe le cose nelle loro cause, mentre il profeta non le conoscerebbe nelle loro cause – e questo è assurdo. [Invece,] è possibile che vi siano degli intelligibili che il sapiente che non sia un profeta non comprende, ma che il sapiente che è anche profeta comprende – in quanto è sapiente, però.

Stando le cose così come le abbiamo assunte, ossia ponendo che vi siano degli intelligibili che può comprendere tanto il sapiente quanto il profeta, tu troverai che negli scritti dei Profeti vi sono cose la cui verifica è indubbiamente possibile [anche] ai [filosofi] speculativi: per esempio, l'unità di Dio – sia benedetto – che è menzionata nel Pentateuco, e l'«opera del carro»[13] che è menzionata in Ezechiele e in Isaia – su di loro sia la pace. Inoltre, molte cose di minor importanza speculativa sono menzionate nelle parole dei profeti, al punto che vi si trovano concetti che sono paragonabili agli intelligibili primi degli studiosi; per esempio: «E Dio vide tutto ciò che aveva fatto, ed ecco era molto buono» (Gn 1,31); «La Roccia: perfetta è la sua opera» (Dt 32,4); inoltre, [si consideri] ciò che la Legge spiega a proposito del bisogno che la piante hanno della pioggia, e dell'agricoltura, dicendo: «Perché il Signore Dio non aveva fatto piovere sulla terra, e non c'era nessuno che lavorasse la terra» (Gn 2,5); ed anche ciò che spiega a proposito della fuoriuscita del vapore dal terreno, dicendo: «Un vapore saliva dal terreno» (Gn 2,6) – e molte cose del genere. Ecco, la caratteristica di queste conoscenze è che in esse non si trova la frase «Disse Dio», «Dio parlò», «la parola di Dio giunse a me», e simili; e se anche in queste parti [della Bibbia] dedicate alla speculazione si trova un'indicazione del fatto che si tratta di una profezia, ciò è dovuto al carattere misto di queste conoscenze.

Stando le cose così come abbiamo supposto, è evidente che la creazione del mondo di cui si parla nella *Torah* può essere uno di quei concetti che possono essere spiegati dal sapiente per via spe-

[12] Gersonide allude qui alla dottrina di Maimonide, secondo cui il profeta conosce di primo acchito, quasi intuitivamente (gli «intelligibili primi»), ciò che il sapiente arriva a conoscere solo dopo un ragionamento (gli «intelligibili secondi»).

[13] Si designa comunemente come «opera del carro» (*ma'aseh merkavah*), nella letteratura ebraica talmudica e medievale, una serie di visioni profetiche descritte nella Bibbia (Is 6 e Ez 1 e 10), i cui contenuti sono identificati dai seguaci di Maimonide con quelli della metafisica aristotelica.

culativa. Se poi qualcuno dice che forse [questo] è uno di quei concetti che il sapiente non può spiegare, noi gli diciamo che questa non è un'obiezione [valida] contro di noi, se non viene dimostrato inoppugnabilmente che questo concetto è uno di quelli. Anche ciò che rabbi Mosè [Maimonide] nostro maestro ha dichiarato circa l'impossibilità di capire questa questione non è un'obiezione [valida] contro di noi, se non si dimostra l'assurdità di ciò che affermeremo a proposito di una delle alternative di questa questione, come si è detto prima[14].

Ecco, noi possiamo dimostrare in diversi modi la possibilità di verificare questa questione per via speculativa. Infatti, noi troviamo che il complesso degli studiosi, da migliaia di anni, ha un naturale desiderio di comprendere la verità a proposito di questa questione, come dice il filosofo [*scil.* Aristotele], e come dice anche il rabbi Mosè [Maimonide] nostro maestro – desiderio che abbiamo percepito direttamente in tutti gli studiosi di cui ci sono giunte le parole. Ora, un desiderio naturale non può essere diretto a qualcosa che è impossibile raggiungere, tanto più [se ciò è irraggiungibile] dall'insieme degli studiosi. Insomma, per questi motivi che abbiamo detto prima non è a noi impossibile affrontare uno studio completo di queste questioni con il nostro intelletto. Infatti, la felicità umana raggiunge la perfezione quando l'uomo conosce le realtà esistenti così come gli è possibile, e diventa più onorevole con la conoscenza degli oggetti più onorevoli, piuttosto che con la conoscenza degli oggetti inferiori per grado e per onore. Perciò, noi preferiamo conoscere poco quel che possiamo conoscere delle cose onorevoli, piuttosto che conoscere perfettamente ciò che è inferiore ad esse – e questo sarà spiegato più compiutamente nel primo libro di quest'opera, a Dio piacendo.

Inoltre, non è opportuno a chi comprende qualcosa mediante la speculazione di impedire che ciò che egli ha compreso sia trasmesso a qualcun altro. Infatti, ciò sarebbe estremamente biasimevole. In generale, come questa esistenza, nel suo complesso, è emanata dal Signore – sia benedetto – senza che Gliene venga alcun vantaggio, così è opportuno che chiunque consegua la perfezione in qualcosa si sforzi di servirsene per perfezionare qualcun altro, per quanto gli è possibile, imitando così in questo il Signore – sia benedetto – secondo la propria possibilità.

È evidente che non è opportuno che alcuno dei sapienti perfetti ci biasimi per esserci immischiati di questioni difficili come queste. Anzi, sarebbe bene lodarci per il fatto di esserci sforzati di studiare cose oscure come queste – anche se non riuscissimo

[14] Per un'interpretazione di quest'ultima frase, cfr. Feldman 1984, p. 96, n. 17.

[ad ottenere un risultato], almeno per lo sforzo. Tanto più, dunque, sarebbe bene lodarci per aver portato a compimento un discorso su queste questioni al massimo delle nostre possibilità, come apparirà dalle nostre parole. Del pari, è chiaro che non è opportuno che chi studia le nostre parole ci perseguiti – nonostante il nostro amore per lui e il nostro desiderio di aiutarlo – contestando ciò che diciamo [solo] per amore di contesa: questo, infatti, sarebbe un motivo per cui egli non comprenda ciò che vogliamo dire con le nostre parole. Anzi, è indubbiamente opportuno che costui riconosca a noi quelle premesse che riconosce ai nostri avversari, anche se non è religioso <o respinge queste opinioni per una qualche brama sensuale. Se poi è religioso>[15], ciò è ancora più opportuno: infatti, tutte queste questioni sono quelle dalle quali dipendono molti princìpi religiosi, come sarà evidente da quanto diremo – a Dio piacendo.

In verità, abbiamo sempre temuto di comporre un libro su questioni come queste, sapendo il metodo seguito dagli sciocchi che credono di essere sapienti [quando affrontano] problemi oscuri come questi. Però, ciò che ci ha spinto a farlo è stato il nostro forte desiderio di rimuovere gli ostacoli dalla via che gli studiosi seguono nello studio di queste grandi questioni: infatti, gli errori in queste cose allontanano molto gli uomini dal [raggiungimento della] felicità.

T19. L'IMMORTALITÀ DELL'INTELLETTO UMANO
(dalle *Guerre del Signore*, libro I, capp. 1, 6, 11)[16]

Nel libro primo delle *Guerre del Signore*, Gersonide partecipa al dibattito sull'immortalità dell'anima, e arriva ad esporre le proprie conclusioni al riguardo partendo dall'esame delle dottrine sull'intelletto umano (che chiama «intelletto materiale») diffuse nella tarda Antichità e nel Medioevo: 1. quella di Alessandro di Afrodisia, che ritiene l'intelletto umano una semplice facoltà o disposizione dell'anima, legato al corpo e con esso destinato a perire; 2. quella di Temistio, che lo ritiene al contrario incorporeo e immortale; 3. quella di Averroè – condivisa anche da molti aristotelici ebrei – che ritiene l'intelletto umano semplice facoltà dell'anima, destinato all'immortalità solo nella misura in cui

[15] Questo passo, evidentemente lacunoso nell'edizione di Riva, è stato qui completato mediante il confronto con la traduzione inglese di Feldman (cfr. Feldman 1984, p. 97).

[16] Cfr. Lewi ben Gershon 1560, cc. 4*ra*36-4*rb*3; 7*vb*36-8*ra*33; 8*rb*48-8*va*63; 8*vb*28-9*rb*4; 9*rb*48-9*va*53; 14*va*57-15*ra*23; 15*ra*34-42; 15*ra*54-15*rb*4; 15*rb*10-12. Cfr., per emendamenti al testo, Feldman 1984, pp. 109-10; 146-48; 151-54; 156-160; 161-64; 212-17; 226; 229; 233-35; 239-40.

è congiunto all'intelletto agente (ossia, alla potenza cosmica, emanata da Dio, che governa il mondo e racchiude in sé tutte le cose intelligibili); 4. quella dei filosofi cristiani, che lo ritengono una realtà creata e immortale (cap. 1). Dalla complessa discussione svolta da Gersonide abbiamo qui estrapolato due capitoli chiave: il cap. 6, dove Gersonide definisce la natura dell'intelletto agente, ossia di quella realtà che, secondo Averroè, sarebbe il principale strumento dell'immortalità dell'intelletto umano (Gersonide considera questo intelletto agente una sorta di bacino di raccolta di tutto lo scibile, che in esso si presenta in forma ordinata e unificata, e dimostra – con una lunga discussione di carattere cosmologico – che esso è la causa della generazione di tutti gli enti che si trovano nel mondo di quaggiù, e non solo dell'uomo, e che è grazie ad esso che le conoscenze umane vengono ad essere realmente, ossia «passano dalla potenza all'atto»); e il cap. 11, che presenta la dottrina sull'immortalità dell'anima che Gersonide ritiene vera: per il filosofo, ciò che sopravvive dell'uomo è il suo «intelletto acquisito», ossia l'insieme delle conoscenze da lui acquisite durante la vita. L'immortalità di queste conoscenze – che corrispondono agli «universali» della scolastica latina – è peraltro garantita proprio dal fatto che esse esistono nell'intelletto agente.

Capitolo primo

Giacché l'intelletto è la parte dell'anima per la quale è più opportuno pensare che abbia una sopravvivenza e un'eternità, dal momento che le altre parti dell'anima, per loro natura, si corrompono al corrompersi della materia perché operano le loro azioni mediante strumenti corporei, è opportuno che, prima di studiare la questione della sopravvivenza dell'anima – ossia se [tale sopravvivenza] sia reale o no, e se lo è, come lo sia – studiamo la quiddità dell'intelletto umano, giacché la sopravvivenza e la felicità umana rientrano tra gli accidenti dell'intelletto, e non è opportuno che noi studiamo gli accidenti di una cosa prima di aver conosciuto la quiddità di quella cosa. Infatti, quando non si conosce la quiddità di una cosa, non se ne conoscono neppure gli accidenti.

Ora, giacché sulla quiddità dell'intelletto i filosofi hanno avuto grandi contese, è opportuno che noi studiamo innanzitutto le loro [differenti] dottrine al proposito; poi, ciò che troviamo giusto lo faremo nostro, mentre, nel confutare ciò che non troviamo giusto, spiegheremo sotto quale aspetto ciò fa emergere la verità. In questo modo, noi libereremo i lettori dalle dottrine scorrette degli antichi cui essi hanno dato forte credito, e le credenze in cui essi sono stati cresciuti e cui sono abituati non impediranno più loro di cogliere la verità a proposito di questa questione.

Diciamo dunque che i filosofi precedenti a noi si sono divisi, a questo proposito, secondo tre dottrine:

1. la prima dottrina è quella di Alessandro [di Afrodisia][17], il quale ritiene che questa disposizione, ossia l'intelletto materiale, si trovi nel [suo] sostrato, vale a dire nell'anima, nel suo complesso, oppure in una delle sue parti – per esempio, nell'anima immaginativa, oppure nelle forme immaginative che si trovano in quest'ultima – e [ritiene che l'intelletto] di per sé non sia altro che una disposizione;

2. la seconda dottrina è quella di Temistio e dei suoi seguaci: egli ritiene che questa disposizione sia un intelletto separato ingenerabile e incorruttibile;

3. la terza dottrina è quella di Averroè, contenuta nel suo *Commento medio* al *De anima*[18]: egli ritiene che questa disposizione coincida con l'intelletto agente stesso, ma che [questo intelletto agente] sia una disposizione in quanto è congiunto con noi, e disponga della potenza di comprendere intellettualmente ciò che si trova in questo mondo, ossia quegli intelligibili che sono correlati alle cose percepibili dai sensi ed esistenti realmente al di fuori della mente, per esempio quando diciamo che «ogni essere vivente ha percezione sensoriale» e che «ogni uomo è razionale», e simili. [Questo intelletto però,] di per sé, è un intelletto che comprende intellettualmente la propria essenza, e non comprende ciò che si trova in questo mondo;

4. vi è poi una quarta dottrina, propria di alcuni dei [filosofi] moderni del nostro tempo[19]: essi pensano che questa disposizione sia un intelletto separato generato nella sua essenza, ma non a partire da un'altra cosa. [...]

Capitolo sesto

Dopo aver spiegato che cosa sia l'intelletto materiale, occorre che studiamo se sia possibile che esso sopravviva eternamente dopo aver conseguito perfettamente gli intelligibili, o no. Ora, giacché Averroè ritiene, stando a quanto egli spiega nella sua *Epitome* del *De anima* e in alcune delle sue epistole, che, se l'intelletto ma-

[17] La dottrina in questione è, grosso modo, quella presentata da Alessandro di Afrodisia nell'opera nota nel Medioevo come *De intellectu* – in realtà, un frammento del libro II del *De anima* di questo autore: cfr. Badawi 1971, pp. 31-42, e in particolare, sull'intelletto materiale, pp. 32.1-33.14. Tuttavia, le affermazioni di Gersonide si ispirano soprattutto alla presentazione della dottrina di Alessandro fatta da Averroè nella sua *Epitome* del *De anima*: cfr. Gomez Nogales 1985, p. 125.14-15.

[18] Cfr. Ivry 1994, pp. 124.2-125.3.

[19] Secondo Feldman (cfr. Feldman 1984, p. 110, n. 7) e altri interpreti, si tratterebbe della dottrina sull'intelletto degli autori scolastici latini contemporanei di Gersonide.

teriale sopravvive eternamente, ciò accade quando esso si unisce all'intelletto agente, e studiare questa unione – sia essa a noi possibile o no – è impossibile se noi non sappiamo che cosa sia l'intelletto agente, occorre che noi studiamo dapprima la questione di che cosa sia l'intelletto agente – e non menzioneremo a tale proposito l'opinione dei nostri predecessori, perché non abbiamo trovato alcun loro trattato dedicato a questa questione.

Diciamo che è evidente che tutto ciò che esce dalla potenza all'atto viene fatto uscire all'atto da chi ha esso stesso, in qualche modo, in atto ciò che nell'oggetto di questa azione si trova [solo] in potenza. Questa premessa è stata verificata, e sono stati risolti i dubbi suscitati a tale riguardo nella scienza fisica e metafisica. Stando così le cose, e [giacché] è evidente che è nella natura dell'intelletto materiale avere la potenzialità di comprendere la legge che regola gli enti di questo mondo, la loro corretta disposizione e il loro ordine, è necessario che l'intelletto agente disponga della conoscenza in atto di questi ordinamenti, in qualche modo. Abbiamo detto «in qualche modo» perché non è necessario che questa conoscenza si trovi nell'agente nello stesso modo in cui si trova nell'oggetto dell'azione quando quest'ultimo esce all'atto. Per esempio: la forma della sedia non si trova nella mente dell'artigiano nello stesso modo in cui si trova nella sedia fabbricata ad arte. Per questo, è opportuno che noi studiamo in qual modo [l'intelletto agente] conosca queste cose.

Diciamo che, giacché noi troviamo che l'intelletto agente fa conoscere quegli ordinamenti per gradi all'intelletto materiale, a ciò che si è detto prima consegue necessariamente che l'intelletto agente disponga delle conoscenza di ognuno di quegli ordinamenti, oppure che l'intelletto materiale disponga di più di un intelletto agente, in numero corrispondente agli intelligibili che l'intelletto materiale è potenzialmente in grado di percepire – ma questa [seconda alternativa] è evidentemente assurda. In effetti, un'azione sola, in quanto è una sola, non può che essere essenzialmente il prodotto di un agente solo – a meno che tali agenti non siano gli uni sottoposti agli altri, come nel caso dell'arte superiore[20], che ha diverse arti ad essa sottoposte; ma anche stando così le cose, ogni azione deriva comunque da un solo agente, ossia dall'arte superiore, perché è quest'ultima che dirige tutte le altre arti ad essa sottoposte.

Per esempio: l'arte della carpenteria provvede a tagliare le assi di cui è fatta la nave, e l'artigiano che fa materialmente la nave

[20] Nel testo ebraico: *ha-mel'akah ha-ro'shiyyit*, letteralmente «l'arte capo» – nel senso dell'arte del capomastro o di chiunque progetti un determinato manufatto e ne diriga l'esecuzione.

❑ se ne serve per costruirla. Ora, in verità, è l'arte superiore che funge da agente in questa azione, perché è quest'arte che dirige le arti ad essa sottoposte in modo che ciò che viene prodotto da esse sia adeguato a [quanto stabilito] dall'arte superiore. Per esempio, colui che costruisce la nave dirige colui che taglia le assi così che egli le tagli in modo adatto a che ci si possa servire di esse per costruire una nave.

Stando così le cose, è evidente che la perfezione dell'intelletto materiale nel [percepire] gli intelligibili che è potenzialmente in grado di percepire è un'azione sola, giacché questa perfezione è il termine ultimo cui possa arrivare l'intelletto materiale, e ciò che è veramente il termine ultimo di una cosa sola è necessariamente uno di numero. Ora, è necessario che il compimento di questa azione nell'intelletto materiale sia dovuto ad un agente singolo. Perciò, bisogna che l'intelletto agente disponga della conoscenza di ognuno di questi ordinamenti; e giacché si è già trovato che l'intelletto agente è quello che fa conoscere all'intelletto materiale la reciproca posizione di quegli intelligibili – ossia, gli fa sapere che alcune forme costituiscono la perfezione di altre in modo tale che tutte finiscono con una forma che costituisce la perfezione di tutte, com'è nel caso della forma umana, che è quella forma che la materia prima riceve mediante tutte le altre forme che essa è potenzialmente in grado di ricevere, e che funge da perfezione e da forma di queste [altre forme] – è necessario che l'intelletto agente disponga della conoscenza di questi ordinamenti sotto l'aspetto di un unico ordinamento che li include tutti; e sotto questo aspetto essi sono una cosa sola nell'intelletto agente.

La necessità di questa [dottrina] è dimostrabile anche in un altro modo. Infatti, se quei numerosi intelligibili non fossero unificati nella mente dell'intelletto agente, allora l'intelletto agente consisterebbe di una molteplicità, dal momento che gli intelligibili sarebbero [sempre] molti, e sono essi a costituire la sua essenza. In effetti, l'oggetto dell'intellezione [*scil.* l'intelligibile] e l'intelletto sono una sola e medesima cosa, come è stato spiegato; e si è anche spiegato, in ciò che precede, che l'intelletto agente è necessariamente uno di numero – e non è possibile contraddire questa asserzione. Perciò, è evidente che l'intelletto agente conosce tutti quegli ordinamenti in quanto essi costituiscono in esso una sola ed unica cosa; e in questo stesso senso, l'intelletto agente è unico.

Da parte sua, l'intelletto materiale ha difficoltà a ricevere gli intelligibili dall'intelletto agente, perché abbisogna dei sensi [per poterli ricevere], e pertanto gli capita di non comprendere intellettualmente quegli ordinamenti in modo che essi costituiscano un ordinamento unico, bensì solo nelle loro relazioni remote. [...]

Giacché l'agente degli enti che si trovano in questo mondo deve necessariamente disporre di una conoscenza di quegli ordinamenti, così come accade all'artigiano quando opera con la sua arte – ossia, bisogna necessariamente che nella sua mente vi sia una [chiara] percezione dell'ordinamento di ciascuna delle cose che egli opera con la sua arte – bisogna necessariamente, come spiegheremo, che questo agente sia l'intelletto agente, la cui esistenza è dimostrata nel *De anima*. Ora, è evidente che l'intelletto agente dispone della conoscenza di tutti quegli ordinamenti che concernono gli enti del mondo di quaggiù; e questo comporta necessariamente non solo che esso conosca tutti quegli ordinamenti, ma anche che disponga della conoscenza di tutti quegli ordinamenti in modo più eccellente, ossia in modo tale che essi si presentino come un tutt'uno – così come l'artigiano conosce le travi, i mattoni e le pietre dalle quali è costituita la casa, non in quanto sono travi, mattoni e pietre, ma sotto l'aspetto dell'unità che queste cose realizzano combinandosi insieme, ossia [sotto l'aspetto della] forma della casa: egli, dunque, le conosce in quanto sono parti della casa; e questo è il modo più eccellente in cui esse possono esistere.

Ora si dirà come si possa dimostrare questo. In effetti, giacché la materia prima, grazie a questa azione compiuta dall'intelletto agente, procede da una perfezione all'altra, ossia riceve le perfezioni, le une per mezzo delle altre, e le une in vista delle altre, finché la serie si conclude con l'ultima perfezione che essa è potenzialmente in grado di ricevere, e in vista della quale [essa ha ricevuto] tutte le altre perfezioni, è evidente che la generazione di tutte quelle perfezioni è unica, giacché essa è tesa ad un solo fine. Dunque, l'agente di tali perfezioni deve necessariamente conoscerle come un tutt'uno; e in tal modo è possibile che tutto il processo di generazione sia indirizzato verso il suo fine. È come chi costruisce una casa, e nel contempo fa [anche] i mattoni della casa: è evidente che bisogna necessariamente che costui conosca l'ordinamento in cui sono posti i mattoni in modo da fungere da materia per la casa, giacché egli fabbrica questi mattoni tenendo in mente la forma della casa. Stando così le cose, bisogna che, secondo questa ipotesi, l'intelletto agente disponga della conoscenza di quegli ordinamenti in modo più eccellente – ossia, in modo che essi siano un tutt'uno.

Che sia necessario che l'agente delle cose di questo mondo sia l'intelletto agente – la cui esistenza è dimostrata nel *De anima* – sarà chiaro da quanto ora si dirà. È ormai evidente, da quanto si è dimostrato nel libro XVI del *Liber de animalibus*[21], che vi è un

[21] Cfr. Aristotele, *De generatione animalium*, libro II, cap. 3 (in particolare 736b28-29). Nel Medioevo, i tre principali trattati zoologici di Aristotele – *Hi-*

agente per i vegetali e gli animali, che è un intelletto, e che è ciò che il filosofo [*scil.* Aristotele] chiama «l'anima emanata dai corpi celesti», dicendo di essa che è una potenza divina ed è l'intelletto. Molti dei filosofi recenti l'hanno chiamata «intelletto agente».

In effetti, non basta il seme per dare l'anima [ad un organismo], perché il seme è composto di parti eguali e non è una parte dell'organismo dotato di anima, così che si possa dire che vi è in esso una potenza animata: [il seme è soltanto] l'ultimo residuo del nutrimento, come viene spiegato nel *Liber de animalibus*. Certo, è possibile che nel seme vi sia un qualche calore, comparabile in qualche modo al calore naturale di cui dispone di un organismo dotato di anima e generato – ossia il calore proporzionato[22], che può essere emanato dai corpi celesti mediante l'irradiazione proveniente dal sole e dagli altri astri, come afferma il filosofo; tuttavia, non è possibile che nel seme vi sia una potenza formatrice che plasmi le membra e le crei secondo quella meravigliosa sapienza che le menti umane si sono tanto affaticate a cercare di cogliere nella sua vera natura. In effetti, non è possibile che ciò avvenga per effetto di questo calore, a meno che ad esso non si congiunga una potenza divina – ossia l'intelletto, come dice il filosofo stando a ciò che abbiamo trovato [nei suoi scritti] tradotti per noi dalla sua lingua [*scil.* il greco] dai cristiani[23].

Ora, questa potenza fa ciò che fa senza servirsi di un organo, perché il seme non è qualcosa di organico, ma è composto di parti eguali; e si trova anche che essa crea le membra senza un organo al quale si possa attribuire tale opera. In effetti, [al contrario], le membra, in un organismo dotato di anima, vengono generate nelle loro parti cominciando dal membro principale di quell'organismo, e proseguendo con le altre membra a secondo del loro grado. Per esempio, la parte di fegato generata a partire dal nutrimento è generata passando per il cuore, per il fegato, e per gli altri organi dell'apparato digerente che conducono a questo risultato. Stando così le cose, ossia [giacché] questa potenza [*scil.* l'intelletto agente] crea le membra nel loro complesso senza servirsi di un organo, mentre la potenza che opera nell'organismo dotato di anima non crea altro che una parte delle membra, e pertanto opera servendosi di un organo, è evidente che questa prima potenza è diversa dalla potenza che, in un organismo dotato di anima, compie un'azione comparabile alla sua, [ma] servendosi de-

storia, *De partibus* e *De generatione animalium* – erano designati sotto il titolo collettivo di *Liber de animalibus*.

[22] Cfr. Aristotele, *De generatione animalium*, 737a1-6.

[23] Questo passo, molto discusso, viene spesso addotto come uno degli indizi della conoscenza della scolastica latina da parte di Gersonide.

gli organi naturali: la prima è infatti senza paragone più eccellente della seconda; e non è davvero possibile che noi diciamo che questa potenza superiore si trovi nel seme di un organismo dotato di seme, perché in tale organismo non c'è una potenza così meravigliosa. Ad un tale organismo è possibile solo creare qualcosa di simile a sé.

Inoltre, sarebbe assurdo [dire] che l'organismo dotato di anima possa trasmettere al nutrimento una potenza animata con queste caratteristiche. Infatti, se le cose stessero così, nel nutrimento vi sarebbe un'anima nutritiva e una potenza formativa, e allora l'organismo nutrito sarebbe il nutrimento stesso, e non invece [com'è in realtà] l'organismo dotato di anima, che viene nutrito da questo nutrimento. In effetti, le cose che dispongono della stessa specie di anima nutritiva non possono essere nutrite l'una dall'altra; infatti, se questo fosse possibile, per esempio, una parte della carne della mano sarebbe nutrita dall'altra parte [della stessa mano] – il che è estremamente assurdo. In generale, dunque, il nutrimento è soggetto all'azione della potenza animata che si trova nell'organismo nutrito, e in tal modo esso diventa parte dell'organismo nutrito stesso; ma nel nutrimento non c'è una potenza animata con la quale esso possa agire su qualcosa d'altro – anzi, il nutrimento ha in sé una predisposizione ad essere soggetto all'azione di un'altra cosa.

Ora, se le cose stanno così per il nutrimento, tanto più andranno così per il residuo del nutrimento [stesso]: infatti, quest'ultimo è ancor meno comparabile all'organismo nutrito. Perciò, non è possibile che nel seme vi sia una potenza animata con queste caratteristiche, perché il seme è il residuo del nutrimento – come abbiamo detto. Ciò che si trova però nel seme, e che proviene dall'organismo dotato di seme, è un qualche calore, in qualche modo comparabile al calore naturale presente in tale organismo; ed è evidente che il calore non è un'anima, bensì è in qualche modo uno strumento dell'anima, come è spiegato nelle scienze naturali. Pertanto, è evidente che per la riproduzione c'è bisogno di una potenza divina – ossia, di un intelletto – giacché [tale intelletto] non compie la sua azione mediante un organo materiale, come accade invece con le potenze animate materiali. [...]

Ora, è evidente che questo agente è separato [dalla materia], perché, se fosse materiale, sarebbe generabile e corruttibile, e sarebbe dunque inevitabile che rientrasse tra le cose stesse della cui generazione è responsabile – il che è estremamente assurdo. Inoltre, giacché questa generazione è concepita sempre in modo unitario, e giacché una concezione unitaria che abbracci tutto il tempo [esistente] è necessariamente una concezione intellettuale, è inevitabile che tale agente sia un intelletto; ed è evidente che si tratti dell'intelletto agente, giacché la percezione di cui dispone l'intelletto agente è necessariamente identica a quella di cui dispone l'agente [ora descritto]. In effetti, l'uno e l'altro [*scil.* l'agente della generazione e l'intelletto agente] necessariamente percepiscono tutti gli intelligibili come un tutt'uno, e giacché l'intelletto e l'intelligibile sono una cosa sola, è inevitabile che [anche] questi [due] intelletti siano una cosa sola, perché unico è l'oggetto della loro intellezione. Per questo, i [filosofi] recenti hanno giustamente concordato sul fatto che l'intelletto agente è l'agente di tutti gli enti esistenti quaggiù, e lo hanno chiamato «datore delle forme»[24]. Questo – ossia il fatto che vi sia un intelletto agente [che produce] le realtà generabili [di questo mondo], e che esso è proprio l'intelletto agente la cui esistenza è spiegata nel *De anima* – sarà spiegato nel modo più chiaro nel libro quinto di quest'opera.

[In effetti], dire che il filosofo [*scil.* Aristotele] attribuisce questo processo di generazione all'anima emanata dai corpi celesti rende evidentemente necessario anche che l'anima emanata dai corpi celesti si identifichi con l'intelletto agente. Infatti, giacché la percezione di cui dispone l'intelletto agente è la stessa di cui dispone l'anima emanata dalle sfere celesti, come si è detto prima, è inevitabile che l'una cosa si identifichi con l'altra, perché cose distinte che concordano nella loro quiddità non possono assolutamente essere una pluralità numerabile.

In effetti, il numero inerisce alle cose in ragione del fatto che esse sono nella materia; ma quando le cose sono assunte prive di materia, non si può assolutamente concepire che esse abbiano un numero. Per esempio, la forma materiale: quando la si assume legata alla materia, inerisce ad essa la molteplicità; ma quando la si assume priva di materia, non le si attribuisce in alcun modo una molteplicità – e questo fatto è di per sé evidente a chi studi questo libro.

[Tutto ciò è valido] a meno che noi diciamo che tra l'una e l'altra cosa [*scil.* tra l'anima emanata e l'intelletto agente] vi siano delle diversità in merito a questa percezione: ossia [supponiamo] che la percezione che l'intelletto agente ha di queste cose funga da perfezione e forma della conoscenza di tali cose di cui dispone l'anima emanata dalle sfere celesti, giacché l'intelletto agente farebbe conoscere all'uomo alcune cose la cui generazione non può essere ascritta all'anima emanata dalle sfere. Per esempio, la conoscenza dei corpi celesti e dei loro motori, i quali fungono da perfezione e forma delle cose generabili e corruttibili la cui generazione viene ascritta all'anima emanata dalle sfere. Inoltre, [si

[24] Si tratta della celebre definizione dell'intelletto agente data da Avicenna (in arabo, *wāhib al-ṣuwar*, «datore delle forme»).

può supporre] che l'intelletto agente sia ciò che pone in essere l'uomo, stando all'interpretazione che Averroè dà delle parole del filosofo [Aristotele], mentre l'anima emanata dalle sfere sarebbe ciò che pone in essere tutte le altre cose.

[A questa obiezione rispondiamo che] la generazione dell'uomo include in sé la conoscenza degli ordinamenti di tutte le altre cose, giacché l'uomo è il termine [ultimo] e la perfezione delle realtà composte, e la perfezione non può essere disgiunta da ciò di cui è perfezione. Perciò, è necessario che nella forma umana si trovino in qualche modo tutte le altre forme che la materia è potenzialmente in grado di ricevere, perché tali forme fungono da materia per essa. Inoltre, quando noi supponiamo che [l'intelletto agente] conosca l'ordinamento grazie al quale si ha l'esistenza dell'uomo, e che tale ordinamento funga da perfezione per il resto degli ordinamenti, è evidente che questa conoscenza non è completa in quanto conosce l'ordinamento per cui l'uomo esiste, ma in quanto conosce [anche] gli ordinamenti dei quali [tale ordinamento] è perfezione e forma.

Stando così le cose, è evidente che ciò comporta che l'intelletto agente sia l'agente delle cose di questo mondo. In effetti, io non posso immaginare che cosa possa impedire all'intelletto agente di generare tutti gli altri enti di questo mondo all'infuori dell'uomo: in effetti, l'intelletto agente dispone della conoscenza dei loro ordinamenti, e l'agente di questi enti è il loro agente proprio in questo senso.

Inoltre, la potenzialità per cui la materia prima è in grado di ricevere la forma umana è tradotta in atto da un'unica generazione, giacché è un processo verso un unico fine, come si è detto prima. Ora, un'unica generazione, in quanto è unica, deve necessariamente avere un agente solo, altrimenti sarebbe accidentale – come accade nel caso delle arti sottoposte ad un'arte superiore: in verità, infatti, tutta l'azione [compiuta da tali arti] deriva dall'arte superiore, perché è quest'ultima a dirigere le arti ad essa sottoposte a fare ciò che esse fanno; ma è evidente che è impossibile supporre che l'anima emanata dalle sfere sia sottoposta all'intelletto agente in questa azione [generativa], giacché l'intelletto agente, per compiere questa sua azione, non abbisogna di un intelletto intermedio. In effetti, ciò che può essere portato a termine da un tale [ipotetico] agente intermedio può essere portato a termine anche dall'intelletto agente. Certo, questo uso di intermediari è possibile nelle arti di cui l'uomo si serve per facilitarsi il lavoro e la fatica; ma nel caso di un ente separato, che compie la sua azione in qualsiasi luogo sia predisposto a riceverla, senza alcun lavoro né fatica, non si può concepire che esso compia la sua azione per mezzo di un intermediario – a meno che, per compiere questa azione, esso non abbia bisogno di un qualche strumento di cui dispone l'intermediario ma di cui l'intelletto agente non dispone. In quest'ultimo modo, in effetti, il Signore – sia benedetto – opera molte azioni per mezzo dei motori dei corpi celesti, giacché questi ultimi dispongono di uno strumento, ossia dell'astro, grazie al quale essi possono portare a compimento quelle azioni. Però, questi intelletti [separati] di cui stiamo parlando non dispongono evidentemente di alcun strumento di cui si servono per compiere la loro azione, ad eccezione della predisposizione temperamentale presente nella cosa che riceve la generazione per mezzo degli astri. Tale strumento è connesso ad uno di questi [intelletti] esattamente così come è connesso ad un altro di essi, perché noi non possiamo certo dire che uno di essi sia motore dei corpi celesti e invece un altro non lo sia. Ora, stando a questa supposizione questo strumento sarebbe connesso ad uno di questi intelletti, ma non sarebbe connesso all'altro; in effetti, giacché, secondo tale supposizione, ognuno di questi [due] intelletti è datore della forma, sarebbe necessario che esso fosse unico [nel suo genere] – e le cose stanno effettivamente così nel caso dell'intelletto agente, in quanto esso porta a compimento l'intelletto materiale, come si è spiegato prima. Tuttavia, i motori degli astri sono necessariamente molti, come è spiegato nella *Metafisica*[25] e come sarà spiegato nel libro quinto di quest'opera. Perciò, sarebbe inevitabile che ognuno di quei [due] intelletti agenti fosse un intelletto unico, diverso dagli intelletti che muovono i corpi celesti; e stando così le cose, è evidente che la connessione di quello strumento a quell'unico intelletto sarebbe identica alla connessione che [tale strumento avrebbe] con quell'altro intelletto. Pertanto, è evidente che uno di tali intelletti non potrebbe fungere da intermediario per l'altro.

Inoltre, [anche] se ammettessimo che ognuno di questi due intelletti dispone di uno strumento, ciò non comporterebbe necessariamente che gli intelletti [agenti] siano due. In effetti, l'intelletto dotato dello strumento [in questione] sarebbe in grado da solo di compiere tutte le generazioni e di far uscire l'intelletto materiale dalla potenza all'atto, dal momento che disporrebbe delle conoscenze che l'intelletto agente emana sull'intelletto materiale.

Non c'è dunque nulla che ci costringa necessariamente a supporre che vi sia un altro intelletto agente. In generale, infatti, ciò che produce il fine produce anche ciò che viene prima del fine, e pertanto tutta la generazione è diretta in vista di quel fine. Perciò, è inevitabile che ciò che genera l'uomo coincida con ciò che genera tutti gli altri enti di questo mondo.

[25] Cfr. Aristotele, *Metafisica*, libro XII, cap. 8.

Ora, io penso che il filosofo [Aristotele], parlando di «anima emanata dalle sfere», intendesse proprio parlare dell'intelletto agente. Infatti, è inevitabile che l'intelletto che produce gli enti di questo mondo e li genera sia emanato dalle sfere. In effetti, ciò che dà la forma, che rappresenta il fine della generazione, occorre [anche] che dia il temperamento alla materia che riceve la forma, così che essa sia predisposta a riceverla; e tutta questa azione è unica, e un'azione unica deve necessariamente avere un agente unico. Stando così le cose, è evidente che le sfere celesti esercitano la provvidenza su ciò che sta quaggiù producendo tale temperamento mediante le potenze che emanano da tutte le sfere insieme; dunque, è opportuno che il datore della forma sia una forma emanata dalle sfere nel loro complesso, così che tutte queste sfere siano accomunate dal fatto di dare la forma, così come sono accomunate dal fatto di produrre il temperamento – e in effetti sarebbe assurdo che vi fossero due agenti che compiano una sola ed unica azione, a meno che i due agenti fossero [in realtà], in qualche modo, uno solo.

Dunque, è evidente che l'intelletto agente è un'anima emanata dalle sfere – o meglio dai loro motori; infatti, è impossibile che un intelletto venga emanato da un corpo. Si è qui dimostrato che l'intelletto agente conosce tutti gli ordinamenti di questo mondo come un tutt'uno, e questo sia perché opera questi ordinamenti partendo dalle forme presenti nelle cose di quaggiù, sia perché fa acquisire all'intelletto materiale la conoscenza di tali ordinamenti. [...]

Si è dunque qui dimostrato che è inevitabile che vi sia un intelletto agente, sia in ragione di ciò che riscontriamo circa l'uscita dell'intelletto umano dalla potenza all'atto nell'acquisizione degli intelligibili, sia in ragione di ciò che riscontriamo circa la generazione delle cose di questo mondo. Nel contempo, si è spiegata [anche] la quiddità di tale intelletto, per quanto ci era possibile fare in questa sede – ossia che esso conosce gli ordinamenti delle cose di quaggiù come un tutt'uno. Però, il completamento di questo discorso arriverà nel libro quinto di quest'opera, e lì, se Dio vuole, verrà spiegata completamente l'assurdità di ciò che afferma Averroè – ossia, [l'affermazione] che non è vero che l'agente delle cose di questo mondo sia un intelletto, come ritengono [invece] i filosofi che hanno commentato le parole del filosofo [Aristotele].

È opportuno che non ci sfugga il fatto che ciò che abbiamo spiegato qui ha risolto tutti i dubbi che i nostri predecessori hanno avanzato per confutare la [possibilità della] conoscenza o per supporre che vi siano forme universali esistenti al di fuori della mente – cose che sono entrambe false, come viene spiegato nella

Metafisica[26]. In effetti, costoro pensavano che, degli intelligibili che riguardano le cose di quaggiù, non vi è alcuno che sussista stabilmente al di fuori dell'anima, dal momento che al di fuori dell'anima esiste solo l'individuale, che è continuamente sottoposto ad alterazione, e che per giunta è corruttibile. Ora, è evidente, a proposito della conoscenza, che la conoscenza, se c'è, dev'essere stabile, e deve riguardare qualcosa di stabile – così come è spiegato, parlando della questione della vera conoscenza, negli *Analitici posteriori*. Essi conclusero pertanto che una conoscenza non esiste.

Ai filosofi posteriori, però, apparve chiaro che non è possibile distruggere la conoscenza, che noi troviamo sussistere stabilmente e perpetuarsi in ogni tempo in uno stesso modo – e si riferivano all'ordinamento universale delle cose di questo mondo. Pertanto, essi furono costretti a supporre l'esistenza autonoma di universali, oggetti della conoscenza, al di fuori della mente: e questo comportò necessariamente molte false conseguenze, alle quali non c'è scampo – come è spiegato nella *Metafisica*.

Se invece si suppone che le cose stiano secondo la spiegazione che è stata data qui a proposito dell'intelletto agente, allora la conoscenza riguarda qualcosa che sussiste stabilmente e perpetuamente di per sé al di fuori dell'intelletto: si tratta dell'ordinamento presente nella mente dell'intelletto agente. L'universalità è però solo qualcosa di accidentale rispetto ad esso, che si verifica in ragione della relazione sussistente tra di esso e gli individui percepibili con i sensi esistenti al di fuori della mente; e come l'ordinamento che si trova nella mente dell'artigiano si trova [anche], in qualche modo, in ognuno degli strumenti creati da lui, così questo ordinamento [presente nella mente dell'intelletto agente] si trova [anche] in ognuno degli individui creati da quell'ordinamento – ed è evidente che questa supposizione non comporta nessuna delle assurdità che invece conseguono necessariamente alla supposizione che vi siano degli universali che esistono al di fuori della mente.

Qui si risolve [anche] il dubbio che si verifica a proposito delle definizioni, giacché esse fanno conoscere l'essenza di ogni individuo compreso nel genere oggetto della definizione in quanto rappresentano la quiddità di ciascuno di tali individui. In effetti, la definizione è proprio l'ordinamento stesso presente nella mente dell'intelletto agente, a partire dal quale viene generato quel [determinato] genere; e questo ordinamento si trova già in qualche modo in ognuno degli individui appartenenti a quel genere,

[26] Cfr. Aristotele, *Metafisica*, libro I, capp. 6 e 9.

come si è detto prima – il che non comporta necessariamente che tutti questi individui siano un'unica cosa, come concluderebbero coloro che affermano l'esistenza delle forme universali.

Inoltre, in questo modo si è stabilita anche la conoscenza degli accidenti, e non solo quella delle sostanze – come invece concludono coloro che affermano l'esistenza delle forme universali al di fuori della mente, i quali, giacché constatano che gli accidenti non possono sussistere di per sé, separati [dalle sostanze], dicono che gli universali di questi accidenti non esistono al di fuori della mente, e per questo concludono necessariamente che non vi è conoscenza degli accidenti. Invece, quando si suppone che le cose stiano come è stato spiegato qui, parlando dell'intelletto agente, gli ordinamenti propri degli accidenti [devono] anch'essi esistere al di fuori della mente, ossia esistono nella mente dell'intelletto agente.

In generale, dunque, se tu esamini la questione, trovi che in questo modo vengono risolti tutti quei dubbi, e si arriva sino alla verità, come abbiamo dimostrato.

Forse Platone, in realtà, voleva dire proprio questo; e per questo egli sosteneva che queste forme [*scil.* le idee] erano immagini di queste cose percepibili con i sensi, e le chiamava «universali» perché rappresentavano la natura comune ad una molteplicità di cose. Tuttavia, [queste sue affermazioni] comportarono delle assurdità, perché egli non le espresse in termini chiari. Inoltre, questo suo discorso non è completo, perché egli suppose che queste forme esistessero solo per le sostanze; e per questo egli, giacché gli era apparsa chiara la stabilità della conoscenza dei concetti matematici, dovette supporre che i concetti matematici – ossia il numero, l'unità, la linea, la superficie, il corpo matematico – fossero sostanze – ed è stato spiegato nella *Metafisica* quali sono le assurdità che si verificano se si accetta questa supposizione.

Certo, ciò che Aristotele è costretto a supporre per sostenere l'esistenza della conoscenza e per fugare il dubbio che si verifica a proposito delle definizioni non sfugge neppure esso al dubbio e alla confusione – come appare chiaro a chi studia quanto egli ha detto nella *Metafisica*. Io spiegherò questo nel mio commento alle parole da lui dette là [*scil.* nella *Metafisica*][27], se il Signore – sia benedetto – lo vorrà e ce ne darà il tempo, e in quella sede spiegheremo come mai ciò che è stato spiegato qui a proposito dell'intelletto agente risolve tutti i dubbi che si verificano nella questione della conoscenza e delle definizioni, in modo che non resti più

[27] Gersonide si riferisce qui evidentemente al suo perduto supercommentario ai primi libri del *Commento grande* di Averroè sulla *Metafisica*, composto prima di completare *Le guerre del Signore*: cfr. al proposito Glasner 1998.

alcun dubbio al riguardo; e [spiegheremo] che questa supposizione non comporta le assurdità che occorrono a Platone e agli altri uomini che parlano delle forme [*scil.* delle idee].

Lasceremo ora cadere il discorso su questo punto, perché richiederebbe un lunghissimo studio, ed è cosa che non è il caso di affrontare. Stando così le cose, ossia giacché ciò che si è spiegato qui a proposito dell'intelletto agente risolve tutti i dubbi che occorrono ad altri sulla questione della conoscenza e delle definizioni, è evidente che questo fatto aggiunge chiarezza e perfezione a quanto abbiamo esposto in questa sede. [...]

Capitolo undicesimo

Dopo aver menzionato le dottrine dei nostri predecessori sulla questione della sopravvivenza [dell'intelletto materiale], e avere spiegato che nessuna di quelle dottrine è necessariamente vera, qualsiasi sia l'argomento impiegato da chi la sostiene, e che anche le dottrine di coloro che si oppongono a ciascuna di esse non possono essere in alcun modo confutate, è opportuno che noi studiamo questa questione di per sé, così da venire a sapere quale di queste dottrine sia vera. Ora, occorre che non ci sfugga che è già stato dimostrato nelle argomentazioni menzionate prima che questi intelligibili sono generati nell'intelletto materiale, e che l'intelletto acquisito è separato. Certo, se è necessario che ogni cosa creata sia corruttibile, come si ritiene sulla base di ciò che è stato dimostrato nel *De caelo et mundo*[28], è evidente che non vi è necessariamente alcuna sopravvivenza dell'anima, come pensa Abū Naṣr [al-Fārābī]. Pertanto, occorre che noi studiamo se sia davvero necessario che ogni cosa generata sia corruttibile, o no; e se accade che ciò non sia necessario, [dobbiamo studiare] se questa cosa generata – voglio dire l'intelligibile acquisito dall'intelletto materiale – si debba necessariamente corrompere, oppure non possa assolutamente corrompersi, oppure sia in parte corruttibile e in parte incorruttibile.

Diciamo che in questo libro si dimostra, studiando la creazione del mondo e la sua eternità, che la spiegazione data dal filosofo nel *De caelo et mundo* del fatto che tutto ciò che è generato si corrompa non è cogente, e per questo è evidente che a ciò non consegue che non ci debba essere una sopravvivenza dell'anima. Stando così le cose, occorre che noi studiamo se questa cosa generata – vale a dire, l'intelletto acquisito dall'intelletto materiale – sia corruttibile o incorruttibile, oppure se esso sia in parte corruttibile – per esempio, gli intelligibili che pertengono alle cose di

[28] Cfr. Aristotele, *De caelo et mundo*, libro I, cap. 12.

questo mondo – e in parte incorruttibile – per esempio, gli intelligibili che pertengono alle cose separate[29] che, come affermano i nostri predecessori, sono esse stesse intelletti.

Diciamo che è chiaro che l'intelletto acquisito è la perfezione portata dall'intelletto agente all'intelletto materiale. Questa perfezione è di due specie: una specie si chiama «concezione», l'altra specie si chiama «verifica»[30]. La concezione non ha alcun rapporto con ciò che esiste realmente, al di fuori della mente – e questo è evidente dal concetto stesso [di «concezione»]; essa, però, è la conoscenza dell'ordinamento stesso presente nella mente dell'intelletto agente. La verifica, invece, ha un qualche rapporto con le cose reali esistenti al di fuori della mente – per esempio, quando noi diciamo «ogni animale è dotato di sensazione»: infatti, tale affermazione è accidentale in quanto è composta [dai dati] dell'intelletto e della sensazione. Stando così le cose, la perfezione portata dall'intelletto agente all'intelletto [materiale] è solo una concezione, e non è in rapporto con alcuno degli individui esistenti al di fuori della mente, così come la forma percepita dal senso della vista quando noi giudichiamo accidentalmente che una cosa è dolce perché abbiamo percepito con il senso della vista che quella data cosa è gialla: infatti, [noi percepiamo con la vista] il giallo, non il dolce. Ora, quando si considera questo fatto, appare chiaro che l'intelletto acquisito coincide con l'ordinamento che le cose di questo mondo hanno nella mente dell'intelletto agente. Anche questo, noi l'abbiamo già spiegato in ciò che abbiamo detto prima – vale a dire, che ciò che noi percepiamo con l'intelletto materiale sono gli intelligibili che pertengono a queste cose e che si trovano nella mente dell'intelletto agente, non le forme immaginative, perché non è nella natura delle forme immaginative il fatto di essere oggetto di intellezione, anche se esse aiutano l'acquisizione degli intelligibili. E se si considera questo, è evidente che a questo consegue necessariamente che l'intelletto acquisito sia eterno, dal momento che gli intelligibili che esso percepisce sono essenzialmente intelletti presenti nella mente dell'intelletto agente [e sono quindi eterni].

Si è dimostrato che è necessario che l'intelletto acquisito sia eterno anche in un modo più perfetto. Infatti, l'intelletto acquisito è immateriale, e le cose immateriali non hanno motivo di corrompersi; e ciò che non ha motivo di corrompersi è impossibile che si corrompa. Da questo sillogismo composto risulta necessa-

[29] Leggo *nivdalim*, «separate», anziché *nifsadim*, «corruttibili», com'è nel testo edito.

[30] Per questi due termini e i loro significati nella filosofia ebraica medievale, cfr. il passo di Shem Tov Ibn Falaquera tradotto *supra*, T17, p. 164, n. 25.

❑ riamente che è impossibile che l'intelletto acquisito si corrompa. Ora, la prima di queste premesse è evidente da ciò che si è detto prima, mentre la terza premessa è evidente di per sé, giacché la relazione di una cosa con i suoi motivi è una relazione di necessità, e perciò è chiaro che è impossibile che una cosa accada senza motivi. Invece, la seconda premessa – ossia, quella che afferma che la cosa immateriale non ha motivo di corrompersi – abbisogna di una spiegazione.

Diciamo che è spiegato negli scritti sulla fisica e sulla metafisica che la corruzione si trova nelle cose quanto alla materia, non quanto alla forma, perché la forma è ciò da cui si ha l'esistenza e il bene, ed è ciò che mantiene in esistenza ciò che è dotato di forma, in tutti i modi possibili. La materia è infatti la causa della corruzione e del male, perché non è obbediente alla forma, come è spiegato nel quarto libro dei *Meteorologici*[31] – ossia, la corruzione si verifica in una cosa quando le potenze passive prevalgono sulle potenze attive. Stando così le cose – ossia, dato che la materia è la causa della corruzione, e dato che ciò che è immateriale non ha materia – è evidente che ciò che è immateriale non ha in sé le cause della propria corruzione.

Si è però ritenuto che l'intelletto acquisito dovesse essere corruttibile, usando due argomentazioni già menzionate dai [nostri] predecessori:

1. l'argomentazione per cui, giacché l'esistenza di questo intelletto acquisito nell'intelletto materiale è una conseguenza delle percezioni corporee, come si è spiegato prima, e giacché tutte le percezioni corporee sono corruttibili, è inevitabile che anche l'intelletto acquisito sia corruttibile. Infatti, se è corruttibile ciò per cui l'intelletto acquisito esiste, è necessariamente corruttibile [anche] l'intelletto acquisito stesso;
2. l'argomentazione per cui questo intelletto è la perfezione dell'anima umana: [se è così], allora, quando l'anima si corrompe, si corrompe anche ciò che essa ha acquisito e ciò che l'ha perfezionata.

Noi diciamo che la prima di queste argomentazioni non è difficile da smontare. Infatti, è inevitabile che, quando la causa viene meno, venga meno anche l'effetto, almeno quando la sussistenza dell'effetto dipende da quella causa – e ciò accade quando la causa è essenziale. Però, le percezioni corporee sono causa dell'esistenza dell'intelletto acquisito per accidente, non essen-

[31] Questa affermazione, benché non si trovi in Aristotele, è alla base della discussione svolta in Aristotele, *Meteorologici*, libro IV, cap. 1.

zialmente: infatti, la causa essenziale dell'esistenza di tale intelletto è l'ordinamento intelligibile stesso dell'intelletto agente – come è stato spiegato prima. Inoltre, se anche ammettessimo che le percezioni corporee sono causa dell'esistenza di quegli intelligibili nell'intelletto materiale, esse sarebbero la causa del fatto che [tale intelletto] consegua la conoscenza, ma non sarebbero la causa dell'esistenza dell'ordinamento intelligibile in questione. Anzi, le cose stanno proprio al contrario – vale a dire che è l'esistenza dell'ordinamento intelligibile ad essere la causa della loro esistenza. In effetti, l'esistenza dell'ordinamento intelligibile intrinseco all'intelletto agente è la causa dell'esistenza di tutte le cose di questo mondo. Perciò, questo ordinamento intelligibile, derivato da tali cose, non perisce necessariamente al perire di esse, perché la sua esistenza non è dipendente da esse; ciò che perisce necessariamente al perire di esse è l'acquisizione della conoscenza: vale a dire che è impossibile che l'intelletto materiale possa acquisire una conoscenza dopo che le percezioni corporee sono perite – e ciò è evidente di per sé.

Questo appare da ciò che ora si dirà. Poniamo che un uomo produca da sé uno strumento, e che un altro uomo veda questo strumento e che, mediante la sua percezione [di quello strumento], comprenda l'ordinamento con cui è stato realizzato e che si trovava nella mente di chi l'ha inventato; poniamo che poi quello strumento sia distrutto: è evidente che il fatto che lo strumento viene distrutto non comporta necessariamente che quella conoscenza [dello strumento] venga meno in quell'altro uomo. Infatti, lo strumento è sì la causa dell'acquisizione di tale conoscenza, ma non è la causa dell'esistenza dell'ordinamento intelligibile ad esso relativo. [...]

Gli intelligibili sono di tre tipi:

1. l'intelligibile completamente in potenza, ossia l'intelligibile che l'uomo è potenzialmente in grado di comprendere, ma che non comprende ancora;

2. l'intelligibile completamente in atto, ossia l'intelligibile di cui il sapiente dispone grazie alla sua sapienza, nel momento in cui ne fa uso;

3. l'intelligibile a metà tra questi due, ossia l'intelligibile di cui dispone il sapiente nel momento in cui non ne fa uso. Quest'ultimo caso è simile al fatto di dimenticare qualcosa per accidente: infatti, giacché la mente [*scil.* la coscienza] è una sola, il sapiente non si avvede di conoscere quell'intelligibile mentre sta continuando ad usarne un altro; però, quando una qualsiasi cosa lo spinge a fare uso di quell'intelligibile, allora egli si rende conto di conoscerlo già. [...]

❑ In generale, non è possibile che l'intelligibile venga meno e sia dimenticato, come è chiaro da quanto si è detto prima – vale a dire che quegli intelligibili non sono corruttibili. Per questo motivo, i nostri predecessori concordano sul fatto che questi intelligibili non possono essere in alcun modo dimenticati, come se la natura stessa della verità li rendesse necessari. Però, può essere che l'intelligibile sia tale solo per omonimia, ossia che non si abbia una vera conoscenza delle sue cause – come accade per esempio ad alcuni di coloro che apprendono la geometria, e in particolare i teoremi[32] che possono essere spiegati solo mediante molti altri teoremi: infatti, costoro non si sforzano di comprendere intellettualmente l'oggetto della loro ricerca nelle sue cause, ma leggono nel libro ciascun teorema attenendosi alla lettera di quanto è scritto lì, se in quella sede viene data la spiegazione di quel teorema di cui costoro hanno bisogno; perciò, accade loro di dimenticarsi di quegli intelligibili, perché non li hanno [veramente] compresi intellettualmente, ma hanno soltanto percepito ciò che l'autore del libro ha spiegato al proposito.

Quanto alla seconda delle due suddette argomentazioni, secondo la quale l'intelletto acquisito è corruttibile, è una [mera] obiezione [senza fondamento]. [...] Stando così le cose, è chiaro che ciò non comporta necessariamente che l'intelletto acquisito sia corruttibile, ma [anzi] comporta necessariamente che esso sia eterno, come si è chiarito prima.

[32] Il termine ebraico qui impiegato da Gersonide è *temunah*, che vale tanto per «figura geometrica», quanto per «teorema» (per questa seconda traduzione, cfr. Feldman 1984, p. 216, n. 13).

Capitolo ottavo

Filosofia e teologia nel pensiero ebraico europeo del Quattrocento

1. *Introduzione storica*[1]

Verso la fine del secolo XIV, la condizione degli ebrei spagnoli subisce un mutamento: da una parte, si ha un fenomeno di assimilazione, che porta alcuni esponenti del mondo ebraico, convertiti al cristianesimo, a rivestire posizioni di potere politico ed economico presso le corti; dall'altra, inizia con il 1391 una serie di tumulti popolari antiebraici, che preannunciano l'evento che segnerà, di lì ad un secolo, la fine della cultura ebraica spagnola: l'espulsione degli ebrei dalla Spagna (1492). Queste vicende esercitano una notevole influenza anche sugli sviluppi del pensiero ebraico nei paesi iberici nel corso del Quattrocento: in questo campo, infatti, si assiste da un lato ad un proficuo incontro con la filosofia e la teologia cristiana (secondo molte testimonianze, dotti ebrei frequentavano le università cristiane, sia in Spagna sia, forse, persino a Parigi: tale potrebbe essere il caso di Eli Ḥabillo), finalizzato anche alla raccolta di argomenti da impiegare nelle dispute interreligiose, nonché all'adozione di schemi della scolastica latina (non a caso, alcuni filosofi dell'epoca avrebbero fondato *yeshivot* nelle quali commentavano i testi filosofici, come nelle università); d'altro lato, non pochi pensatori ebrei, timorosi che le persecuzioni e le pressioni all'assimilazione potessero minare la solidità delle comunità giudaiche, si dedicano all'apologetica del giudaismo, difendendolo non solo dagli attacchi cristiani, ma anche dalla minaccia rappresentata dalla filosofia aristotelica. Si arriva così ad una scissione ancora più netta, nel mondo ebraico, tra la filosofia e una nuova teologia costruita sul modello della teologia cristiana e fondata sul concetto di «fede» (*emunah*) come credenza in una serie di dottrine soprannaturali.

[1] Cfr., sul periodo storico trattato in questo capitolo e sui suoi autori principali, Sirat 1990, pp. 445-529 e 583-93 (bibliografia); Frank-Leaman 1997, pp. 350-79 (Charles H. Manekin).

Una vicenda meno drammatica si svolge, sempre nel secolo XV, nella cultura ebraica italiana, nella quale l'apertura del pensiero giudaico alle influenze della filosofia scolastica da una parte, dell'Umanesimo dall'altra avviene senza molte scosse, e in linea con il processo già avviato fin dal 1250 con il tomismo ebraico. Qui, l'alternativa è tra l'aristotelismo, rappresentato sia dall'ormai tradizionale averroismo (è il caso di Elia Del Medigo) sia dai commenti scolastici latini della scuola di Padova (è il caso di Yehudah Messer Leon), e il platonismo, che si innesta sulla tradizione neoplatonica ebraica rinverdita dal nuovo clima creato dall'Accademia platonica di Firenze (è il caso di Yoḥanan Alemanno); in Italia, si potrà così parlare di «filosofia ebraica» sino alla metà del Cinquecento, quando trionferanno definitivamente, nel pensiero ebraico, le dottrine cabbalistiche[2].

Si possono individuare, nel pensiero ebraico spagnolo di quest'epoca, alcuni gruppi di autori, ciascuno dei quali si fa, in diverso modo, interprete di una delle linee sopra evidenziate.

Un gruppo di accesi polemisti si schiera contro la filosofia e contro il cristianesimo, a difesa della tradizione ebraica incarnata dalla *Torah* in tutti i suoi aspetti. Tra di essi sono da annoverare gli autori del *Libro di replica* (*Sefer ha-meshiv*) composto da alcuni cabbalisti castigliani, nel quale si attribuisce alla filosofia una qualificazione puramente negativa, e Shem Tov Ibn Shem Tov senior (morto nel 1441), autore del *Libro delle credenze* (*Sefer ha-emunot*), che scaglia accuse contro la razionalizzazione del giudaismo avviata dalla filosofia di Maimonide e dei suoi successori. Anche le polemiche contro i convertiti sono alquanto numerose nei primi tre decenni del secolo: s'inizia con la *Confutazione dei dogmi cristiani* di Ḥasdai Crescas e lo scritto (*ketav*) in difesa del giudaismo di Yehoshua' Lorqi, che però impiegano contro il cristianesimo argomenti filosofici e razionalistici finendo per indebolire anche la loro difesa della tradizione ebraica (non a caso, anche Lorqi si convertirà nel 1412); ad esse segue la più aspra polemica dell'astrologo e matematico Yiṣḥaq ben Mosheh Levi (*alias* Profiat Duran), attivo in Catalogna e in Provenza tra il 1390 e il 1403, che nella sua lettera *Non essere come i tuoi padri* (*Al tehi ke-avoteka*) cerca abilmente di scalzare i dogmi cristiani descrivendoli nei loro aspetti più difficilmente conciliabili con la ragione.

Su una linea differente si pone una serie di autori dediti a costruire una nuova filosofia, diversa da quella aristotelico-maimonidea (e an-

[2] Sulla filosofia ebraica italiana tra la fine del Quattrocento e l'inizio del Cinquecento, cfr. la recente presentazione di Hava Tirosh-Rothschild in Frank-Leaman 1997, pp. 499-573; cfr. anche Tirosh-Samuelson 1997.

zi spesso in aperto contrasto con quest'ultima) e adatta a difendere le basi del giudaismo. Il fine ultimo di questi autori è sostanzialmente quello di costruire una teologia dogmatica ebraica non meno solida di quella cristiana, spesso servendosi dei metodi e delle dottrine di quest'ultima, opportunamente adattati. Ad aprire questa via è Ḥasdai Crescas, attivo già dalla fine del Trecento (cfr. *infra*, pp. 211 sgg.), e a percorrerla sono diversi autori spagnoli del secolo XV: innanzitutto, il maiorchino Shim'on ben Ṣemaḥ Duran (1361-1444), che ad Algeri redige *Lo scudo dei padri* (*Magen avot*) dedicato ai tre dogmi del giudaismo (l'esistenza di Dio, la veridicità della rivelazione mosaica, l'esistenza di premi e pene nell'aldilà) cui la speculazione filosofica non può arrivare da sola; successivamente, Yosef Albo (morto nel 1444), autore, nel 1425, di un *Libro dei princìpi* (*Sefer ha-'iqqarim*)[3], all'interno del quale si riprende lo schema generale dei tre dogmi posti da Duran sviluppandoli in un sistema di otto fondamenti (*shorashim*), presentati come i postulati irrinunciabili dai quali derivano tutte le altre credenze giudaiche. Certo, la discussione sui «dogmi» resta nel mondo ebraico, privo di un'autorità religiosa centrale in grado di imporre la sua interpretazione, un mero esercizio accademico, che vede alternarsi le ipotesi più diverse: se per i cabbalisti non è lecito porre alcune credenze al di sopra di altre, perché tutta la *Torah* è «dogma», per alcuni filosofi il solo dogma realmente fondamentale nel giudaismo è la *creatio ex nihilo*, punto sul quale la fede può arrivare a livelli di certezza che la filosofia aristotelica da sola non può raggiungere. A questi temi si dedicano i filosofi spagnoli della seconda metà del secolo: Abraham Bibago (sul quale cfr. *infra*, pp. 225 sgg.), Abraham Shalom (morto nel 1492) – autore della *Dimora di pace* (*Neweh shalom*), uno studio in tredici libri sui tredici *'iqqarim* di Maimonide – e Yiṣḥaq 'Arama (morto nel 1494), che espone le sue dottrine sulla fede in una monumentale raccolta di prediche sul Pentateuco, *Il sacrificio di Isacco* (*'Aqedat Yiṣḥaq*). A sostenere l'opera di questi filosofi interviene anche una serie di traduzioni di testi scotistici (il commento alla *Metafisica* di Antonio Andrea) e tomistici (il commento alla *Metafisica* di Tommaso d'Aquino), compiuta negli ultimi decenni del Quattrocento, in Spagna, da Eli Ḥabillo e Abraham Naḥmias (cfr. Zonta 1996, pp. 256-77).

Sempre nella seconda metà del secolo XV, la Spagna ebraica assiste ad un risorgere di interesse per l'aristotelismo averroista. In questa linea si possono collocare le opere di tre esponenti della famiglia degli

[3] Dell'opera esiste, in italiano, solo una traduzione superata e poco conosciuta, pubblicata da Moisè Sorani nel 1878: cfr. al riguardo Tamani 1999.

Ibn Shem Tov: Yosef (morto nel 1460), commentatore dell'*Etica Nicomachea*; Yiṣḥaq, attivo tra il 1470 e il 1490 come esegeta di numerosi commenti averroistici su Aristotele; Shem Tov junior, commentatore della *Guida*. Probabilmente, su questa stessa via si pone anche l'opera di Baruk Ibn Ya'ish (attivo sempre verso il 1480-1490), di cui ci restano una traduzione della *Metafisica*, un commento di ispirazione tomista all'*Etica* e un commento al *De anima* – senza però che questa rinascita comporti una polemica con le tesi dei teologi: anche questi aristotelici sembrano condividere sostanzialmente la dottrina della superiorità della «fede» sulla ragione filosofica.

In Italia, invece, se non esiste una linea apologetico-polemica o teologica, dopo il 1450 i filosofi ebrei si dividono in campi diversi a seconda della loro adesione o all'aristotelismo scolastico – spesso ispirato a quello delle locali università – o al platonismo.

Dell'aristotelismo si fanno portavoce soprattutto due autori: il veneto Yehudah Messer Leon (cfr. *infra*, pp. 230 sgg.), fondatore di una vera e propria scuola che troverà continuazione con il figlio David, ed Elia Del Medigo di Creta (1460-1493), che nel *Libro dell'esame della religione* (*Sefer beḥinat ha-dat*; cfr. in italiano Grusovin 1992) difende le posizioni averroistiche e maimonidee sulla Legge religiosa come legge eminentemente politica e sociale, e sulla scienza filosofica come via per il raggiungimento della verità dimostrabilmente certa. L'uno e l'altro sono palesemente o implicitamente in contatto con la cultura latina: se Messer Leon conosce i classici della retorica antica e segue le dottrine della scuola di Padova, Del Medigo redige addirittura una serie di commenti latini agli scritti di Averroè (a partire dal *De substantia orbis*).

La difesa della filosofia aristotelica condotta da Elia Del Medigo – forse l'ultima nel pensiero ebraico europeo – è finalizzata ad una polemica contro la *qabbalah*, da lui accusata di confondere la filosofia con la religione. In effetti, la *qabbalah* rappresentava, insieme al neoplatonismo ebraico e all'ermetismo, uno dei punti di partenza del pensiero di Yoḥanan Alemanno (1435-1504 circa), attivo a Firenze come filosofo, esegeta e maestro di Giovanni Pico della Mirandola (cfr. Lelli 1995 e 1996). Alla base del pensiero di quest'autore, espresso in particolare nel suo commento al *Cantico dei Cantici* (*Il desiderio di Salomone*, *Ḥesheq Shelomoh*), sta la concezione ermetico-platonica dell'uomo, anzi del cabbalista come «mago» dell'universo; la *qabbalah*, individuata come l'unica legittima portavoce dell'antica sapienza ebraica (e affine al pensiero di Ermes, Pitagora, Zoroastro), è considerata l'interpretazione più valida della *Torah*, la quale a sua volta, scritta in una lingua divina, corrisponderebbe per sua natura alla realtà delle cose; pertanto, la conoscenza della *qabbalah* dà all'uomo la possibilità non solo di comprendere, ma anche di manipolare le cose attraverso il gioco delle lettere e dei numeri. L'opera di Alemanno trova sostanziale sostegno in quella di Yiṣḥaq Abravanel (1437-1508), prima commerciante e finanziere in Portogallo, poi, dal 1492, esegeta e filosofo a Napoli, che fu autore, oltre a diversi scritti minori, di un monumentale commento al Pentateuco e ai libri profetici della Bibbia, nonché di un commento alla *Guida* e, in linea con il pensiero ebraico iberico, di un'opera di dogmatica, *Ro'sh amanah* (*Il principio della credenza*). Abravanel, che anticipa alcune tesi riprese nel secolo seguente dal figlio Yehudah Abravanel (il Leone Ebreo dei *Dialoghi d'amore*), fonde elementi della filosofia ebraica tardomedievale (da Maimonide a Crescas, del quale ultimo diffonde alcune dottrine antiaristoteliche) con aspetti della scolastica (Alberto Magno) e del neoplatonismo greco (Plotino e Proclo).

2. *Ḥasdai Crescas*

Nato probabilmente intorno al 1340, Ḥasdai Crescas[4] fu attivo dal 1367 a Barcellona, dove prima studiò con Nissim Girondi (1310-1375), e successivamente fondò una propria *yeshivah* di studi religiosi e filosofici, intorno alla quale si strinse un gruppo di allievi, in parte filosofi anch'essi (è il caso di Abraham ben Yehudah Leon di Candia, che potrebbe averci trasmesso una sorta di «resoconto» delle lezioni tenute da Crescas: cfr. Rosenberg 1983-1984), in parte traduttori dall'arabo in ebraico di testi utili allo stesso Crescas per dare sostegno alle sue tesi (è il caso, probabilmente, tanto di Shelomoh Ibn Labi, che verso il 1370 tradusse in ebraico la *Fede esaltata* di Abraham Ibn Daud, quanto di Zeraḥyah ha-Levi Saladin, che nel 1411 tradusse invece la *Confutazione dei filosofi* [*Tahāfut al-falāsifa*] di al-Ghazālī). Trasferitosi a Saragozza dal 1387, Crescas fu in contatto non solo con le comunità ebraiche, ma anche con gli ambienti della corte aragonese: grazie a questi ultimi contatti, egli potrebbe aver intrattenuto rapporti anche con rappresentanti della cultura catalana dell'epoca (cfr. Harvey 1986), continuando comunque a svolgere un'opera di difesa della religione e della cultura ebraica, specie in occasione delle persecuzioni del 1391 e del 1410. Morì nel 1412.

L'intento dell'intensa azione culturale svolta da Ḥasdai Crescas sembra essere stato proprio quello di difendere la tradizione religiosa

[4] Gli studi più aggiornati e recenti su Ḥasdai Crescas sono condotti da Warren Z. Harvey; cfr. al riguardo Harvey 1998. Per una recente sintesi, cfr. Frank-Leaman 1997, pp. 399-414 (Daniel J. Lasker).

del giudaismo medievale non solo dagli attacchi esterni, ma anche da quelli interni, che giungevano soprattutto – a suo dire – dai seguaci della filosofia aristotelica, identificata con il pensiero di Maimonide e di Averroè. Crescas si pone anzi coscientemente come una sorta di anti-Maimonide: ambisce infatti a costruire una filosofia antiaristotelica, finalizzata alla difesa dei «dogmi» ebraici e fondata non certo sul rifiuto a priori delle conclusioni dell'aristotelismo maimonideo, bensì sulla confutazione dei loro stessi presupposti filosofici. Per raggiungere questo scopo, egli non esita a servirsi di argomentazioni ispirate dalla filosofia latina (in particolare, dalla «nuova fisica» di Guglielmo di Occam e di Giovanni Buridano, che aveva scalzato alcuni dei presupposti della fisica aristotelica e che era già nota al suo maestro Girondi: cfr. Harvey 1992) e dalla stessa teologia scolastica. La ricchezza e l'ampiezza di temi presente nell'opera di Crescas la rende peraltro estremamente difficile da comprendere: in effetti, essa sembra aver avuto una fortuna molto limitata tra i contemporanei.

Opere. Le datazioni delle opere di Crescas sono difficili da stabilire: l'autore probabilmente le fece circolare in diverse recensioni. Gli scritti più importanti di Crescas giunti sino a noi sono tre:

1. la *Confutazione dei dogmi cristiani*, redatta in catalano o in aragonese intorno al 1398. Il testo originale dell'opera è perduto, ma se ne conserva una versione ebraica parafrastica composta nel 1451 da Yosef Ibn Shem Tov, più volte edita dal 1860 in poi. In essa Crescas passa in rassegna dieci dogmi del cristianesimo (dal peccato originale alla Trinità, dall'incarnazione alla transustanziazione) e cerca di dimostrarne l'irrazionalità;

2. il *Sermone di Pasqua* (*Derashat ha-Pesaḥ*). Edito da Aviezer Ravitzky nel 1988, questo scritto affronta due temi: la difesa del libero arbitrio contro le dottrine deterministiche, e la questione dell'agente dei miracoli, che secondo Crescas è il profeta (e non Dio direttamente);

3. il *Libro della luce del Signore* (*Sefer 'or ha-Shem*). Si tratta dell'opera principale di Crescas: sottoposta a successive revisioni, l'opera venne completata solo nel 1410; pubblicata per la prima volta nel Cinquecento, essa attende ancora un'edizione critica, ora in preparazione a cura di Warren Z. Harvey. In essa, Crescas presenta un nuovo sistema di teologia dogmatica giudaica (cfr. al proposito anche *supra*, pp. 8 sg.), modellato sulle opere della teologia cristiana, e suddiviso in quattro libri:

– il primo libro, in parte edito e studiato da Harry A. Wolfson in un saggio del 1929, è dedicato a quelli che Crescas chiama *shorashim* o *hatḥalot*, «fondamenti» o «princìpi» del giudaismo: si tratta delle dottrine indispensabili alla rivelazione (l'esistenza, l'unità e l'incorporeità di Dio), che egli cerca di dimostrare su basi diverse da quelle poste da Maimonide nella *Guida dei perplessi*, confutando alcuni aspetti della fisica e della metafisica di Aristotele (cfr. *infra*, T20);

– il secondo libro tratta dei *pinnot*, le «pietre angolari» del giudaismo, ossia le dottrine dell'onniscienza, provvidenza e onnipotenza divine, nonché il libero arbitrio, la profezia e i fini della rivelazione;

– il terzo libro è dedicato alle *de'ot amittiyyot*, le «opinioni veridiche»: in massima parte, una serie di credenze tradizionali del giudaismo, dalla creazione *ex nihilo* alla resurrezione dei morti;

– il quarto libro è dedicato a generiche *de'ot u-sevarot*, ossia a discutere, secondo il metodo delle questioni scolastiche, di «opinioni» circa le quali la rivelazione non si esprimerebbe in modo definitivo, come l'eternità del mondo dopo la creazione o la pluralità dei mondi (cfr. *infra*, T21, p. 221).

Come Crescas afferma nell'introduzione dell'opera, la *Luce del Signore* avrebbe dovuto essere seguito da un trattato di carattere giuridico (probabilmente mai effettivamente messo per iscritto), dal titolo *La lampada del precetto* (*Ner miṣwah*), in cui sarebbero state sottoposte a critica le dottrine giuridiche di Maimonide.

T20. ESPOSIZIONE E CONFUTAZIONE DELLA FISICA ARISTOTELICA (dalla *Luce del Signore*, libro I, *summa* I, capp. 1 [parte], 2-3, 12; *summa* II, capp. 1 [parte], 2-3, 8)[5]

Presentiamo qui alcuni esempi dell'approccio di Crescas alla filosofia aristotelica e maimonidea. Secondo un metodo non del tutto dissimile da quello usato dagli scolastici latini nelle loro discussioni, di ognuna delle «proposizioni» filosofiche di Maimonide (corrispondenti alle venticinque o ventisei proposizioni poste al principio del libro II della *Guida dei perplessi*) egli espone, nella *summa* I, le prove a favore portate dalla tradizione aristotelica araba ed ebraica, passando poi, nella *summa* II, a confutarle una per una. Crescas confuta innanzitutto la tesi che non esista qualcosa di dimensioni infinite, fondata sull'ipotesi dell'inesistenza del vuoto (s. I, cap. 1; per la dimostrazione aristotelica dell'inesistenza del vuoto, cfr. anche *supra*, T12, p. 98, il passo di Yosef Ibn Ṣaddiq), affermando che non è affatto provato che il vuoto non esista (s. II, cap. 1); confuta poi la tesi che non esista un numero infini-

[5] Cfr. Wolfson 1929, pp. 134.18-24; 216.16-218.4; 220.9-224.4; 266.8-270.3; 178.16-19; 178.27-180.7; 218.5-220.8; 224.5-228.8; 270.4-272.13. Un'utile rassegna delle fonti di questi passi è data da Wolfson stesso nelle note alla sua traduzione del testo in questione (cfr. *ibidem*, pp. 319-540, e 612-14).

to di corpi, fondata sulla tesi precedente (s. I, cap. 2), affermando tra l'altro che l'infinito numerico – negato da Aristotele – è concettualmente possibile (s. II, cap. 2); passa quindi a smentire la tesi aristotelica che la catena di cause ed effetti debba avere una fine (s. I, cap. 3) – tesi sulla quale si fonda una delle prove dell'esistenza di Dio come Prima Causa, ossia «fine» di questa catena – affermando che da Dio, essere infinito, possono provenire benissimo infiniti effetti (s. II, cap. 3); infine ammette, contro l'affermazione di Maimonide al proposito (s. I, cap. 12), che in un corpo finito possa esistere una potenza infinita, sostenendo che questa potenza, anche se non può avere un'intensità infinita, può però durare per un tempo infinito – quale è, secondo lo stesso Aristotele, il tempo di durata del movimento celeste (s. II, cap. 8). Le prove portate da Crescas, estremamente complesse e fondate su una logica stringente, sono – come si vedrà – basate perlopiù sulla ricerca di contraddizioni interne al ragionamento svolto da Maimonide e da Aristotele; tra le loro fonti più importanti, ha un ruolo chiave la versione ebraica (di Yiṣḥaq ben Natan) del commento arabo alle venticinque proposizioni maimonidee, composto dal filosofo musulmano persiano Abū 'Abdallāh al-Tabrīzī (secolo XIII).

Libro primo, «summa» prima, capitolo primo

Sulla spiegazione della prima proposizione [di Maimonide], che afferma che l'esistenza di qualcosa dotato di una dimensione infinita è assurda.

Questa proposizione è esaminata da Aristotele in diversi luoghi delle sue opere: nella *Fisica*, nel *De caelo et mundo*, nella *Metafisica*. Egli porta per questo delle prove, sia per spiegare l'impossibilità dell'esistenza di una grandezza immateriale infinita, sia per spiegare l'impossibilità dell'esistenza di una grandezza corporea infinita, sia per spiegare l'impossibilità dell'esistenza di un oggetto mosso infinito dotato di un movimento circolare o rettilineo, sia per spiegare in generale l'impossibilità dell'esistenza di un corpo infinito in atto. [...]

Capitolo secondo

Sulla spiegazione della seconda proposizione [di Maimonide], che afferma che l'esistenza di grandezze di numero infinito è assurda – nel senso che esse [non possono] esistere insieme.

Giacché si è spiegata, nella prima proposizione, l'impossibilità dell'esistenza di grandezze infinite per dimensione, si spiega in questa proposizione l'impossibilità dell'esistenza di grandezze infinite per numero.

La verifica di questa proposizione si raggiunge mediante le prove [impiegate per verificare] la prima proposizione, ossia: ogni grandezza ha una certa dimensione, e quando le si aggiunge un'altra grandezza, la somma delle loro dimensioni è maggiore. Ora, quando si sommano grandezze infinite per numero, la dimensione [totale] di esse sarebbe infinita – il che è evidentemente impossibile[6].

Capitolo terzo

Sulla spiegazione della terza proposizione [di Maimonide], che afferma che l'esistenza di cause e di effetti in numero infinito è assurda, anche se non si tratta di grandezze [corporee]: per esempio, [il fatto] che un tale intelletto sia causa di un secondo intelletto, che il secondo intelletto sia causa di un terzo, e così via all'infinito – anche questo fatto è evidentemente assurdo.

Dunque, dopo aver spiegato, nella seconda proposizione, l'impossibilità dell'esistenza dell'infinito nelle cose che hanno un ordine di posizione – ossia nelle grandezze – [Maimonide] spiega l'impossibilità dell'esistenza dell'infinito nelle cose che hanno un ordine di natura – ossia nelle cause e negli effetti – perché la causa è ciò che, con la sua esistenza, fa esistere il suo effetto, e se si immagina che la causa non esista non si può neppure immaginare l'esistenza dell'effetto.

Per questo, una serie concatenata di cause ed effetti che vada all'infinito è impossibile. Infatti, l'effetto, quanto a sé stesso, ha un'esistenza soltanto possibile, e ha bisogno di un qualcosa che determini il fatto che la sua esistenza prevalga sulla sua inesistenza – e questo qualcosa è la sua causa. Perciò, tutti gli elementi di un'infinita serie concatenata di cause ed effetti non sfuggono [a una di queste due alternative]: o sono tutti effetti, o non lo sono. Se tutti [gli elementi della serie] sono effetti, allora essi hanno tutti un'esistenza possibile, e giacché hanno bisogno di un qualcosa che determini il fatto che la loro esistenza prevalga sulla loro inesistenza, allora essi devono necessariamente avere una causa che non sia essa stessa effetto. Se invece essi non sono tutti effetti, allora uno di essi, che sarebbe posto alla fine della serie concatenata, dev'essere una causa senza essere un effetto – ma si è già supposto che [tale serie] non abbia una fine, e dunque questo è assurdo e impossibile. Ora, quest'ultima assurdità è conseguenza necessaria del fatto che noi abbiamo supposto che le cause e gli effetti siano infiniti di numero.

Occorre rilevare, però, che l'impossibilità dell'infinito non consegue altro che alle cose che hanno un ordine di posizione – ossia, alle grandezze – o di natura – ossia, alle cause e agli effetti – ma non consegue alle cose che non hanno un ordine di posizione

[6] Crescas ha dimostrato l'impossibilità di una dimensione infinita nel capitolo precedente, servendosi delle argomentazioni aristoteliche al riguardo.

o di natura – ossia agli intelletti o alle anime. Pertanto, non è impossibile che queste ultime cose abbiano un'esistenza infinita. Questa è la dottrina di Avicenna e di Abū Ḥāmid [al-Ghazālī]. Quanto ad Averroè, egli ritiene che tale impossibilità valga anche per le cose che non hanno un ordine: egli afferma infatti che un numero in atto sia necessariamente finito, perché ogni numero in atto è anche qualcosa di enumerato in atto, ed ogni cosa enumerata in atto dev'essere o pari o dispari, e ciò che è pari o dispari è necessariamente finito.

Ciò che noi riteniamo a questo proposito è che quest'ultima suddivisione del numero è vera e non c'è modo di sfuggirvi, ma che al numero infinito, essendo privo di limite, non si può attribuire né la parità né la disparità, e pertanto il numero infinito non è impossibile per quanto riguarda questa cosa [*scil.* intelletti e anime]. Per questo Maimonide si è accuratamente limitato a discutere circa l'impossibilità del numero infinito per quanto riguarda le cose che hanno un ordine di posizione – ossia le grandezze – o di natura – ossia, cause ed effetti, in quanto sono l'una causa di una seconda e la seconda causa di una terza, e così via all'infinito. [...]

Capitolo dodicesimo

Sulla spiegazione della dodicesima proposizione [di Maimonide], che afferma che ogni potenza che si trovi estesa in un corpo è finita, perché il corpo [stesso] è finito.

Ora, Aristotele ha spiegato questa proposizione nel libro VIII della *Fisica*[7], e l'ordine della [sua] dimostrazione è il seguente. Ogni corpo può essere finito o infinito; ma l'esistenza di un corpo infinito è impossibile, come è stato spiegato prima[8]. Pertanto, non resta altro che la potenza che si trova nel corpo sia finita. D'altronde, l'esistenza di una potenza infinita in un corpo appare essere impossibile, perché noi abbiamo supposto una premessa evidente di per sé, ossia che le potenze diffuse presenti nei corpi si dividano al dividersi dei corpi stessi, e che tanto più grande è un corpo, tanto più grande è la sua potenza motrice – come noi constatiamo vedendo che una parte maggiore di terra muove [altre cose] più di quanto lo faccia una parte minore di essa. Stando così le cose, l'ordine del sillogismo è il seguente. Se esistesse una potenza infinita in un corpo finito, ne conseguirebbe una di queste due cose: o che [tale potenza] muova un qualche oggetto all'istante, oppure che una potenza infinita ed una potenza finita

[7] Cfr. Aristotele, *Fisica*, 266a24-266b6.

[8] Cfr. il capitolo 1 della *summa* I della *Luce del Signore*, non tradotto in questa sede (cfr. Wolfson 1929, pp. 135-79).

abbiano un'eguale forza motrice – ed entrambe queste cose sono evidentemente impossibili [stando alla dottrina di Aristotele].

E come si arriva a queste conseguenze, stando a ciò che [Aristotele] afferma?

Supponiamo che il corpo nel quale si trova una potenza infinita muova un qualche oggetto in un qualche tempo. Ora, è possibile che un motore finito muova quell'oggetto, perché possiamo assumere che [quell'oggetto] abbia una dimensione tale da poter essere mosso da un motore finito. Non c'è dubbio, allora, che [questo motore finito] abbia bisogno, per muovere quell'oggetto, di un tempo maggiore di quello di cui ha bisogno il motore infinito. Ma allora non si sfugge: il motore infinito deve muovere quell'oggetto o all'istante, o nel corso di un certo tempo. Se esso muove quell'oggetto nel corso di un certo tempo, si tratta necessariamente di una parte nota del tempo maggiore [richiesto dal motore finito]. Ora, si sa che noi potremmo comunque detrarre dal corpo che [ha questa potenza motrice] infinita una parte, il cui rapporto con un altro infinito sia eguale al rapporto tra il tempo minore e il tempo maggiore [in questione]; pertanto, una parte dell'infinito, che dev'essere necessariamente finita, avrebbe una forza motrice eguale a quella di una potenza infinita, [il che è assurdo].

Dunque, è evidente che la conseguenza deriva necessariamente da ciò che la precede, ossia: se esiste una potenza infinita in un corpo finito, ciò significa necessariamente o che il motore infinito muove un qualche motore all'istante, oppure che una potenza infinita e una potenza finita sono eguali nella loro forza motrice. [...]

«Summa» seconda, capitolo primo

In esso studieremo le prove portate [da Maimonide] per [dimostrare] la veridicità della prima proposizione, [per vedere] se siano veridiche sotto ogni aspetto. [...]

Speculazione prima

Sull'esame della prova portata per spiegare l'impossibilità dell'esistenza di una grandezza immateriale infinita. [...]

Questa [prova], a quanto pare, è costruita sul fondamento che il vuoto sia impossibile, come abbiamo già detto nella *summa* prima. In effetti, se noi ammettessimo l'esistenza del vuoto, non sarebbe impossibile l'esistenza di una dimensione non legata a ciò che percepiamo con i sensi, anzi forse l'esistenza di questa dimensione sarebbe inevitabile; infatti, è possibile che [il vuoto] venga misurato, e sarebbe vero dire di esso che è grande o piccolo, e [attribuirgli] tutti gli altri accidenti della quantità. Ma è proprio sul fatto che se ne rifiuta l'esistenza che è costruita questa prova. Però, giacché in tutta questa argomentazione non c'è alcuna prova sufficiente che confuti l'esistenza del vuoto, abbiamo ritenuto di dover rispondere a tale argomentazione, spiegando la falsità di queste prove, perché ciò comporta un'utilità non piccola per [lo studio di] questa scienza. [...]

Capitolo secondo

Sull'esame della seconda proposizione, che afferma che l'esistenza di grandezze infinite di numero è assurda.

Ora, è evidente che questa proposizione si fonda sulla verifica della prima proposizione; e quando viene dimostrata la falsità della prima, viene dimostrata facilmente anche la falsità di questa seconda proposizione. Tuttavia, qualcuno potrebbe dire che, anche se la prima proposizione non viene dimostrata vera, si può comunque dimostrare la verità della seconda per via dell'impossibilità [dell'esistenza] di un numero infinito. In effetti, quando noi affermiamo che ogni numero dev'essere o pari o dispari, e il pari e il dispari sono entrambi limitati e finiti, allora ogni numero dev'essere finito. Però, noi abbiamo già precedentemente spiegato, nel capitolo terzo della prima *summa*, che quest'ultima non è la dottrina di Maimonide, e che anche Abū Ḥāmid [al-Ghazālī] e Avicenna sono d'accordo con lui.

Infatti, quest'ultimo rilievo è stato invece sollevato da Averroè nel suo *Commento medio* alla *Fisica*[9]. A questo riguardo, bisogna dire che il numero in atto, o meglio le cose contate mediante un numero, sono limitate, e tutto ciò che è limitato è necessariamente finito; però, per le cose dotate di un numero, ossia per le cose che per loro natura possono essere numerate ma non sono attualmente numerate, non è impossibile che vi sia l'infinito, anche se si suppone che si debba trattare di un numero pari o di un numero dispari: infatti, è possibile parlare o di infiniti numeri pari, o di infiniti numeri dispari.

Tuttavia, la verità pura e semplice è che la suddivisione del numero in pari e dispari vale per il numero finito e limitato, ma il numero infinito, giacché non è limitato, non è qualificabile come pari e dispari. Ma questo rilievo l'abbiamo già fatto nel capitolo summenzionato.

Capitolo terzo

Sullo studio della terza proposizione, che afferma che l'esistenza di cause ed effetti di numero infinito è assurda.

[9] Per questo riferimento, cfr. Wolfson 1929, p. 477, n. 3.

Dico che la prova portata a questo riguardo da al-Tabrīzī, sulla quale abbiamo avanzato dei rilievi nel terzo capitolo della *summa* prima, e alla quale si accenna nel libro VIII della *Fisica* e nella *Metafisica*[10], stando alla dottrina di Maimonide non è sufficiente. In effetti, [Maimonide] non ritiene necessaria l'impossibilità [dell'esistenza] di un numero infinito, se non per le cose che hanno un ordine e un grado di posizione o di natura; per questo, è possibile che un solo intelletto sia causa di un numero infinito di intelletti. In generale, non è impossibile che esistano infiniti effetti a partire da una sola causa, se è possibile che da una sola causa vi sia l'emanazione di più di un effetto. E, giacché non è impossibile che gli effetti siano infiniti, anche se essi hanno tutti [una sola] causa, allora neppure l'esistenza di una causa per tutti [questi effetti] rende necessariamente impossibile che gli effetti siano infiniti. Perciò, se noi supponiamo [una serie di] cause ed effetti, dei quali l'una è causa della seconda, la seconda della terza, e così via per sempre, perché mai, se supponessimo che tutte queste cose hanno una sola causa, l'esistenza di questa causa dovrebbe comportare necessariamente l'impossibilità di cause ed effetti infiniti? Infatti, questo non può essere la conseguenza necessaria del fatto che tutte queste cose hanno una causa prima, perché, supponendo un numero infinito di effetti, abbiamo anche ammesso che essi hanno tutti una sola causa, ed è quindi evidente che non è impossibile che questi effetti siano infiniti, giacché l'infinito di numero non è impossibile per cose che non hanno un ordine di posizione o di natura. Dunque, anche quando noi supponessimo che quegli effetti infiniti sono ciascuno causa dell'altro, ciò non comporterebbe alcuna assurdità; solo, avremmo bisogno di un qualcosa che determini la prevalenza dell'esistenza di questi effetti sulla loro inesistenza, perché l'esistenza di tutti questi effetti è [puramente] possibile – e noi abbiamo già ammesso [che esista] una causa prima che non comporta necessariamente che le altre cose, da essa causate, debbano avere una fine, e che ciò determina l'esistenza di tali cose.

Alcuni dei commentatori[11] hanno cercato di avvalorare questa proposizione affermando, alla lettera: «Ciò che non arriva da sé [ad esistere] se non viene preceduto da qualcosa di infinito, non arriva [mai ad esistere], ed è impossibile che esista». Ora, se [qui] si tratta di una precedenza temporale, questa obiezione ha un senso, anche se ammette comunque una contestazione, giac-

[10] Cfr. probabilmente Aristotele, *Fisica*, 256b28-257a13; *Metafisica*, 994a1-994b9.

[11] Si tratta di Mosheh Narboni, dal cui commento alla *Guida* di Maimonide Crescas riprende qui un passo.

ché a noi pare che ciò che non può arrivare [ad esistere] se non viene preceduto da qualcosa di infinito in realtà arriva [ad esistere]: per esempio, si potrebbe dire che questo giorno in cui ci troviamo è arrivato, anche se, stando ai sostenitori dell'eternità del mondo, non potrebbe essere arrivato se non fosse stato preceduto da qualcosa di infinito. È vero che questo [fenomeno] sarebbe accidentale, ma [il criterio] di ammettere la possibilità di una cosa per accidente e negarne la possibilità sostanziale [non è pacifico, ma] deve essere dimostrato vero. Tuttavia, se noi ammettessimo che quest'ultima distinzione vale per la precedenza temporale, essa non avrebbe comunque senso nel caso della precedenza causale, perché queste cose [che si precedono l'un l'altra come cause] esistono tutte nello stesso tempo. Infatti, se queste cose esistono tutte nello stesso tempo, una volta che noi abbiamo ammesso la possibilità che vi possano essere ad un tempo cose [di numero] infinito. chi potrebbe sostenere che tale fatto è impossibile quando ciascuna di tali cose è causa di un'altra, ma è possibile quando esse sono tutte effetti [di una sola causa]?

Tuttavia, l'intento di questa proposizione, e ciò che noi abbiamo bisogno di ricavare da essa, è [l'affermazione] dell'esistenza di una causa prima non causata – e non importa che gli effetti di tale causa, ciascuno dei quali è causa di un altro, siano infiniti o finiti. [...]

Capitolo ottavo

Sull'esame della dodicesima proposizione, che afferma che ogni potenza che si trovi estesa in un corpo è finita, perché il corpo stesso è finito.

Dico che il motivo che abbiamo già menzionato prima – ossia, il fatto che l'impossibilità di un corpo infinito non è stata ancora dimostrata –[12] dimostra già la falsità di questa proposizione.

Però, anche se supponessimo che è così [*scil.* che un corpo infinito non può esistere], io dico che [questa proposizione] è comunque falsa. In effetti, noi non ammettiamo che in questo sillogismo il termine seguente sia necessariamente conseguente a quello che lo precede. Infatti, [all'esistenza di un corpo infinito] non consegue affatto l'esistenza di un movimento senza tempo [*scil.* di un movimento istantaneo], perché ogni movimento deve inevitabilmente avere, alla sua origine, un tempo; e neppure ad essa consegue il fatto che una potenza infinita e una potenza finita [producano un movimento] in tempi eguali, perché il rappor-

[12] Cfr. la speculazione 4 del cap. 1 della *summa* II della *Luce del Signore*, non tradotta in questa sede (cfr. Wolfson 1929, pp. 215-17).

to tra la prima e la seconda sarebbe comunque in ragione del tempo aggiunto al tempo noto di base, [richiesto] dalla natura. Infatti, l'infinito muoverebbe una cosa senza tempo [sì], ma senza considerare il tempo di base, mentre il finito avrebbe bisogno, [per muovere quella cosa], di un certo tempo [in più]. E anche se si supponesse che un motore finito muovesse quella cosa [solo] nel tempo di base, questo non comporterebbe alcuna assurdità, perché vi sarebbe comunque una differenza tra di essi [*scil.* tra il motore finito e il motore infinito] quando l'oggetto mosso fosse [più] grande, perché allora il finito avrebbe bisogno di un certo tempo per muoverlo, oltre al tempo di base, mentre l'infinito lo muoverebbe solo nel tempo di base. Questo è il modo in cui noi confutiamo questa prova.

Però, bisogna rilevare che, se anche ammettessimo [la validità di] questa prova [*scil.* della proposizione dodicesima di Maimonide], dovremmo comunque intendere che si tratta di un'infinitezza di intensità. In effetti, è evidente che si può parlare di infinito in due sensi: [infinito] per intensità, o [infinito] nel tempo. Perciò, se anche ammettessimo che la prova è valida per l'infinitezza di intensità, essa non sarebbe necessariamente valida per l'infinitezza di tempo. In effetti, è possibile che una potenza che agisce in un corpo finito produca [in esso] un movimento di intensità finita in un tempo infinito, se non c'è una causa che esaurisca e annulli [quel movimento] – com'è nel caso del movimento circolare, che non è dovuto né ad un trascinamento né ad una spinta, tanto più nel corpo celeste, circa il quale tutti sono d'accordo sul fatto che [...] non abbia né indebolimento né invecchiamento, come si dimostra nel *De caelo et mundo*[13]; e si può dire che il movimento circolare è il movimento naturale del corpo celeste, mentre il movimento rettilineo è il movimento naturale degli elementi.

T21. SULLA POSSIBILITÀ DELLA PLURALITÀ DEI MONDI (dalla *Luce del Signore*, libro IV, questione 2)[14]

In questa *quaestio* di stile scolastico, che abbiamo riprodotto qui per intero nella sua complessa struttura, Crescas intende dimostrare la possibilità che esistano altri mondi oltre al nostro, con argomenti in parte analoghi a quelli portati, due secoli dopo, da Giordano Bruno nel suo *De l'infinito, universo et mondi*. La conclusione di Crescas è sostanzialmente che, anche se esistono elementi contrari a questa tesi (il fatto che, se ci fossero altri mondi, noi dovremmo vederli nei nostri cieli;

13 Cfr. Aristotele, *De caelo*, 270b1-4.
14 Cfr. Crescas 1555, pp. [244].11-[246].17.

l'inutilità della loro esistenza, non essendo il mondo – secondo la dottrina aristotelica – cosa corruttibile, e non avendo quindi bisogno di riprodursi creando una molteplicità; il fatto che da Dio, che è uno solo, debba necessariamente derivare un solo mondo), essi sono tutti confutabili: noi potremmo non vedere gli altri mondi, per il semplice fatto che essi sono molto distanti, e comunque tra noi e loro potrebbe esserci uno spazio vuoto (un concetto nuovo, questo, per la cosmologia medievale); l'inutilità che vi siano molti mondi non significa affatto che la cosa sia impossibile; poi, Dio è sì uno, ma ciò non gli impedisce certo di creare molti mondi, data anche la sua infinita bontà e grazia. Infine, Crescas afferma che neppure la dottrina aristotelica che ognuno dei quattro elementi si muova verso il suo luogo naturale (cfr. per questo *supra*, T12, p. 97, l'esposizione di Yosef Ibn Ṣaddiq) va contro la sua tesi: è ovvio che gli elementi di ogni mondo, muovendosi, resterebbero comunque all'interno di quel mondo, senza mescolarsi agli elementi dei mondi adiacenti – come vorrebbe invece Aristotele.

Questione seconda: se sia possibile l'esistenza di un solo mondo o quella di più mondi contemporaneamente.

Vi sono elementi di prova a favore di entrambe le tesi. Per quanto riguarda la tesi affermativa [*scil.* la pluralità]: se l'essere del mondo è volontario o necessario, che cosa impedisce che la volontà o la necessità [divina] si riversi su un altro mondo o su altri mondi? Infatti, giacché è evidente che il mondo è prodotto volontariamente dalla benevolenza e dalla grazia [divina], ed è chiaro che non vi è avarizia e ristrettezza [da parte di Dio] nel beneficare, più cresce il numero dei mondi, più cresce la Sua beneficenza. Per questo, è possibile che vi siano molti mondi.

Ora, questi elementi sono a favore della tesi affermativa. Quanto alla tesi negativa [*scil.* l'unicità], anch'essa ha elementi di prova a suo favore. Tra di essi vi è il seguente. Se esistono diversi mondi simultaneamente, non si sfugge ad una di queste due alternative: ciò che sta tra di essi o è un vuoto, oppure un corpo. Che vi sia un vuoto è impossibile, secondo gli antichi; pertanto, tra di essi vi deve essere un corpo. Questo corpo è o trasparente, o non [trasparente]; se è trasparente, noi dovremmo vedere a volte più di un sole e più di una luna contemporaneamente, quando l'uno e l'altro si trovano all'orizzonte; se è opaco, giacché esistono corpi celesti opachi che ricevono la luce da altri corpi – come la luna, che riceve la sua luce dal sole e da alcuni astri, secondo la dottrina di chi la pensa così – allora sarebbe necessario che ciò che si trova tra l'uno e l'altro mondo ricevesse la luce dai [diversi] soli, e noi potremmo vedere molti astri di uno o più degli altri mondi. Per questo, l'evidenza dei sensi rende inevitabile che non vi sia più di un mondo.

Tra questi elementi [a favore della tesi dell'unicità, vi è anche il fatto] che, giacché non esiste una pluralità di individui <se> non tra gli individui generabili e corruttibili, come gli animali e le piante, sembra che questa loro pluralità abbia come fine solo la conservazione della specie; per questo, tra gli individui incorruttibili non vi è pluralità. Bisogna dunque necessariamente che nel mondo non vi sia alcuna pluralità, perché è evidente che [il mondo] è incorruttibile.

Tra questi elementi, [vi è anche il fatto] che, giacché l'agente dell'esistenza è uno solo ed è estremamente semplice, sembra opportuno che [anche] l'esistenza stessa sia una, sia perché si concorda sul fatto che da ciò che è uno e semplice non deriva necessariamente altro che qualcosa di uno e semplice, sia perché sembra che la maggior perfezione dell'ente emanato consista nel fatto di essere simile, per tutto ciò che è possibile, all'ente emanatore – e giacché l'ente emanatore [*scil.* Dio] è uno, ne consegue necessariamente che la perfezione dell'ente emanato [*scil.* il mondo] sia [proprio] l'unità. Da questi elementi consegue necessariamente l'impossibilità della pluralità dei mondi.

Ora, giacché vi sono elementi di prova a favore di entrambe le tesi, è opportuno che noi distinguiamo, tra di essi, ciò che è vero da ciò che non è vero. Diciamo dunque che la prima argomentazione a favore della tesi affermativa, che dipende dalla possibilità dell'occorrenza della volontà o della necessità [divina] in un altro mondo, diverso da questo, non comporta necessariamente l'esistenza [di quest'altro mondo], ma ne dà solo la possibilità, se occorre la volontà [che esso vi sia]. Tuttavia, se c'è qualcosa che impedisca di per sé la pluralità [dei mondi], quella possibilità non c'è più. Quanto all'impedimento alla pluralità, esso può essere per via di una delle argomentazioni portate a prova della tesi negativa – ossia, o perché la pluralità è superflua per individui eterni, o perché l'unità rappresenta una perfezione, come si afferma là.

Quanto alla seconda argomentazione, che dipende dal fatto che la generazione del mondo è prodotto di volontà ed è in virtù della beneficenza e della grazia [divina], se la pluralità [dei mondi] è inevitabile, bisogna che essa sia o limitata, o illimitata. Ora, essa non può essere limitata, perché qualunque sia il numero dei mondi, sarebbe sempre possibile aggiungerne altri, per la grande beneficenza [di Dio]. Ma non può neppure essere illimitata, perché dovrebbero esistere simultaneamente corpi di numero infinito [il che è impossibile]. Ora, giacché è necessariamente impossibile che vi sia tanto una pluralità illimitata, quanto una pluralità limitata, è evidente che non può esserci alcuna pluralità [dei mondi]. [Peraltro], se si ritiene che la generazione [del mondo] in virtù della grazia [divina] renda necessaria la pluralità della beneficenza [divina] mediante la pluralità dei mondi, non si sfugge ad una di queste due alternative: o la sapienza divina ha deciso che la generazione [del mondo] sia limitata, e non è questione di un impedimento alla crescita [del numero dei mondi], perché comunque si ponga la questione resta sempre lo stesso dubbio – giacché il numero è limitato; o la sapienza divina ha deciso che l'oggetto emanato debba essere uno per rassomigliare al suo emanatore.

Quanto alla prima argomentazione a favore della tesi negativa, che dipende dalla necessaria alternativa che risulta dal fatto che ciò che sta tra i mondi è o un vuoto o un pieno, dico che, comunque sia, non ne consegue nulla di assurdo. Infatti, non è affatto evidente l'impossibilità del vuoto, anzi è forse provato che esso esiste, come abbiamo spiegato nel libro I; e pertanto, se tra i mondi vi è un vuoto, ciò non comporta alcuna assurdità. Se poi tra i mondi vi è un pieno, non ne conseguono comunque quelle assurdità [che abbiamo detto], perché, a causa della grande distanza che vi è tra i mondi, noi potremmo non vedere nulla di quegli astri.

Quanto alla seconda argomentazione, assunta per ragionamento induttivo, essa non è decisiva [circa il problema affrontato] in questa questione. In effetti, da un ragionamento per analogia non si trae una prova. Inoltre, dal fatto che la pluralità degli individui eterni in uno stesso mondo non sia necessaria, e forse sia addirittura dannosa, non si può trarre la prova del fatto che sia impossibile la molteplicità [di tali individui] in mondi diversi.

Quanto alla terza [argomentazione], ripresa dalla perfezione dell'agente e dalla somiglianza che la cosa emanata ha con l'attributo dell'unità [divina], neppure questo comporta necessariamente l'impossibilità della pluralità [dei mondi]. Infatti, giacché ciascuno dei mondi non avrebbe bisogno [degli altri], per essere perfetto, e in quanto l'unità del mondo, per esempio, non avrebbe bisogno di nient'altro, la pluralità che si verificherebbe nel numero dei mondi non danneggerebbe comunque la perfezione dell'unità di questo mondo. Se poi [si affermasse che] l'unità dell'emanatore richiede l'unità dell'oggetto emanato, [si potrebbe rispondere che] giacché l'emanatore è estremamente benefico e dotato di grazia, non è impossibile che coloro che ricevono tale beneficenza siano molti, senza che questo comporti l'esistenza di un altro ente benefico – e ciò è evidente di per sé.

Stando così le cose, ed essendo ormai chiaro che in tutte le argomentazioni che abbiamo menzionato, sia a favore della tesi affermativa sia a favore della tesi negativa, non c'è nulla di decisivo [circa il problema] in questione, e la sola cosa dimostrata da queste argomentazioni è la possibilità della pluralità [dei mondi], è opportuno che non rifiutiamo ciò che risulta dall'interpretazione simbolica di alcuni detti dei sapienti – sia benedetta la loro memoria – che si trovano in *'Avodah zarah* I: «Insegna che [Egli] naviga per diciottomila mondi»[15] – e il significato di questa affermazione è che la provvidenza divina naviga per tutti quei mondi.

Questa è [la conclusione] cui vuole arrivare questa questione.

Ora, noi non riteniamo di dover parlare più a lungo per respingere alcuni degli esempi[16] fatti dal filosofo [*scil.* Aristotele] per spiegare che non vi è altro che un solo mondo[17], giacché, se noi ammettessimo che vi sono molti mondi [saremmo costretti] ad eliminare i luoghi naturali [degli elementi]: egli afferma infatti che, se noi li ammettessimo, ne conseguirebbe, per esempio, che parti dell'elemento terreo in un mondo si muoverebbero verso il loro luogo naturale in un altro mondo; ma questa [obiezione] è infondata. Infatti, se supponiamo [l'esistenza di] più mondi, ammettiamo [implicitamente] che in ognuno di essi vi siano luoghi naturali [per gli elementi di ciascuno]; per esempio, allora, l'elemento terreo cercherebbe il suo centro nel proprio mondo, e il fuoco cercherebbe la sua [sfera] concentrica nel proprio mondo. Questo è evidente di per sé.

Ecco, ciò è sufficiente per [la trattazione di] questa questione.

3. *Abraham Bibago*

Non sono molto numerose le notizie disponibili sulla vita di Abraham ben Shem Tov Bibago (o Bibag). Originario di Huesca in Aragona, egli risulta attivo a partire dal 1446; come altri filosofi spagnoli della sua epoca, avrebbe fondato una *yeshivah*, a Saragozza, in cui probabilmente si studiavano non solo testi della tradizione religiosa, ma anche filosofici e teologici; sarebbe morto prima del 1489.

La produzione letteraria di Bibago, assai ampia ma poco conosciuta, è stata studiata da Moritz Steinschneider prima (cfr. Steinschneider 1889) e da Abraham Nuriel poi (cfr. Nuriel 1975); quest'ultimo ne ha esaminato i risvolti filosofici e le fonti. Notevole è il debito di Bibago nei confronti della teologia e filosofia scolastica latina, alla quale il filosofo si rifà sia per discussioni monografiche di carattere metafisico su problemi caratteristici dello scotismo (che era allora tra le correnti dominanti del pensiero latino spagnolo), sia per interpretare, alla luce del pensiero arabo-islamico e latino medievale, l'opera di Averroè, sia per dare una nuova interpretazione della stessa religione ebraica. Per Bibago – che si ispira in questo alla distinzione cristiana tra teologia e fi-

15 Cfr. *Talmud babilonese*, *'Avodah zarah*, 3b.
16 Leggi: *meshalim* (cfr. Harvey 1998, p. 40).
17 Leggi *'olam*, «mondo», anziché *ne'lam*, «ignoto», com'è nell'edizione.

losofia – esistono due vie per giungere alla verità: quella della tradizione e della fede (*derek qabbalah we-emunah*), e quella dello studio, ossia della speculazione filosofica (*derek ḥaqirah*); ma è la prima via quella che conduce alla vera certezza, perché è fondata su proposizioni rivelate che vanno al di là della ragione umana; e la rivelazione è, a sua volta, frutto di un atto di amore e volontà da parte di Dio.

Opere. Tra i molti scritti di Bibago giunti sino a noi, presentano interesse filosofico soprattutto le opere seguenti:

1. un supercommentario al *Commento medio* di Averroè agli *Analitici posteriori*, datato del 1446 e tuttora inedito;
2. un supercommentario al *Commento medio* di Averroè alla *Metafisica*, del quale ci è giunto, in due manoscritti, il testo del commento ai libri I-IX, e che contiene riferimenti espliciti ad opere di Avicenna, al-Ghazālī, Ibn Bāggia, Duns Scoto, Guglielmo di Occam ed altri[18];
3. un *Trattato sulla pluralità delle forme* (*Ma'amar be-ribbuy ha-ṣurot*), inedito e conservato, in forma anonima, in un solo manoscritto[19];
4. una serie di opuscoli, inclusa una corrispondenza con altri filosofi ebrei spagnoli dell'epoca, su questioni filosofiche specifiche[20];
5. il *Derek emunah* (*La via della fede*), un ampio trattato teologico in tre libri, edito a Costantinopoli nel 1522 e mai tradotto in una lingua moderna, in cui si affrontano, con l'uso di dottrine e metodi scolastici (primo tra tutti, quello della *quaestio*), i problemi della tradizione religiosa ebraica più difficilmente risolvibili per via filosofica, quali la natura della fede, la provvidenza, la profezia e i miracoli.

❑ T22. LA «FEDE» TRA TEOLOGIA E FILOSOFIA
(dalla *Via della fede*, libro II, porta 7)[21]

Rivelando la sua profonda conoscenza della teologia e della filosofia latina contemporanea, Bibago discute qui, in forma di *quaestio* scolasti-

[18] Per un sommario esame di contenuti e fonti dell'opera, cfr. anche Steinschneider 1893, pp. 168-71.

[19] Si tratta del ms. Parigi, Bibliothèque Nationale, hébreu 1004, ff. 1-30; all'opera allude Bibago stesso nella *Via della fede*. Cfr. Bibago 1521[-1522], p. 33*ra*7-10: «Non c'è una pluralità di forme, ossia non ci sono in un solo ente molte forme, bensì [...] molte azioni, come è noto dalla *Metafisica*; ed io ho già scritto su questo problema un trattato specifico».

[20] Ne danno testimonianza almeno due manoscritti: quello di Parigi, hébreu 1004, già menzionato, nonché il ms. Parma, Biblioteca Palatina, parmense 2631 (*olim* De Rossi 457), ff. 112*r*-115*r*, che riporta la corrispondenza di Eli Ḥabillo (cfr. Rothschild 1994).

[21] Cfr. Bibago, 1521[-1522], pp. 67*va*9-67*vb*23; 69*vb*12-32; 72*vb*15-24.

ca, la definizione della «fede», dibattendo se sia migliore la definizione data da Tommaso d'Aquino (che l'aveva ripresa da san Paolo, Eb 11,1: *fides est substantia sperandarum rerum, argumentum non apparentium*) o quella data da Agostino (*fides est virtus qua creduntur quae non videntur*). Nella lunga discussione (che abbiamo qui ridotto a pochi punti salienti), il filosofo conclude che né l'una né l'altra definizione è valida, perché la prima vale per qualsiasi conoscenza, e la seconda è troppo limitata, e propone invece una nuova definizione, più in sintonia con la tradizione ebraica: la fede consiste nel concepire mentalmente le conclusioni desunte dai dati trasmessi dalla tradizione religiosa.

Porta settima

Dopo aver rilevato ciò che bisognava rilevare, vengo in questa porta a dare la definizione di «fede» in termini brevi, così da farne conoscere l'essenza, per quanto è possibile e secondo ciò che conviene fare in queste definizioni; e menzionerò due definizioni della «fede», poste dai sapienti gentili.

La prima definizione è: «la fede è la sostanza delle cose sperate, e la rivelazione delle cose nascoste».

La seconda definizione è: «la fede è il credere nelle cose che non si vedono».

Quanto alla prima definizione, [questi sapienti] ne magnificano il concetto, e affermano che è opportuno entrare nel grado della fede passando per la sostanza, perché [la sostanza] è la categoria più eccellente e perfetta. Infatti, le altre categorie sono accidenti, che esistono quando esiste la sostanza. La spiegazione di questo sta nel fatto che i teologi hanno esaminato con l'occhio del loro intelletto le parti dell'esistenza, e le hanno suddivise secondo la [loro] esistenza intellettuale, esaminandone le diverse quiddità, vedendo che l'esistente in generale si divide in due parti:

1. la prima è costituita dall'esistente evidente[22] nella sua essenza all'intelletto: infatti, l'intelletto, per concepirlo e per comprenderlo, non ha bisogno di nient'altro – vale a dire che [tale esistente] sussiste perfettamente in quell'intelletto senza essere correlato ad alcuna altra cosa e ad alcuna altra esistenza, ma basta a sé stesso [...]. Questo esistente viene chiamato «sostanza»;

2. la seconda è costituita dall'esistente che, quando viene concepito dall'intelletto, non può avere esistenza in quell'intelletto senza la sostanza suddetta. Infatti, la sostanza è la causa dell'esistenza di quell'esistente: per esempio, il bianco e il nero, e le cose di questo genere, vengono trovate dall'intelletto solo nella sostanza, e sono legate a quest'ultima – e le cose non possono an-

[22] Leggo qui la parola *mevu'ar*, «evidente» (il testo della stampa, in questo punto, non è chiaro).

❑ dare altrimenti. L'intelletto percepisce intellettualmente la bianchezza o quella cosa distinta dalla sostanza, ma non [è in grado di] trovarla separata [dalla sostanza]. Come dice il sapiente [*scil.* Aristotele] nel libro VI della *Metafisica*, c'è differenza se l'intelletto trova una cosa separata o la percepisce intellettualmente separata[23]; egli chiama «accidente» questa cosa che l'intelletto non trova se non nella sostanza, ma che percepisce intellettualmente distinta dalla sostanza. Questa è la divisione teologica dell'esistente in sostanza e accidente.

Successivamente, [i teologi] suddividono l'accidente in nove parti, che, insieme alla sostanza, sono dieci, e chiamano quelle dieci [cose] «categorie»: la sostanza è la prima di esse, ed è quella più degna del nome di «esistente», mentre le altre sono ad essa seguenti e con essa rapportate.

Ho già spiegato sopra il loro discorso circa le dieci categorie, eccetera. Questa divisione dell'esistente – ossia, la divisione in sostanza e accidente – è la prima divisione in cui i teologi l'hanno diviso.

Tuttavia, alcuni dei sapienti cristiani hanno contestato questa prima divisione dell'esistente, come si apprende dai loro libri su questo argomento – io però ho già provato, in termini teologici, che la verità su questo punto sta nella dottrina degli antichi. [Questi sapienti] hanno un'altra divisione dell'esistente, diversa da quella in sostanza e accidente.

Successivamente, coloro che danno la summenzionata definizione della fede affermano che non è opportuno che [la fede] rientri tra gli accidenti, perché la fede è la cosa più perfetta che possa esistere in tutte le parti dell'esistenza. Essa infatti è il punto massimo di tutta l'esistenza, e non è opportuno che il punto massimo di tutta l'esistenza sia un accidente – dal quale si ricaverebbe ciò che è sostanziato, che è l'esistente perfetto. Perciò, nella loro definizione, stando a quanto essi stessi hanno spiegato e fatto capire con i loro discorsi, affermano che [la fede] è la sostanza delle cose sperate – e questo perché, secondo loro, la fede riguarda le cose future, come il giorno del giudizio, la resurrezione dei morti, il paradiso e la sopravvivenza [dell'anima]. Affermano pertanto che è «la sostanza delle cose sperate» perché la speranza riguarda le cose future; e secondo loro e secondo tutti la fede riguarda le cose che esistono sempre, benché si tratti di cose nascoste e tenute in non cale: se queste cose fossero evidenti, però, non la chiamerebbero assolutamente «fede», ma «conoscenza», come si è dimostrato sopra.

[23] Cfr. Aristotele, *Metafisica*, libro VI, cap. 1.

Dunque, se è così, la fede riguarda le cose nascoste e tenute in non cale, che è [la fede stessa] a far conoscere. È come se la fede riguardasse due soggetti:

1. le cose future che noi speriamo, come per esempio il paradiso, la resurrezione dei morti, la venuta del Messia – ed è a proposito di questa parte che diciamo che essa è «la sostanza delle cose sperate»;

2. poi, essa è «la sostanza delle cose tenute in non cale e nascoste», ossia la parte seconda [della definizione] – e si tratta delle cose per la cui esistenza non c'è un tempo, come l'esistenza di Dio e la Sua unità: sono cose nascoste che la fede ci fa conoscere, sostanziandosi nel nostro intelletto insieme a questi concetti e a queste conclusioni. [...]

Però, sorge il dubbio che questa definizione non sia specificamente riferibile alla fede, giacché essa vale anche per la percezione speculativa: infatti, quest'ultima è [anch'essa] sostanza di cose sperate, giacché grazie ad essa noi percepiamo cose future [...] e sempre grazie ad essa ci vengono svelati segreti nascosti e cose misteriose, e il nostro intelletto si sostanzia di tali intelligibili e noi possiamo verificarli. Stando così le cose, noi diciamo che la conoscenza è la sostanza delle cose sperate e la rivelazione delle cose nascoste, e pertanto questa definizione della fede, sotto questo aspetto, non è vera.

Quanto alla seconda definizione, che afferma che la fede consiste nel credere nelle cose che non si vedono, se costoro assumono [in questa definizione] come «cose che si vedono» quelle che si percepiscono con il senso della vista, il loro discorso non è veridico, perché possono esserci cose che si percepiscono [solo] con il tatto, o che si odono, o che si odorano, ma per le quali non vale l'uso del termine «fede»; se invece costoro intendono con «cose che si vedono» le cose percepite [con i sensi] in assoluto, mediante qualsiasi dei cinque sensi, esterni o interni, allora il discorso è più perfetto.

In conclusione: dopo aver fatto [questo] rilievo utile e generale, si è ormai dimostrato sopra come la fede non riguardi le cose necessarie, che noi conosciamo per via dimostrativa – perché allora sarebbe una [semplice] conoscenza e percezione speculativa – ma riguardi le cose possibili per la nostra conoscenza, delle quali noi non percepiamo la reale natura al massimo grado, e per le quali è la fede a darci la verità. [...]

Ora, se si isola questo termine [*scil.* «fede»], e si vuole darne una definizione che ne indichi la quiddità più di quanto abbiano fatto tutte le cose dette precedentemente, diciamo che [la fede] è acquisizione intellettuale concettuale a partire da premesse trasmesse per tradizione. Questa è la definizione della fede che ne rispecchia la natura, ed è una definizione molto simile ad una combinazione di definizioni [...]. In effetti, se noi diciamo che la fede è una concezione a partire da premesse trasmesse per tradizione, e che qualunque concezione a partire da premesse trasmesse per tradizione è un'acquisizione intellettuale, allora la fede è un'acquisizione intellettuale. Successivamente, alteriamo il sillogismo dicendo che [la fede] è un'acquisizione intellettuale ordinata di premesse trasmesse per tradizione.

4. *Yehudah Messer Leon*

Tipico rappresentante della cultura ebraica dell'Italia del Quattrocento, Yehudah ben Yeḥiel ha-Rofè – noto come Yehudah Messer Leon – potrebbe essere nato verso il 1425, forse a Montecchio Maggiore presso Vicenza[24]. Di certo, egli risulta essere stato presente prima ad Ancona, e poi a Padova, tra il 1453 e il 1470, e in quest'ultima sede potrebbe persino aver seguito corsi di medicina e di filosofia presso la locale università; nel 1452 l'imperatore Federico III gli avrebbe concesso il titolo onorifico di «messere», cui seguirono altri riconoscimenti. A questa permanenza a Padova, Yehudah Messer Leon fece seguire una serie di spostamenti nei più importanti centri culturali dell'Italia settentrionale (fu a Venezia, poi a Bologna tra il 1470 e il 1472, indi a Mantova tra il 1473 e il 1475) e meridionale (lo troviamo a Napoli, in particolare, nel periodo 1487-1495). Durante queste peregrinazioni, egli avrebbe organizzato intorno a sé una scuola itinerante (*yeshivah*) in cui teneva lezioni di discipline religiose e profane, tanto che è testimoniata l'esistenza di un discreto numero di suoi allievi. Fuggito da Napoli dopo il 1495, Yehudah Messer Leon sarebbe morto tra il 1497 e il 1499.

Il campo coperto dagli scritti di questo autore è vastissimo[25]: essi si estendono dalla grammatica ebraica alla logica e alla fisica aristotelica, dalla retorica antica alla medicina e all'esegesi biblica. Nei suoi rapporti con la cultura italiana dell'epoca, che furono certamente molto stretti, egli si mantenne in equilibrio tra l'adesione all'Umanesimo (testimonianza del suo interesse per la riscoperta dell'antichità latina è

[24] La più ampia raccolta di notizie sulla vita e l'opera di Yehudah Messer Leon è offerta da Isaac Rabinowitz: cfr. Rabinowitz 1983, pp. XVII-L.

[25] Una parziale lista delle opere, conservate e no, di Yehudah Messer Leon si legge nel ms. Firenze, Biblioteca Mediceo-Laurenziana, Pluteo LXXXVIII, nr. 12, ff. 1-2 (cfr. Rabinowitz 1983, pp. XLVI-L).

la sua opera retorica, *Il succo dei favi* [*Nofet ṣufim*], costituita in buona parte da citazioni di scritti di Cicerone e Quintiliano) e la continuità con le tendenze della contemporanea filosofia scolastica, e specialmente della scuola filosofica di Padova (Paolo Veneto, Gaetano de' Thiene e altri). Le sue opere filosofiche sono quelle di un vero e proprio scolastico ebreo: solo l'uso della lingua ebraica, in effetti, le differenzia da quelle dei suoi colleghi cristiani.

Opere. Gli scritti filosofici principali di Yehudah Messer Leon si presentano soprattutto nella forma di compendi, *summae* e commenti al *Corpus Aristotelicum*, e riproducono gli schemi e le fonti della scolastica; benché fatti occasionalmente oggetto di studi parziali, essi sono tutti inediti e non sono mai stati tradotti in lingue moderne. Si tratta di:

1. un compendio di logica, *La perfezione* (o: *somma*) *di bellezza* (*Miklal yofi*), composto nel 1455 e strutturato ad imitazione della *Logica parva* del filosofo latino Paolo Veneto (morto nel 1429)[26];
2. un supercommentario ai *Commenti medi* di Averroè sull'*Isagoge*, le *Categorie* e il *De interpretatione*, scritto tra il 1455 e il 1470, che appare ispirato all'analogo commento di Walter Burley (1275-1343) e contiene non poche *quaestiones* sui temi caratteristici della logica scolastica (cfr. *infra*, T23, pp. 232 sg.; cfr. Husik 1906);
3. un supercommentario ai *Commenti medi* di Averroè sugli *Analitici priori* e *posteriori*, scritto forse nel periodo 1470-1472 e conservato almeno in parte;
4. un amplissimo commento ai libri I-III della *Fisica*, scritto nel periodo 1473-1475 e recentemente scoperto in tre manoscritti, ispirato dagli analoghi commenti della scuola padovana (cfr. Zonta 2001);
5. un commento al *Libro dell'esame del mondo* (*Sefer beḥinat ha-'olam*), uno scritto etico-retorico di Yeda'yah ha-Penini.

Oltre a queste opere, Yehudah Messer Leon avrebbe anche composto commenti alla *Guida* di Maimonide, nonché al *De anima*, alla *Metafisica* e all'*Etica Nicomachea*, che non sembrano però essere sopravvissuti. Altri scritti anonimi (varie questioni sulla logica aristotelica, un compendio della *Fisica*, una serie di definizioni, ecc.) potrebbero essergli attribuiti; alcuni di essi, tuttavia, sono forse opera di uno dei suoi allievi.

[26] Sull'opera, cfr. Manekin 1999, pp. 137-38 e 145-46.

❑ T23. LA QUESTIONE DEGLI UNIVERSALI (dal *Supercommentario al «Commento» medio di Averroè alle «Categorie»*)[27]

Yehudah Messer Leon discute qui uno dei temi più dibattuti dalla logica scolastica latina tardomedievale: l'esistenza reale o meno dei concetti universali (per esempio l'esistenza dell'«uomo» in quanto specie, distinto dai singoli uomini esistenti nella realtà sensibile). Messer Leon passa in rassegna le opinioni dei «nominalisti» puri (la prima «scuola» da lui elencata, che nega del tutto l'esistenza reale degli universali), dei «realisti» (la «seconda scuola», che ritiene che gli universali esistano realmente nelle cose sensibili), della «terza scuola» (quella di Platone, che identifica gli universali con le idee, realmente esistenti nel mondo iperuranio) e infine di una «quarta scuola» (forse identificabile con quella di Guglielmo di Occam, che impiega una terminologia simile: cfr. De Libera 1996, pp. 351 sgg.): essa ritiene gli universali realtà che esistono nelle singole cose in potenza, ma vengono poste in atto solo grazie all'azione dell'intelletto, il quale dà loro vita mediante l'espressione linguistica («per via di denominazione ed enunciazione»). Messer Leon conclude esponendo la propria dottrina al riguardo: l'universale ha un'esistenza reale nelle singole entità individuali in virtù degli elementi comuni che si trovano in queste ultime, senza che, per farlo esistere, sia necessaria l'azione dell'intelletto umano.

Ritengo opportuno sollevare a questo punto tre dubbi:

1. se Dio – sia benedetto – e la materia e la forma rientrino in una categoria quanto alla loro essenza;
2. se gli angeli rientrino nella categoria della sostanza;
3. se gli universali siano solo nell'intelletto [...].

Quanto al terzo dubbio, anche se esso, sotto un certo aspetto, è estraneo a questa nostra ricerca, [...] affermo che su questo punto gli autori si dividono in scuole divergenti.

Una scuola ritiene che non esista alcuna sostanza al di fuori dell'intelletto, a meno che non si tratti di una [sostanza] individuale. I seguaci di questa scuola affermano che i generi e le specie a proposito delle quali si parla di categoria della sostanza si chiamano «sostanze seconde», ma non sono veramente sostanze: sono sostanziali solo nel discorso. Perciò, questa divisione [in sostanze prime e seconde] non riguarda le sostanze che sono veramente tali, [che esistono] al di fuori dell'intelletto, bensì le cose comprese entro la categoria della sostanza; e in ciò che è vera-

[27] Ms. Roma, Biblioteca Casanatense, nr. 3127, ff. 40*v*25-28; 42*v*16-17; 42*v*20-43*r*13; 43*r*21-26; 44*v*26-45*r*5; 45*r*11-15; 49*r*21-49*v*16; 49*v*17-50*v*17.

mente sostanza sono comprese non solo tutte le sostanze prime, ma [anche] le cose [che si trovano] nell'anima e le parole. A proposito delle sostanze seconde, si dice che esse sono comprese nel genere generalissimo, giacché sono universali inferiori ad esso, mentre le sostanze prime sono le sostanze vere e proprie [esistenti] al di fuori dell'intelletto, che sussistono di per sé. Le sostanze seconde sono chiamate «i concetti che designano molte sostanze».

[...] In questo libro [*scil.* le *Categorie*], il filosofo studia in primo luogo le cose semplici che vanno a costituire le premesse e i sillogismi – sia che si tratti del termine semplice che designa molte cose, sia che si tratti del termine semplice che designa una sola cosa [...]. Ora, dal momento che nella categoria della sostanza rientrano molte [cose] semplici che designano molte cose, ma ce ne sono altre che non designano molte cose, [Aristotele] ha ritenuto opportuno di dividere le cose ordinate sotto la categoria [della sostanza], chiamando alcune di esse «sostanze prime» e altre «sostanze seconde» – non perché queste ultime siano veramente sostanze seconde, ma perché [sono termini che] designano molte sostanze; e allo stesso modo si potrebbe dividere la categoria della qualità in «[qualità] prima» e «[qualità] seconda». E da quanto abbiamo detto a proposito di questa suddivisione della categoria della sostanza si possono trarre conclusioni su altre cose.

I seguaci di questa scuola portano molte prove a sostegno della loro tesi. La prima è la seguente: se fosse possibile che un universale esistesse in questi termini al di fuori dell'intelletto, non c'è dubbio che [un simile universale] sarebbe più degno di [ricevere il nome di] sostanza; però, non c'è alcun universale che sia una sostanza; dunque, <non> è possibile che l'universale sia al di fuori dell'intelletto. [...] Seconda [prova]: se l'universale fosse una sola sostanza sussistente di per sé nei suoi individui, sarebbe inevitabile che esso o fosse una cosa sola con i suoi individui, o si distinguesse da essi; ma se [l'universale] fosse una cosa sola con i suoi individui, tutti gli individui sarebbero un'unica identica cosa, giacché le cose che sono [tutte] identiche ad un'altra sono identiche anche tra di esse – e questa conseguenza è evidentemente impossibile; se invece [l'universale] si distinguesse da essi, sarebbe allora possibile che fosse diverso da essi, [il che smentisce la tesi di partenza] [...][28].

Ecco, con tutti questi sillogismi e discorsi filosofici questa scuola sostiene la propria dottrina, secondo la quale gli universali non esistono altro che nell'intelletto.

[28] Segue qui una serie di altre diciotto prove a sostegno della tesi che gli universali non esistono al di fuori dell'intelletto.

❑ Quanto alla **seconda scuola**[29], essa opina il contrario esatto di questa tesi, ossia [sostiene] che gli universali si trovano solo al di fuori dell'anima [ed] esistono nei loro individui, senza essere esterni a questi loro individui, e porta a sostegno di questa tesi molte affermazioni e discorsi.

Primo: se l'universale fosse uno dei prodotti dell'intelletto, l'anima razionale non dovrebbe essere una di specie e una di genere; ma le cose non stanno così, perché l'anima deve, [...] nella sua esistenza, essere una di specie e una di genere; pertanto, l'universale non è uno dei prodotti dell'intelletto. [...]

Secondo: se l'universale fosse uno dei prodotti dell'intelletto, ne conseguirebbe che, senza l'azione dell'intelletto, Ruben e un asino non si distinguerebbero più di quanto si distinguano Ruben e Simeone[30]; ma le cose non stanno così, perché è evidente che [Ruben e l'asino] si distinguono di più, anche se si supponesse che l'intelletto non esercitasse mai [la sua azione di] concepire; pertanto, l'universale non è uno dei prodotti dell'intelletto [...][31].

L'intento assoluto di questa scuola è quello [di affermare] che l'universale non è nell'intelletto, ma solo al di fuori dell'intelletto, e che questi universali si trovano nei loro individui – all'opposto esatto di ciò che crede la prima scuola.

La **terza scuola** pensa che gli universali si trovino al di fuori dell'intelletto ed esistano separatamente dai loro individui, ossia [ritiene] che esistano essenze e forme private di qualsiasi individualità, eterne e sussistenti per sempre. Questa era l'opinione di Platone, e a spingerlo a questa opinione – secondo quanto ha narrato il filosofo [Aristotele] nel libro I della *Metafisica*[32] – furono due cose.

Il primo [motivo è] che egli non vedeva la possibilità di conoscere qualcosa se non facendo questa ipotesi – ossia, [riteneva] impossibile che vi fosse una scienza dei particolari, i quali si generano, si corrompono, si alterano [passando] da una cosa ad un'altra, e dunque non possono essere conosciuti specificamente, perché la conoscenza riguarda [solo] le cose necessarie. [Platone] dunque ipotizzò che vi fossero delle essenze universali ed eterne, di cui fosse possibile avere una vera e propria conoscen-

[29] Le argomentazioni qui impiegate da Yehudah Messer Leon sarebbero tratte da Walter Burley (cfr. Husik 1906, p. 30).

[30] Nei testi filosofici ebraici, «Ruben e Simeone» esemplificano due individui della stessa specie umana, come i nostri «Tizio e Caio».

[31] Seguono qui altri trentuno argomenti a favore di questa tesi.

[32] Cfr. soprattutto Aristotele, *Metafisica*, libro I, capp. 6 e 9.

za, e ipotizzò che per ogni specie vi fosse un universale al di fuori dell'intelletto, in questi termini: per esempio, l'essenza del cavallo, l'essenza dell'uomo, e così via per le altre specie.

Il secondo motivo che lo spinse a questo è ciò che noi vediamo accadere ad alcuni animali, che vengono generati senza che vi sia la congiunzione di un maschio e di una femmina [di quella specie], ma a partire da cose in putrefazione, per esempio i vermi, le mosche e le cose del genere – mentre [di norma] ciò che è generato viene generato a partire da ciò che è simile ad esso. Ora, non si vede perché le cose debbano andare così, a meno che noi non diciamo che [questi animali] sono simili per specie a quella forma astratta che ne è la causa.

Per questi motivi, [Platone] crede nell'[esistenza di] quegli universali e delle forme astratte, ritenendo che si tratti di cose eterne e sussistenti al di fuori dell'intelletto, separate dagli individui. Ma già Aristotele ha confutato completamente questa opinione nella *Metafisica*, portando prove che non serve riportare in questa sede. Se poi sia possibile che le parole di Platone vengano interpretate [in un senso] che si accorda con la verità, lo spiegherò io nel mio commento alla *Metafisica*[33] – se Dio mi consentirà di scriverlo. Molti dei commentatori hanno affermato, infatti, che Aristotele ha preso le parole di Platone in un senso diverso da quello in cui le intendeva quel sapiente [...].

La **quarta scuola** ritiene che gli universali non si trovino né solo nell'intelletto, né al di fuori di esso soltanto, ma si trovino nell'intelletto in atto, e al di fuori dell'intelletto solo in potenza. In effetti, l'intendimento universale è dato alle cose mediante l'intelletto, e la cosa in grazia della quale si produce l'universalità nelle cose non si trova nelle cose stesse, bensì nell'anima. Però, [tale universalità] è presente anche nelle cose per via di denominazione; e, benché non si possa predicare essenzialmente di una cosa nient'altro che ciò che si trova nell'essenza di tale cosa, tuttavia è possibile predicare di qualcosa, per via di denominazione e di enunciazione[34], ciò che non si trova in quella cosa, come quando noi diciamo per esempio che l'organo è umano, non perché in esso si trovi qualcosa di umano, ma per ciò che di umano si trova al di fuori di esso: infatti, nell'organo non si trova l'umanità, ma l'universalità; e una cosa viene detta «amata» in virtù dell'amore che si trova nell'amante, [non nella cosa stessa]. Parimenti, giacché la cosa che sta al di fuori dell'anima ha un'esistenza indivi-

[33] Quest'opera, se mai è stata scritta, è andata perduta.

[34] Il termine che traduco qui con «enunciazione» è l'ebraico *gezerah*, alla lettera «decisione».

duale, non si può chiamarla «universale» in questo senso, ma solo dal punto di vista della speculazione intellettuale, perché l'intelletto studia tale cosa come un'esistenza astratta e universale. Dunque, tale cosa si chiama «universale» nel senso dell'enunciazione esterna, perché è l'intelletto che produce l'universalità nelle cose, com'è spiegato dalle parole di Averroè[35]. Ecco, secondo gli uomini che condividono quest'idea, gli universali si trovano al di fuori dell'intelletto solo materialmente, giacché quel concetto [universale] è assunto a partire dalle cose stesse in quanto sono studiate dall'intelletto astrattamente, ma si trovano nell'anima in atto[36] e formalmente, giacché è l'intelletto che le concepisce e dà loro l'esistenza. Stando a questo, uno stesso uomo è una specie o un genere a seconda della diversa astrazione [con cui è assunto nella mente]: infatti, se lo si assume astraendolo solo dagli individui, è una specie; se lo si assume astraendolo in modo più generale e astratto dalle differenze delle specie, allora è un genere.

Pertanto, ogni cosa al di fuori dell'intelletto è individuale, per quanto sia universale in potenza, e a seconda della speculazione intellettuale [su di essa] diventa universale in atto. A sostegno di questa tesi, costoro portano l'analogia del tempo, che ha un'esistenza materiale al di fuori dell'intelletto – ossia, è un accidente inerente al moto: è l'intelletto a perfezionare la sua esistenza in ciò che precede e segue nel tempo. Diciamo che il tempo è il numero del moto, giacché ciò che precede e ciò che segue [temporalmente] è qualcosa prodotto dall'intelletto e dal pensiero; inoltre, il tempo è supposto come numero del moto perché ne è la misura.

Questa opinione è condivisa da uomini grandi, sapienti e dotti, ed è prossima al vero; però, per brevità, non ho riportato le argomentazioni con cui i seguaci di questa scuola sostengono le loro dottrine. Mi sono invece dilungato sulle cose con cui sostengono le loro tesi le scuole [elencate] precedentemente, le quali si allontanano dalla verità [...], in modo che le genti e i prìncipi vedano quanto c'è in esse di fallace e di erroneo [...].

Dopo aver presentato ciò che pensano le scuole summenzionate a proposito dell'universale, renderò nota anch'io la mia opinione, e spiegherò che cosa intendo io per universale in questa sede, e pertanto dissolverò in un colpo solo tutti i discorsi contrari e in disaccordo con il nostro intendimento, che abbiamo riportato sopra [...]. Diciamo che l'universale si trova al di fuori dell'in-

[35] Il riferimento è qui al testo che Yehudah Messer Leon sta commentando, il *Commento medio* di Averroè alle *Categorie*.

[36] Adotto qui, anziché la lezione del manoscritto di Roma (*ba-nefesh ha-po'el*), la lezione proposta da Husik 1906, p. 32: *ba-nefesh be-po'al*.

telletto senza essere separato nella sua esistenza dai suoi individui; si trova in ognuno di quegli individui, benché si trovi anche nell'intelletto.

Ora, il senso in cui è opportuno dire che [l'universale] si trova al di fuori dell'intelletto è questo: ogni universale per sua natura esiste in molte cose, anche se si suppone l'assenza di un'azione dell'intelletto a tale proposito. Infatti, non c'è dubbio che, benché la natura dell'umanità e dell'animalità si trovino in Ruben e siano specificate dai princìpi particolari che si trovano in quell'individuo, è comunque nella natura dell'umanità[37] il fatto di esistere in molte cose, ed è nella natura dell'animalità il fatto di esistere in ancor più cose, e lo stesso vale per la natura della corporeità e della sostanzialità; a questi concetti accade di essere specificati in quell'individuo, in quanto sono universali. Ora, Ruben è un individuo, in ragione dei suoi princìpi individuali, e l'animalità e l'umanità che esistono in lui non sono più universali di lui, perché arrivano all'individualità[38] mediante quei princìpi; però, di per sé stesse esse esistono in più di un individuo. Ora, la natura delle specie e dei generi e delle altre cose è di trovarsi al di fuori dell'intelletto, senza essere [per questo] qualcosa di separato – come pensa Platone – ma anche senza avere l'individualità solo in virtù dell'intelletto, come afferma la quarta scuola; anzi, essi sono negli individui e in ognuno di essi, giacché tali essenze, benché siano limitate dalla natura dell'individuo [mentre si trovano] in un sostrato, hanno di per sé, per natura, qualcosa di comune, e si trovano in molte cose – e in questo senso si chiamano «universali», anche se l'intelletto non esercita in questo alcuna azione. Però, quanto alla predicazione, in ogni modo si tratta di un concetto intellettuale assunto come astratto da quei princìpi individuali, in modo da essere predicato[39] nelle proposizioni secondo tale astrazione, sia essa a livello di specie o di genere. Questo non può essere fatto altro che dall'intelletto; ed ecco, mediante l'intelletto, quella cosa che per natura esiste in molte cose viene ad essere predicata di molte cose – il che sarebbe impossibile senza l'intelletto. Stando così le cose, è l'intelletto a perfezionare l'esistenza dell'universale, così come perfeziona l'esistenza del tempo;

[37] Ripristino la frase «e dell'animalità si trovino [...] nella natura dell'umanità», omessa nel manoscritto di Roma, sulla base del passo pubblicato in Husik 1906, p. 34.

[38] Adotto qui la lezione del testo pubblicato *ibidem*: *el ha-peraṭut*, «all'individualità», anziché *ellu ha-peraṭiyyot*, come nel manoscritto di Roma.

[39] Adotto qui la lezione del testo di Husik: *she-yassi'hu*, anziché *she-yassigehu*, come nel manoscritto di Roma.

e chiunque dica che gli universali non si trovano al di fuori dell'intelletto va inteso in questo senso [...].

La conclusione di questo discorso è che [l'universale] si trova al di fuori dell'intelletto in virtù della sua naturale comunanza ed esistenza in molte cose – cosa in cui l'intelletto non esercita alcuna azione; esso è [anche] nell'intelletto in virtù della predicazione e dell'astrazione – e in questo senso è un concetto separato dagli individui.

Capitolo nono
La filosofia ebraica nel mondo islamico (1150-1500)

1. *Introduzione storica*[1]

Anche dopo Maimonide, la filosofia continua ad essere oggetto di studio e di speculazione nelle comunità ebraiche di lingua araba esistenti nei paesi islamici al di fuori del territorio europeo (Africa nordoccidentale, Egitto, Yemen). Lì, la letteratura filosofica giudeo-araba prolunga la propria esistenza sino all'inizio del secolo XVI, quando il pensiero ebraico di quest'area geografica – come stava accadendo anche in Europa – viene monopolizzato dalla tradizione religiosa e dalla *qabbalah*.

Nella filosofia giudeo-araba dei secoli XIII-XV si possono individuare almeno due caratteri generali:

– l'importanza della figura di Mosè Maimonide, che anche qui assume il ruolo di «maestro» di filosofia, ma con una posizione più moderata e conciliante rispetto a quella assunta in Europa: la filosofia maimonidea, che viene letta in Oriente non alla luce di Averroè (qui pressoché completamente ignorato), ma alla luce di Avicenna e degli autori del neoplatonismo ismailita (innanzitutto, i Fratelli della purità), si colloca infatti qui ad un punto medio tra il radicalismo degli aristotelici e l'interpretazione letterale della Bibbia data dai tradizionalisti. In particolare, mentre nell'Egitto del secolo XIII Abraham Maimonide difende il padre non solo come giurista, ma anche come filosofo, nello Yemen dei secoli XIV-XV Maimonide viene canonizzato come una figura semimessianica (*Mosheh ha-zeman*, «il Mosè del tempo»), e le sue opere – non tanto la *Guida*, quanto il *Commento alla Mishnah* – vengono fatte oggetto di commenti e studi;

[1] Per il tema e gli autori esaminati in questo capitolo, cfr. Sirat 1990, pp. 119-124, 264-72, 337-42, 513-17, e le bibliografie relative alle pp. 553, 563-65, 590; cfr. anche i dati bibliografici forniti in Zonta 1997a, pp. 118-21.

– l'assimilazione delle tendenze non solo filosofiche, ma anche religiose proprie dell'islam di quell'epoca e di quell'area: si parla così di ismailismo ebraico quando – come accade nello Yemen – autori perfettamente inseriti nella cultura giudaica sfruttano elementi della cosmologia, della profetologia e dell'ermeneutica dell'ismailismo (che era stato, fino alla fine del secolo XII, la religione ufficiale di quel paese) per difendere aspetti del giudaismo stesso[2]; oppure di sufismo ebraico quando – come accade in Egitto nel corso del Duecento e del Trecento, soprattutto ad opera dei discendenti dello stesso Maimonide – vengono applicati al giudaismo concetti e metodi ascetici propri del sufismo, la cosiddetta mistica islamica (quali il concetto di santità e l'interiorizzazione della pratica religiosa)[3]. Infine, si ha nella filosofia ebraica di questo periodo un notevole interesse nei confronti di Avicenna e della teologia di al-Ghazālī, che riflette la grande fortuna riscossa da questi due autori, in quel momento, nelle scuole teologiche islamiche, e che nasce dalla convinzione che la filosofia avicenniana possa più facilmente adattarsi ad una lettura allegorica delle Scritture.

Nell'Africa nordoccidentale, la filosofia ebraica trova seguaci che, da una parte, riprendono l'esegesi allegorica della Bibbia avviata da Maimonide, dall'altra ritornano alle antiche fonti della tradizione mistica ebraica, continuando comunque le linee del neoplatonismo premaimonideo. Tra di essi si segnala Yosef ben Yehudah Ibn 'Aqnīn, attivo a Fez in Marocco tra la fine del Cento e l'inizio del Duecento e autore di almeno due scritti di interesse filosofico: *La medicina delle anime* (*Ṭibb al-nufūs*), che tanto nel titolo quanto nei contenuti si rifà ai princìpi dell'etica di Galeno (la cura parallela della psiche e del corpo umano), e che a Galeno (di cui conserva ampi estratti di opere etiche perdute nell'originale greco: cfr. Halkin 1944) e ad al-Fārābī (e specialmente alla sua *Enumerazione delle scienze*: cfr. Zonta 1990a) è ampiamente debitore; un commento al *Cantico dei cantici* (*La divulgazione dei misteri*, in arabo *Inkhishāf al-asrār*, pubblicato da Abraham S. Halkin nel 1964), che alle opere di al-Fārābī si rifà spesso, interpretando anzi i contenuti del testo biblico alla luce della dottrina farabiana dell'intelletto agente. Ancora più volta al passato è la filosofia di Yehudah ben Nissim Ibn Malka, un filosofo ebreo marocchino della seconda metà del Duecento, che nel suo commento al *Libro della formazione* difende le dottrine astrologiche attribuite ai Sabii di Harran,

[2] Cfr. Pines 1947 (rist. in Pines 1997, pp. 317-34); Kiener 1984.
[3] Per il sufismo ebraico, cfr. la sintesi di Paul B. Fenton in Nasr-Leaman 1996, vol. I, pp. 755-68.

e continua ad impiegare come fonte principale l'*Enciclopedia dei Fratelli della purità*.

In Egitto, Maimonide era al centro del pensiero filosofico ebraico come figura locale di grande prestigio. Anche qui si era avuta una controversia intorno alle sue dottrine, prima quando nel 1190 Shemuel ben 'Ali aveva criticato, di Maimonide, la riformulazione del diritto religioso ebraico e la dottrina sulla resurrezione dei morti, poi quando nel 1223 Daniel Ibn al-Masīṭa aveva, nel suo scritto *La conferma delle religioni* (*Taqwīm al-adyān*), contestato Maimonide anche come filosofo. La risposta a questi attacchi era arrivata da Abraham Maimonide (Ibrāhīm ibn Mūsà Ibn Maymūn, 1186-1237), il quale aveva dato della filosofia del padre un'interpretazione misticheggiante, rifacendosi ad elementi del pietismo *ṣūfī*. Ricco di termini e concetti del sufismo è in effetti ciò che ci resta dell'opera principale di Abraham, *Ciò che necessita ai pii* (*Kifāyat al-'ābidīn*); essa è imperniata sulla definizione mistica di tre vie di pietà: *makhāfa* («timore»), *maḥabba* («amore») e *ma'rifa* («conoscenza»), corrispondenti rispettivamente ai precetti formali, ai precetti interiori e allo studio della teologia. Abraham Maimonide legge qui la Bibbia in un senso allegorico che non corrisponde ai contenuti della filosofia di Aristotele, bensì alle dottrine del sufismo: ad esempio, i settanta anziani che la Bibbia fa salire sul monte Sinai insieme a Mosè sarebbero per lui l'equivalente ebraico dei «santi» (*awliyā'*) previsti dalla mistica islamica. Questa linea di sufismo ebraico aveva avuto dei precedenti con Baḥya Ibn Paqūda nel secolo XI (cfr. *supra*, p. 42), e avrebbe trovato continuatori, in Egitto, nella stessa famiglia di Maimonide, prima con il figlio di Abraham, Ovadyah Maimonide, e poi con Davide II Maimonide (1335-1410 circa); a quest'ultimo, Paul Fenton vorrebbe attribuire una serie di opere (prima fra tutte l'anonimo scritto mistico *La guida all'isolamento*, *al-Murshid ilā l-tafarrud*) dense di riferimenti e citazioni tanto dalla mistica islamica, quanto dalla filosofia arabo-musulmana dei secoli XII e XIII (Suhrawardī, Fakhr al-dīn al-Rāzī, Naṣīr al-dīn al-Ṭūsī: cfr. Fenton 1984). Nello stesso periodo, d'altra parte, raccolte di detti *ṣūfī* e passi teologici di al-Ghazālī venivano tradotti in ebraico negli ambienti giudeo-arabi dell'Andalusia.

La terza importante area geografica del pensiero giudeo-arabo dell'epoca, lo Yemen, assistette, dal canto suo, ad un fenomeno di assimilazione di altri aspetti del pensiero islamico dell'epoca. Si ebbe dapprima, nel corso del secolo XII, una sorta di ismailismo ebraico, rappresentato in buona parte dalla figura di Natanael Ibn al-Fayyūmī (per il quale cfr. *infra*, pp. 242 sg.); poi, nei tre secoli successivi, si manifestò nella cultura ebraica yemenita un vero e proprio pensiero filosofico che continuava a trovare il suo centro nella figura di Maimonide, ma che dava di Maimonide stesso un'interpretazione nuova, mescolando elementi del neoplatonismo ismailita (specialmente la numerologia e le dottrine scientifiche dei Fratelli della purità) con aspetti della filosofia di Avicenna e della teologia di al-Ghazālī. La forma originale creata dai filosofi yemeniti per dare espressione letteraria al loro pensiero è il *midrash* filosofico (cfr. Langermann 1995): un commento ai diversi passi del Pentateuco realizzato combinando citazioni dal *Talmud*, dai *midrashim* di epoca talmudica e dall'opera di Maimonide (praticamente assimilata anch'essa ai testi sacri), inframmezzate da *excursus*, in lingua araba, di carattere filosofico e scientifico[4]. Tra il 1250 e il 1550 circa, nello Yemen vennero composti almeno otto commenti secondo questo modello: nel periodo 1250-1350, il *Grande midrash* (*Midrash ha-gadol*) di David al-'Adanī; nel 1329, *La luce della tenebra* (*Nūr al-ẓalām*) di Natanael ben Yesha'yah; verso il 1430, il *Midrash ha-ḥefeṣ* di Zekaryah ha-Rofé, *alias* Yaḥyà al-Ṭabīb (edito in Ḥavaṣelet 1990), e sempre intorno a quest'epoca *La lampada degli intelletti* (*Sirāǧ al-'uqūl*) di Ḥoter ben Shelomoh (*alias* Manṣūr ibn Sulaymān al-Dhamarī); *Il compendio sufficiente* (*al-Waǧīz al-mughnī*) di Aluel ben Yesha', intorno al 1450; il *Midrash di spiegazione* (*Midrash ha-be'ur*) di Sa'īd ibn Dā'ūd al-'Adanī (1450-1500 circa); il cosiddetto *Midrash del 1525*; infine, *La spiegazione illuminante* (*Derash ha-mazhir*) di Shalom al-Rabī'a, risalente alla prima metà del secolo XVI. Tra tutti questi autori, la figura meglio nota è quella di Ḥoter ben Shelomoh, studiata da David Blumenthal: quest'ultimo ha pubblicato e tradotto diversi suoi scritti (il commento ai tredici princìpi di Maimonide, le *Cento questioni e risposte* su temi di filosofia ed esegesi biblica), rilevandone lo sforzo di inserire lo schema avicenniano delle dieci intelligenze separate in un sistema ancora neoplatonico (la triade rappresentata da Dio, intelletto universale e anima universale, già presente nella *Teologia di Aristotele*)[5].

2. *Natanael Ibn al-Fayyūmī*

Le pochissime notizie sulla vita e l'opera di Natanael Ibn al-Fayyūmī si ricavano dal testo del suo unico scritto pervenutoci: *Il giardino degli in-*

[4] Per un'antologia (in traduzione inglese) di questa letteratura, cfr. Langermann 1996.

[5] Cfr. al proposito i dati, anche bibliografici, in Zonta 1997a, pp. 120-21.

telletti (*Bustān al-ʿuqūl*). Si sa, inoltre, che Natanael era già morto quando Maimonide, nel 1172, dedicò a suo figlio Yaʿqūb – presentato come il capo della comunità ebraica locale – l'*Epistola dello Yemen*.

Il giardino degli intelletti, databile al 1165, rappresenta una delle più antiche opere letterarie della cultura ebraica yemenita. Come buona parte delle altre opere di questa letteratura, non si tratta di un vero e proprio trattato filosofico, bensì di un compendio divulgativo nel quale si mescolano elementi scientifici, teologici, morali e devozionali. Lo scritto, tuttavia, riflette, negli argomenti affrontati e nell'uso delle fonti, alcuni dei caratteri comuni a tutta la cultura filosofico-teologica del giudaismo dei paesi islamici nel tardo Medioevo: si rifà alle opere più antiche della letteratura giudeo-araba (Shelomoh Ibn Gabirol, Baḥya Ibn Paqūda, Yehudah ha-Levi), ed è aperto alle influenze religiose provenienti dalle diverse correnti islamiche (l'opera accosta alle citazioni talmudiche e bibliche un buon numero di riferimenti, impliciti ed espliciti, al Corano e alle tradizioni musulmane, ed impiega come principale sua fonte filosofico-scientifica l'*Enciclopedia dei Fratelli della purità*). Non a caso, tra l'altro, l'opera tratta tematiche analoghe a quelle dell'ismailismo, che fino al 1174 era la religione ufficiale dello Yemen: le «virtù» del messia di cui si parla nel capitolo 6 del *Giardino degli intelletti* sono, per esempio, paragonabili alle «virtù» dell'*imam* nascosto ismailita – una figura, quest'ultima, che, come il messia ebreo, si sarebbe manifestata poco prima della fine dei tempi.

Il testo arabo del *Giardino degli intelletti*, edito nel 1908 sulla base di un unico manoscritto a cura di David Levine, si presenta suddiviso in un'introduzione generale e in sette capitoli, dedicati ai seguenti temi:

1. l'unità di Dio (elementi di teologia);
2. l'uomo microcosmo (elementi di cosmologia e scienza; cfr. *infra*, T24 p. 244);
3. la necessità di obbedire a Dio e di adorarlo (elementi del culto e della morale);
4. il pentimento, l'umiltà e altri temi relativi all'atteggiamento che l'uomo deve tenere nei confronti della divinità;
5. l'affidarsi a Dio per tutto ciò che riguarda la vita civile e religiosa, le prove della provvidenza divina, le creature di Dio;
6. le virtù del messia e la salvezza finale di Israele (il capitolo contiene anche una confutazione della tesi islamica secondo cui il Corano aveva abrogato la Legge biblica, condotta sulla base di riferimenti alla tradizione islamica stessa);
7. il mondo a venire.

❑ T24. LA CREAZIONE DEL MONDO E L'UOMO MICROCOSMO (dal *Giardino degli intelletti*, Introduzione; cap. 2)[6]

In un quadro «ebraico» scandito dalle numerose citazioni bibliche, si riprendono qui temi propri del neoplatonismo dei Fratelli della purità: la creazione intesa come emanazione, da parte di Dio, di una catena di enti (intelletto, anima, ecc.; la tesi avicenniana delle «dieci intelligenze separate» è posta in secondo piano), e le corrispondenze numeriche tra le parti del corpo umano e le realtà del mondo (in particolare, la prima di esse: «Troviamo che l'uomo è uno...»). Per un confronto con le corrispondenze poste nell'*Enciclopedia dei Fratelli della purità*, cfr. Zonta 1997a, pp. 141-42.

La prima cosa che il Creatore – sia benedetto ed esaltato – ha originato è l'intelletto universale, che è la fonte della vita, la sorgente dei beni, l'origine delle felicità e la fonte delle emanazioni, delle sfere celesti, degli elementi, delle anime nobili, dei corpi composti e delle forme differenti presenti nelle terre e nei cieli. Dio Creatore lo ha originato con il Suo ordine e la Sua volontà, non partendo da nessuna cosa, in nessun'altra cosa, in vista di nessun'altra cosa, insieme a nessun'altra cosa e mediante nessun'altra cosa. Egli ha voluto che esso fosse: ed è un intelletto perfetto, che comprende intellettualmente sé stesso, che fa da garante per le Sue creature, da agente per tutto ciò che è fatto, da sostrato per tutto ciò che ha un sostrato; esso è in quiete in quanto è uniformemente perfetto e completo, ma si mette in movimento per ringraziare dei benefici concessigli dal suo Originatore. Di esso parlano le sacre scritture dicendo: «Il Signore mi ha creato al principio della Sua via, prima delle Sue opere, da allora, dall'eternità..., dal principio ecc. Quando non c'erano gli abissi, io venni partorita; quando Egli ha predisposto il cielo, io c'ero» (Pro 8,22-24; 27).

Quando si guarda alla sua essenza, [è chiaro che] le qualità che si trovano nella sua essenza sono ben lontane dall'essenza del suo Originatore; ma si acquista gioia, felicità e serenità quando si guarda ai beni universali, alla sopravvivenza eterna e alla vita perpetua presenti nella sua essenza, nonché all'eccellenza del suo grado nei confronti del suo Originatore – siano santificati i Suoi nomi. Di questo hanno parlato le Sacre Scritture dicendo: «Io ero per Lui come un artigiano, ero un piacere giorno per giorno alla Sua presenza, in ogni momento» (Pro 8,30). Da questo [intelletto] emanano i beni e la gioia, ed emana da lui l'anima universale.

[6] Cfr. Levine 1908, testo arabo, pp. 2.2-21; 3.3-7; 3.17-4.3; 8.1-9.17; 11.20-12.16; 13.17-25; 20.8-22; 23.14-19.

Tra i sapienti, c'è chi afferma che a partire da esso siano emanate nel mondo intelligenze separate, disposte in nove gradi – in corrispondenza del numero nove, con il quale termina [la serie delle] unità – le quali completano la serie delle dieci cose originate per prime – che sono quelle dalle quali deriva e procede il mondo, quello superiore e quello inferiore. Costoro prendono a prova di questo il fatto che «con dieci parole venne creato il mondo», e «su dieci parole sussiste il mondo»[7]. [...]

Tra i sapienti, c'è anche chi aggiunge a queste [prove] il fatto che le lettere dell'alfabeto vennero originate prima della creazione del mondo, perché con esse si esprime chiunque parli e chiunque formuli una lode; e porta a prova di questo [la frase biblica] «in principio creò Dio i cieli e la terra» (Gn 1,1) – ossia [Dio in principio creò] le lettere dell'alfabeto da *alef* a *taw*, e la prima luce, che precede le luci a proposito delle quali si dice: «E Dio disse: 'Sia la luce'» (Gn 1,3)[8]. Le due spiegazioni sono affini. [...]

Dunque, la prima cosa originata [*scil.* l'intelletto universale] sta al posto del numero uno, e l'anima universale sta al posto del numero due, e così via per il resto dei gradi [delle intelligenze separate]. Nella *Torah*, i sapienti alludono a queste cose parlando della Sapienza divina – che è metafora della prima cosa originata – e del giardino dell'Eden – termine con cui indicano metaforicamente l'anima universale che dipende dall'intelletto; invece, [il termine] «sede di rifugio»[9] designa le anime particolari che vengono emanate dall'anima universale nel mondo della natura; e così via, per il resto dei gradi, fino ad arrivare al mondo delle sfere celesti e degli astri, che è il mondo leggero, nel quale vengono impresse tutte le forme di questo mondo sottile; e la serie discende da qui sino al mondo pesante, grazie alla potenza del Sapiente e Potente – e queste sono le cose che indicano la Sua sapienza e l'efficacia della Sua potenza. I tre mondi[10] si corrispondono e si bilanciano per spessore, per leggerezza e per sottigliezza, cosicché essi sono tutti correlati e danno significazione della sapienza del loro Artefice, il quale li ha plasmati con perfetta sapienza, e non si sono creati da sé. Le sacre scritture esprimono questo concetto

[7] Cfr. *Mishnah*, *Pirqe Avot*, V, 1.

[8] Al-Fayyūmī allude qui probabilmente alle dottrine espresse nel *Libro della formazione*: cfr. al proposito Busi-Loewenthal 1995, pp. 35-46.

[9] Ci si riferisce forse alle città-rifugio della Palestina elencate dalla Bibbia (Gs 20)?

[10] Si tratta dei mondi che al-Fayyūmī chiama «sottile», «leggero» e «spesso», e che corrispondono, con ogni evidenza, rispettivamente al mondo spirituale, al mondo delle sostanze celesti e al mondo sublunare, soggetto alla generazione e alla corruzione.

dicendo: «Quanto sono grandi le Tue opere, Signore! ecc.» (Sal 104,24), e: «Il Signore con sapienza ha fondato la terra, ha creato i cieli con intelligenza» (Pro 3,19). L'uomo è l'ultima delle creature, ed è un microcosmo – e spiegherò come ciò sia nel capitolo seguente a questo prossimo, se Dio vorrà. [...]

Capitolo secondo:
che l'uomo è un microcosmo ed è il più nobile degli enti sublunari

Giacché l'uomo è l'ultima delle creature, e con lui finisce la creazione secondo [quanto è stabilito] dalla sapienza divina, ed egli diventa il più nobile degli enti che si trovano nel mondo della generazione e della corruzione, il Creatore – sia benedetto ed esaltato – lo ha posto come un microcosmo in relazione e in corrispondenza con i tre mondi che abbiamo menzionato, e lo ha messo al di sopra di tutte le creature, e lo ha fatto regnare su tutti gli enti minerali, vegetali e animali. Di questo hanno già parlato le sacre scritture dicendo: «Tu lo hai reso poco meno che un Dio...; lo hai fatto regnare sull'opera delle Tue mani...; tutto il bestiame piccolo, i buoi ecc.» (Sal 8,6-8).

Studieremo ora l'uomo, i suoi stati e tutto ciò che lo riguarda, per quanto concerne tutto ciò in cui i sapienti pretendono che egli sia un microcosmo. Bisogna dunque che esaminiamo e consideriamo tutte le sue qualità, fisiche e psichiche, siano esse apparenti o nascoste, così che noi possiamo conoscere la gloria del suo Creatore e Autore – sia Egli esaltato – così che la Sua grandezza s'accresca nei nostri cuori, e noi lo adoriamo con il culto che si merita. Di questo hanno già parlato le sacre scritture ponendo in bocca a Giobbe: «Dalla mia carne io vedrò Dio» (Gb 19,26).

Quando noi esaminiamo questo, troviamo che l'uomo è uno – in corrispondenza con il numero uno; e troviamo che è composto di due sostanze, uno spirito sottile e un corpo spesso – in corrispondenza con il numero due; il suo corpo ha una lunghezza, una larghezza e una profondità – in corrispondenza con il numero tre; e parimenti l'anima ha tre facoltà:

1. la facoltà della sensazione e della concupiscenza, che ha sede nel fegato, e che è paragonabile agli spiriti delle bestie;
2. la facoltà irascibile, che ha sede nel cuore, e che è paragonabile agli spiriti dei demoni;
3. la facoltà razionale e intellettuale, che ha sede nel cervello, e che è paragonabile agli spiriti degli angeli.

Parimenti, in corrispondenza con il numero quattro che si riscontra nel mondo, nell'uomo vi sono quattro umori, ossia: il sangue, il flemma, la bile gialla e la bile nera. La natura del sangue è calda e umida – in corrispondenza con la natura dell'aria; la natura del flemma è fredda e umida – in corrispondenza con la natura dell'acqua; la natura della bile gialla è calda e secca – in corrispondenza con la natura del fuoco; la natura della bile nera è fredda e secca – in corrispondenza con la natura della terra.

Parimenti, nell'uomo vi sono cinque sensi, in corrispondenza con il numero cinque, ossia: il senso dell'udito, il senso della vista, il senso dell'odorato, il senso del gusto, il senso del tatto.

Parimenti, l'uomo ha sei lati, in corrispondenza con il numero sei, ossia: destra e sinistra, davanti e dietro, sopra e sotto.

Parimenti, l'uomo ha sette fori, in corrispondenza con il numero sette, ossia: orecchie, occhi, narici, bocca.

Parimenti, l'uomo ha otto [facoltà], in corrispondenza con il numero otto, ossia: attrattiva, ritentiva, digestiva, espulsiva, accrescitiva, nutritiva[11], generativa, preservativa.

Nell'uomo vi sono nove sostanze, in corrispondenza con il numero nove, ossia: plesso[12], pelle, pelo, carne, sangue, ossa, midollo, vene e nervi.

Nell'uomo vi sono dieci membra organiche, ossia: cuore, cervello, fegato, polmoni, cistifellea, milza, reni, stomaco, intestino, testicoli.

Parimenti, alcuni sapienti hanno dato una diversa classificazione delle parti dell'uomo, che hanno posto in corrispondenza [con le parti del mondo] così come si è fatto ora. Essi hanno posto l'anima e il corpo in corrispondenza con il cielo e la terra, e con Mosè ed Aronne – su di loro sia la pace – perché sono paragonabili al cielo e alla terra: [in effetti], ciò che scende dal cielo si incontra con la terra così come Aronne incontra ciò che scende da Mosè, come sta scritto: «Vedi, ti ho posto come un dio per il Faraone, e tu parlerai ecc.» (Es 7,1-2)[13]. [Queste due cose] corrispondono alle due tavole, perché la loro origine viene dalla terra, ma la loro scrittura viene dal cielo; e corrispondono [anche] alla *Torah* e alla *Mishnah*, al mondo di quaggiù e all'aldilà. Parimenti, Dio ha posto ogni cosa a coppie, e ha posto nel mondo di quaggiù molte cose contrarie l'una all'altra: di ogni creatura, ce ne sono due. Tutto questo è un segno del fatto che Egli è davvero uno, di un'unità diversa dall'unità delle creature, che è in senso traslato ma non in senso proprio. Egli è troppo superiore per poter essere qualificato da un attributo; è il Creatore unico e uno, e la pa-

[11] Leggo *wa-l-ghādhiyya* («e la nutritiva») anziché *wa-l-ghādhiba* («e l'attrattiva»), com'è nel testo.

[12] Oppure: «tessuto connettivo» (in arabo, *ḍafr*).

[13] Si tratta del passo biblico in cui Dio manda Mosè dal faraone, facendo di Aronne il suo portavoce.

rola non è in grado di esprimere [tale concetto] in termini più sottili di questi. [...][14]

Del pari, i fuochi sono quattro:

1. il fuoco che mangia e beve, ossia il calore naturale insito negli animali;
2. il fuoco che non mangia e non beve, ossia il fuoco comunemente [noto come tale] tra gli uomini;
3. il fuoco che beve e non mangia, ossia il calore insito nelle viscere della terra;
4. il fuoco che mangia e non beve, ossia il fuoco etereo che avvolge [il cosmo].

Parimenti, Dio ha posto nell'uomo quattro cose: qualcosa della natura dei minerali, qualcosa della natura dei vegetali, qualcosa della natura degli animali e qualcosa della natura degli angeli. Della natura dei minerali è la generazione e la corruzione, come si ha nei minerali; della natura dei vegetali è la nutrizione e l'accrescimento, come si ha nelle piante; della natura degli animali è la sensibilità e i movimenti, come si hanno negli animali; della natura degli angeli è il culto [religioso] e la vita eterna, perché quando si adora Dio con un vero culto non si muore.

Parimenti, i generi di scienza sono quattro:

1. le scienze disciplinari e matematiche;
2. le scienze naturali e corporee;
3. le scienze psichiche e intellettuali;
4. le scienze religiose e divine[15].

Del pari, Dio ha creato nel mondo quattro cose semplici, dalla cui combinazione si hanno quattro cose. Le cose semplici sono: il fuoco, l'aria, l'acqua, la terra. Le cose composte sono: i minerali, i vegetali, gli animali, l'uomo. Del pari, le malattie del corpo sono prodotte dalla discrasia temperamentale dovuta all'alterazione di una delle quattro nature insite nei corpi, ossia: il sangue, il flegma, e i due tipi di bile, dalla cui mescolanza si hanno il caldo, l'umido, il freddo e il secco. Su questo tema i sapienti hanno composto libri di medicina relativi all'uso dei medicamenti: la

[14] A questo passo introduttivo segue una lista di realtà, proprie dell'uomo e del mondo, raggruppate secondo il loro numero progressivo, per mostrarne la corrispondenza con i primi dieci numeri della serie. Ne riportiamo solo alcuni esempi, nei quali si mescolano elementi filosofico-scientifici (in massima parte ricavati dall'*Enciclopedia dei Fratelli della purità*) e concetti propri della tradizione ebraica.

[15] Questa quadruplice suddivisione corrisponde a quella utilizzata nello schema generale dell'*Enciclopedia dei Fratelli della purità*.

spiegazione di tali cose è lunga e la scienza al proposito si estende all'infinito.

A queste cose corrispondono le quattro cause delle malattie dell'anima, dalle quali vengono prodotte malattie molto difficili, che non sono facili da curare: risanare le anime è infinitamente più difficile che risanare i corpi, a meno che non si faccia uso delle medicine composte dai profeti – Dio li benedica – che sono i medici delle anime, e che hanno spiegato queste cose nei loro libri, rivelati loro da Dio. Ora, le cause delle malattie delle anime sono: l'ignoranza accumulata, i cattivi costumi, le opinioni errate e le azioni turpi. [...]

Lo stesso vale per il sei, che corrisponde: ai sei lati del mondo; ai sei colori che Dio ha creato nel mondo – ossia il bianco, il nero, il rosso, il verde, il giallo e il blu; ai sei ordini della *Mishnah* e ai sei ordini della *Tosefta*; ai sei segni zodiacali che appaiono sempre al di sopra della Terra, e ai sei che sono sempre nascosti sotto la Terra; alle sei [stelle] del sud e alle sei [stelle] del nord; nelle regioni del nord, il buio resta per sei mesi, e non ha alcuna traccia di luce, mentre, nelle regioni del sud, è invece la luce a restare per sei mesi, senza avere alcuna traccia di buio; sei sono i giorni della creazione; «ciascun [angelo] aveva sei ali» (Is 6,2); del pari, sei sono i fori dei [nostri] corpi: sei dal lato sinistro, e sei dal lato destro. [...]

Ormai è chiaro che l'uomo è il più elevato degli enti che si trovano sotto la sfera della luna, e che è un microcosmo, e che ciò che si trova nell'uomo corrisponde a ciò che si trova nel macrocosmo. Dalla coscia fino alla parte più bassa [della gamba], egli corrisponde all'elemento terra; le midolla che si trovano nelle sue ossa corrispondono ai minerali che si trovano nelle viscere della terra; il suo ventre corrisponde all'elemento acqua, in quanto [quest'ultima] contiene svariati pesci e flutti che si frangono, che sono come i rumori intestinali e gli svariati vermi [dell'intestino]; il suo torace corrisponde all'elemento aria, grazie al fatto che i suoi polmoni palpitano sempre, inspirando l'aria e sbattendo le loro ali sul cuore, così da temperarne il calore e mantenere in vita l'uomo; la sua testa corrisponde all'elemento superiore, il fuoco; parimenti, nell'uomo vi sono innumerevoli peli, così come nel mondo vi sono innumerevoli piante; del pari, il suo volto è coltivato, in corrispondenza alla coltivazione che si trova in questo mondo, mentre la nuca è deserta [*scil.* glabra], in corrispondenza con i deserti presenti sulla Terra. Il tremore e il sudore che si manifestano in noi corrispondono ai tuoni e alle piogge che si verificano nel mondo; il palpito dei polmoni corrisponde al palpito degli uccelli nel mondo; le spalle, i gomiti, le ginocchia, le natiche dell'uomo e le sue protuberanze corrispondono alle montagne e alle colline che si trovano nel mondo; del pari, nell'uomo vi sono fluidi di svariati sapori: un fluido salato negli occhi, un fluido dolce nella bocca, un fluido puzzolente nel canale urinario, un fluido amaro nelle orecchie – e questo corrisponde ai fluidi presenti nel mondo. [...]

È ormai chiaro, fratello mio, che Dio ha creato tutte le cose secondo un ordine unico, perfetto e sapiente, nel quale non entra nulla di difettoso, e al quale non si mescola nulla di torbido, come hanno detto le Sacre Scritture: «Quanto sono grandi le Tue opere, Signore! Le hai fatte tutte con sapienza» (Sal 104,24), e: «Il Signore con sapienza ha fondato la terra ecc.» (Pro 3,19). Sia dunque lodato Lui, il Creatore del mondo, il suo Autore e il suo Governatore. Io Lo lodo, Lo ringrazio, faccio affidamento su di Lui e Gli affido ciò che mi riguarda, secondo le parole di Davide: «Il Signore è il mio pastore, non manco di nulla; su pascoli erbosi mi fa riposare, ad acque tranquille mi conduce» (Sal 23,1-2).

Bibliografia

Questa bibliografia comprende esclusivamente i testi citati, in forma abbreviata, nella presente opera.

In generale, non sono stati presi in considerazione i dati bibliografici delle edizioni e delle traduzioni moderne delle opere già presentate nella bibliografia de *La filosofia ebraica medievale* di Colette Sirat (Sirat 1990, pp. 537-93), dove il lettore italiano può trovare un elenco pressoché completo dei principali scritti sulla materia anteriori al 1988 circa.

Alonso Alonso M.

1946 *Las fuentes literarias de Domingo Gundisalvo*, in «Al-Andalus», XI, pp. 159-73.

Altmann A.

1957 *Isaac Israeli's «Book of Definitions»: Some Fragments of a Second Hebrew Translation*, in «Journal of Semitic Studies», II, pp. 232-42.

Altmann A., Stern S.

1958 *Isaac Israeli. A Neoplatonic Philosopher of the Early Tenth Century*, Oxford.

Badawi 'A. (a cura di)

1971 *Commentaires sur Aristote perdus en grec et autres épîtres*, Beirut.

Baeumker C.

1892-95 *Avencebrolis Fons Vitae*, 2 voll., Münster.

Baneth D.Z.

1938 *Una fonte comune a Baḥya ben Yosef e ad al-Ghazālī* (in ebraico), in *Magnes Anniversary Volume*, a cura di F.I. Baer *et al.*, pp. 23-30, Jerusalem.

Bausani A.

1978 *L'Enciclopedia dei Fratelli della purità*, Napoli.

1987 *L'Islam*, Milano.

Ben-Shammai Ḥ.
1996 *I dieci princìpi della fede di Rav Saadia Gaon* (in ebraico), in «Daat», XXXVII, pp. 11-26.

Berman L.V.
1974 *Maimonides, the Disciple of Alfārābī*, in «Israel Oriental Studies», IV, pp. 154-78.

Bertola E.
1953 *Salomon Ibn Gabirol (Avicebron). Vita, opere e pensiero*, Padova.

Bibago, A.
1521[-22] *Derek emunah*, Costantinopoli (rist. Westmead, Farnborough, 1969).

Brague R.
1996 *Maimonide, Traité de logique*, Paris.

Busi G.
1999 *La qabbalah*, Roma-Bari.

Busi G., Loewenthal E. (a cura di)
1995 *Mistica ebraica*, Torino.

Carusi P.
2000 *Il trattato alchemico «Rutbat al-ḥakīm». Alcune note sulla sua introduzione*, comunicazione presentata al «Dixième Congrès International de philosophie médiévale 'Qu'est-ce que la philosophie au Moyen Age'», Erfurt 25-30 agosto 1997, ora apparsa in: «Oriente moderno», LXXX, n.s., XIX, pp. 491-502.

Cassuto U.
1932 *Ebrei – Teologia*, in *Enciclopedia italiana*, vol. XIII, pp. 354-55, Milano.

Chiesa B.
1989 *Creazione e caduta dell'uomo nell'esegesi giudeo-araba medievale*, Brescia.
1990 *Una fonte sconosciuta dell'etica di Falaquera: la «Summa Alexandrinorum»*, in *Biblische und judaistischen Studien. Festschrift für Paolo Sacchi*, a cura di A. Vivian, pp. 583-612, Frankfurt am Main-Berne-New York-Paris.
1996 *Dāwūd al-Muqammiṣ e la sua opera*, in «Henoch», XVIII, pp. 121-156.

Chiesa B., Lockwood W.
1992 *Al-Qirqisānī's Newly Found Commentary on Pentateuch. The Commentary on Gen. 12*, in «Henoch», XIV, pp. 153-80.

Chiesa B., Rigo C.
1993 *La tradizione manoscritta del «Sefer ha-ma'alot» e una citazione ignorata della «Risāla fī ism al-falsafa» di Al-Fārābī*, in «Sefarad», LIII, pp. 3-15.

Crescas Ḥasdai
1555 *Sefer Or ha-Shem*, Ferrara (rist. Jerusalem s.d., a cura di E. Schweid).

D'Alverny M.-T.
1954 *Avendauth?*, in *Homenaje a Millás Vallicrosa*, vol. I, pp. 19-44, Barcelona.
1989 *Les traductions à deux interprètes, d'arabe en langue vernaculaire et de langue vernaculaire en latin*, in *Traduction et traducteurs au Moyen Age*, a cura di G. Contamine, pp. 193-206, Paris.

D'Ancona Costa C.
1996 *La casa della sapienza*, Milano.

Daiber H.
1971-72 *Ein bisher unbekannter pseudoplatonischer Text über die Tugenden der Seele in arabischer Überlieferung*, in «Der Islam», XLVII, pp. 25-42; XLIX, pp. 122-23.

Davidson H.
1967 *Saadia's List of the Theories of the Soul*, in *Jewish Medieval and Renaissance Studies*, a cura di A. Altmann, pp. 75-94, Cambridge, Mass.
1972 *The Active Intellect in the «Cuzari» and Hallevi's Theory of Causality*, in «Revue des études juives», CXXXI, pp. 351-96.

De Libera A.
1996 *La querelle des universaux*, Paris.

Dunyā S. (a cura di)
1961 *Al-Ghazālī, Maqāṣid al-falāsifa*, Beirut.

Efros I. (a cura di)
1966 *Maimonides' Arabic Treatise on Logic*, in «Proceedings of the American Academy for Jewish Research», XXXIV.

Efros I.
1926 *Studies in Pre-Tibbonian Philosophical Terminology. I. Abraham bar Ḥiyya, the Prince*, in «The Jewish Quarterly Review», XVII, pp. 129-64, 323-68.

Falaquera, Shem Tov ben
1778 *Sefer ha-mevaqqesh*, Den Haag (rist. Jerusalem 1970).

Feldman S.
1984 *Levi ben Gershom (Gersonides), The Wars of the Lord. Book One. Immortality of the Soul*, Philadelphia.

Fenton P.
1984 *The Literary Legacy of David ben Joshua, Last of the Maimonidean Megidim*, in «The Jewish Quarterly Review», LXXV, pp. 1-56.
1997 *Philosophie et exégèse dans «Le jardin de la métaphore» de Moise Ibn 'Ezra, philosophe et poète andalou du XIIe siècle*, Leiden-New York-Koeln.

Fischel H.A.
1973 *Rabbinic Literature and Graeco-Roman Philosophy*, Leiden.

Frank D., Leaman O. (a cura di)
1997 *History of Jewish Philosophy*, London-New York.

Freudenthal G. (a cura di)
1992 *Studies on Gersonides, A Fourteenth-Century Philosopher-Scientist*, Leiden-New York-Koeln.

Fried S.
1900 *Sefer ha-yesodot. Das Buch über die Elemente... von Isaak b. Salomon Israeli* (parte ebraica), Frankfurt am Main.

Friedman Y.
1974 *Il commento alla «Guida dei perplessi» di rav Zerahyah ben She'altiel Ḥen* (in ebraico), in *Libro in ricordo di Ya'aqov Friedman. Raccolta di studi* (in ebraico), a cura di S. Pines, pp. 3-14, Jerusalem.

Furlani G.
1923 *Tre discorsi metrici d'Isacco d'Antiochia sulla fede, 1*, in «Rivista trimestrale di studi filosofici e religiosi», IV, pp. 257-87.
1926-28 *La psicologia di Giovanni di Dara*, in «Rivista degli studi orientali», XI, pp. 254-79.

Gatti R. (a cura di)

2001 *Shelomoh ibn Gabirol, Fons Vitae, Meqor ḥayyîm*, Genova.

Gil'adi A.
1982 *A Short Note on the Possible Origin of the Title Moreh ha-Nevukhim*, in «Rivista degli studi orientali», LVI, pp. 55-56.

Glasner R.
1995 *Levi ben Gershom and the Study of Ibn Rushd in the Fourteenth Century*, in «The Jewish Quarterly Review», LXXXVI, pp. 51-90.
1996 *The Early Stages in the Evolution of Gersonides' «The Wars of the Lord»*, in «The Jewish Quarterly Review», LXXXVII, pp. 1-46.

1997 *Yeda'aya ha-Penini's Unusual Conception of Void*, in «Science in context», X, pp. 453-70.
1998 *Gersonides' Lost Commentary on the «Metaphysics»*, in «Medieval Encounters», IV, pp. 130-57.

Goitein S.D.
1980 *Ebrei e arabi nella storia* (1974), Roma.

Gomez Nogales S. (a cura di)
1985 *Averroés, Epitome de anima*, Madrid.

Grusovin M.
1992 *Introduzione al pensiero ebraico moderno attraverso l'analisi del «Sefer Bechinat ha-Dat» di Elia del Medigo*, Milano.

Gutas D.
1998 *Greek Thought, Arabic Culture*, London-New York.

Halkin A.S.
1944 *Classical and Arabic Material in Ibn 'Aḳnīn's «Hygiene of the Soul»*, in «Proceedings of the American Academy for Jewish Research», XIV, pp. 25-147.

Harvey S. (a cura di)
2000 *The Medieval Hebrew Encyclopedias of Science and Philosophy*, Dordrecht-Boston-London.

Harvey W.Z.
1986 *Rav Ḥasdai Crescas e Bernat Metge sull'anima* (in ebraico), in «Jerusalem Studies in Jewish Thought», V, pp. 141-54.
1992 *Nissim of Gerona and William of Ockham on Prime Matter*, in «Jewish Studies», VI, pp. 87-98.
1998 *Physics and Metaphysics in Ḥasdai Crescas*, Amsterdam.

Havaselet M. (a cura di)
1990 *Zekaryah ha-Rofé, Midrash ha-ḥefeṣ*, 2 voll., Jerusalem.

Hayoun M.R.
1989 *La philosophie et la théologie de Moïse de Narbonne (1300-1362)*, Tübingen.

Hein C.
1985 *Definition und Einteilung der Philosophie: von der spätantiken Einteilungsliteratur zur arabischen Enzyklopädie*, Frankfurt am Main.

Heller-Wilensky S.
1967 *Isaac Ibn Laṭif. Philosopher or Kabbalist?*, in *Jewish Medieval and Renaissance Studies*, a cura di A. Altmann, pp. 185-223, Cambridge, Mass.

Hirschfeld H.
1896 *Ḥibbur Yiṣḥaq ha-rofé ha-Israeli...*, in *Tehillah le-Mosheh (Festschrift Moritz Steinschneider*, parte ebraica), pp. 131-41, Lipsia.

Horovitz S.
1903 *Der Mikrokosmos der Josef Ibn Ṣaddik*, Breslau.

Husik I.
1906 *Judah Messer Leon's Commentary on the «Vetus Logica»*, Leiden.

Ibn Sina, Abū 'Abdallāh
1992 *al-Nagiāt*, Beirut.

Ikhwān al-ṣafā'
1957 *Rasā'il Ikhwān al-ṣafā'*, 4 voll., Beirut.

Ivry A.L. (a cura di)
1994 *Abū l-walīd Ibn Rushd, Talkhīṣ kitāb al-nafs*, Il Cairo.

Janssens J.
1986 *Le «Danesh-Nameh» d'Ibn Sīnā: une texte à revoir?*, in «Bulletin de philosophie médiévale», XXVIII, pp. 163-77.

Jospe R.
1988 *Torah and Sophia. The Life and Thought of Shem Tov Ibn Falaquera*, Cincinnati.

Jospe R., Schwartz D.
1993 *Shem Tov Ibn Falaquera's Lost Bible Commentary*, in «Hebrew Union College Annual», LXIV, pp. 167-200.

Kellner M.
1986 *Dogma in Medieval Jewish Thought*, Oxford.

Kiener R.
1984 *Jewish Isma'ilism in Twelfth-Century Yemen*, in «The Jewish Quarterly Review», LXXIV, pp. 249-66.

Langermann Y.T.
1995 *Yemenite Philosophical Midrash as a Source for the Intellectual History of the Jews of Yemen*, in *The Jews of Medieval Islam. Community, Society and Identity*, a cura di D. Frank, pp. 335-47, Leiden-New York-Koeln.
1996 *Yemenite Midrash: Philosophical Commentaries on the Torah*, San Francisco.

Laras G.
1983 *Moisè Maimonide, Gli «Otto capitoli»*, Roma.
1985 *Il pensiero filosofico di Mosè Maimonide*, Roma; riedizione: *Mosè Maimonide. Il pensiero filosofico*, Brescia 1998.

Leaman O.
1997 *Moses Maimonides*, Richmond.

Lelli F. (a cura di)
1995 *Yoḥanan Alemanno, Ḥay ha-'olamim (L'immortale): Parte I, La retorica*, Firenze.

Lelli F.
1996 *L'educazione ebraica nella seconda metà del '400. Poetica e scienze naturali nel «Ḥay ha-'olamim» di Yoḥanan Alemanno*, in «Rinascimento», XXXVI, pp. 75-136.

Levine D.
1908 *The Bustān al-Uḳūl By Nathanael ibn al-Fayyūmī*, New York.

Lewi ben Gershon
1560 *Sefer milḥamot ha-Shem*, Riva di Trento.

Loewe R.
1990 *Ibn Gabirol*, New York (trad. it. Milano 2001).

Madhkūr I. *et al.* (a cura di)
1985 *Ibn Sīnā, al-Shifā', al-Ṭabī'iyyāt*, vol. I, Qom.

Mahdi M. (a cura di)
1968 *Alfarabi's Book of Religion and Related Texts*, Beirut.

Malter H.
1921 *Saadia Gaon. His Life and Works*, Philadelphia.

Manekin C.
1999 *Scholastic Logic among Jews*, in «Bulletin de philosophie médiévale», XLI, pp. 123-47.

Millás Vallicrosa J.M.
1952 *La obra enciclopédica «Yesodé ha-Tebuná u-Migdal ha-Emuná» de R. Abraham bar Ḥiyya ha-Bargeloni* (testo ebraico), Madrid-Barcelona.

Munk S.
1857 *Mélanges de philosophie juive et arabe* (parte ebraica), Paris (rist. 1988).

Nallino C.A.
1948 *Raccolta di scritti editi e inediti*, vol. VI, Roma.

Nasr S.H., Leaman O. (a cura di)
1996 *History of Islamic Philosophy*, 2 voll., London-New York.

Nuriel A.
1975 *La filosofia di rav Abraham Bibago* (in ebraico), tesi di dottorato inedita, Hebrew University of Jerusalem.

Piattelli E.
1957 *Keter Malkut (La corona regale)*, Firenze.
1960 *Yehudah ha-Lewi, il re dei Khàzari*, Torino (rist. 1991).

Pines S.
1936 *Beiträge zur islamischen Atomenlehre*, Berlin (trad. inglese: *Studies in Islamic Atomism*, Jerusalem 1997).
1947 *Nathanael ben al-Fayyūmī et la théologie ismaélienne*, in «Revue de l'histoire juive en Egypte», I, pp. 5-22.
1963 *The Philosophic Sources of «The Guide of the Perplexed»*, in Moses Maimonides, *The Guide of the Perplexed*, vol. I, pp. LVII-CXXXIV, Chicago-London.
1967 *La scolastica dopo Tommaso d'Aquino e l'insegnamento di Ḥasdai Crescas e dei suoi predecessori* (in ebraico), in «Divre ha-aqademiyyah ha-le'umit ha-Isra'elit le-madda'im», I, 11.
1979 *Studies in Abū'l Barakāt al-Baghdādī Physics and Metaphysics*, Jerusalem.
1980 *Shi'ite Terms and Conceptions in Judah Halevi's Kuzari*, in «Jerusalem Studies in Arabic and Islam», II, pp. 165-251.
1997 *Studies in the History of Jewish Thought*, a cura di W.Z. Harvey e M. Idel, Jerusalem.

Qāfiḥ Y.
1970 *Sefer ha-nivḥar ba-emunot u-va-de'ot le-Rav Sa'adiyah ben Yosef Fayyūmī*, Jerusalem.

Rabinowitz I.
1983 *Judah Messer Leon, The Book of the Honeycomb's Flow, Sepher Nophet Ṣuphim*, Ithaca-London.

Raṣhavi Y.
1988 *Le fonti arabe del «Mivḥar ha-peninim»* (in ebraico), in «Sinai», LI, pp. 97-160.

Ravenna A. (a cura di)
1978 *Commento alla Genesi (Berešit Rabbâ)*, Torino.

Rigo C.
1999 *Per un'identificazione del «sapiente cristiano» Nicola da Giovinazzo, collaboratore di rabbi Mošeh ben Šelomoh da Salerno*, in «Archivum fratrum praedicatorum», LXIX, pp. 61-146.

Rosenberg S.
1983-84 *«Arba'ah ṭurim» di rav Abraham ben rav Yehudah allievo di Don*

Ḥasdai Crescas (in ebraico), in «Jerusalem Studies in Jewish Thought», III, pp. 525-621.

Rosner F.
1988-95 *Maimonides' Medical Writings*, 7 voll., Haifa.

Rothschild J.-P.
1994 *Questions de philosophie soumises par 'Eli Ḥabilio a Šem Tob ibn Šem Tob*, in «Archives d'histoire doctrinale et littéraire du Moyen Age», LXI, pp. 105-32.

Rucquoi A.
1999 *Gundisalvus ou Dominicus Gundisalvi?*, in «Bulletin de philosophie médiévale», XLI, pp. 85-106.

Samuelson N.M.
1986 *Abraham ibn Daud, The Exalted Faith*, London-Toronto.

Schlanger J.
1968 *La philosophie de Salomon Ibn Gabirol*, Leiden.

Schwartz D.
1996 *Vecchio in otre nuovo. La dottrina speculativa del circolo neoplatonico nella filosofia ebraica del secolo XIV* (in ebraico), Jerusalem.

Sciunnach D., Mancuso P.
2001 *Sefer Yetsirà – Libro della formazione, con il commentario «Sefer Chakhmonì» di Shabbatai Donnolo*, Milano.

Sela S.
2001 *Abraham ibn 'Ezra's Scientific Corpus – Basic Constituents and General Characterization*, in «Arabic Sciences and Philosophy», XI, pp. 91-149.

Sermoneta G.
1965 *La dottrina dell'intelletto e la «fede filosofica» di Jehudah e Immanuel Romano*, in «Studi medievali», s. III, VI, 2, pp. 3-78.
1969 *Un glossario filosofico ebraico-italiano del XIII secolo*, Roma.
1980 *Il neo-platonismo nel pensiero dei nuclei ebraici stanziati nell'Occidente latino*, in *Gli Ebrei nell'Alto medioevo, Atti della XXVI settimana di studio del Centro italiano di studi sull'Alto Medioevo*, pp. 867-925, Spoleto.

Sierra S.J.
1983 *Baḥja' Ibn Paqūda. I doveri dei cuori*, Roma.

Sirat C.
1988 *La composition et l'édition des textes philosophiques juifs au Moyen*

Age: quelques exemples, in «Bulletin de philosophie médiévale», XXX, pp. 224-32.
1990 *La filosofia ebraica medievale*, ed. it. a cura di B. Chiesa, Brescia.

Steinschneider M.
1889 *Abraham Bibagos Schriften*, in «Monatschrift für Geschichte und Wissenschaft des Judentums», XXXIII, pp. 79-96, 125-44.
1893 *Die hebraeischen Übersetzungen des Mittelalters und die Juden als Dolmetscher*, Berlin.

Stemberger G.
1991 *Il Giudaismo classico. Cultura e storia del tempo rabbinico (dal 70 al 1040)* (1979), Roma.

Stern S.M.
1957 *Isaac Israeli and Moses Ibn Ezra*, in «Journal of Jewish Studies», VIII, pp. 83-89.
1961 *Ibn Ḥasday's Neoplatonist: A Neoplatonic Treatise and its Influence on Isaac Israeli and the Longer Version of the Theology of Aristotle*, in «Oriens», XIII-XIV, pp. 58-120.

Stroumsa S.
1989 *Dāwūd ibn Marwān al-Muqammis's Twenty Chapters («'Ishrūn Maqāla»)*, Leiden-New York-Kobenhavn-Koeln.
1990 *Nota sulla relazione di Maimonide nei confronti di rav Yosef Ibn Ṣaddiq* (in ebraico), in «Jerusalem Studies in Jewish Thought», IX, pp. 33-38.

Tamani G.
1999 *David Jacob Maroni traduttore della «Guida dei perplessi» di Maimonide*, in «Annali di Ca' Foscari», XXXVIII (s. orientale 30), pp. 75-85.

Tamani G., Zonta M.
1997 *Aristoteles Hebraicus*, Venezia.

Tirosh-Samuelson H.
1997 *Theology of Nature in Sixteenth-Century Italian Jewish Philosophy*, in «Science in context», X, pp. 529-70.

Tornero E.
1993 *Noticia sobre la publicación de obras inéditas de Ibn Masarra*, in «al-Qantara», XIV, pp. 47-64.

Touati C.
1973 *La pensée philosophique et théologique de Gersonide*, Paris (rist. 1988).

Vajda G.
1938 *Abraham bar Ḥiyya et al-Fārābī*, in «Revue des études juives», CIV, pp. 113-19.
1949 *La philosophie et la théologie de Joseph ibn Çaddiq*, in «Archives d'histoire doctrinale et littéraire du Moyen Age», XVII, pp. 93-181.
1960 *Isaac Albalag, averroïste juif, traducteur et annotateur d'al-Ghazali*, Paris.
1962 *Recherches sur la philosophie et la kabbale dans la pensée juive du Moyen Age*, Paris-Le Haye.
1985 *Al-Kitāb al-Muḥtawī de Yūsuf al-Baṣīr. Texte, traduction et commentaire*, a cura di D. Blumenthal, Leiden.

Van Ess J.
1991-92 *Theologie und Gesellschaft im 2. und 3. Jahrhundert Hidschra*, 6 voll., Berlin-New York.

Wise S.S.
1902 *The Improvement of the Moral Qualities. An Ethical Treatise of the Eleventh Century by Solomon Ibn Gabirol* (testo arabo), New York (rist. 1966).

Wolfson H.A.
1929 *Crescas' Critique of Aristotle*, Cambridge, Mass.
1935 *The Internal Senses in Latin, Arabic and Hebrew Philosophic Texts*, in «Harvard Theological Review», XXVIII, pp. 69-133.

Zonta M.
1990a *L'«Iḥṣā' al-'ulūm» in ambiente ebraico. 1. Il «Ṭabb al-nufūs» di Ibn 'Aqnīn*, in «Henoch», XII, pp. 53-75.
1990b *Shem Tov Ibn Falaquera e la sua opera*, in «Henoch», XII, pp. 207-226.
1992 *Un dizionario filosofico ebraico del XIII secolo*, Torino.
1994 *Gersonides, «Philosopher-Scientist»: Some Recent Books*, in «Henoch», XVI, pp. 335-45.
1995a *Un interprete ebreo della filosofia di Galeno*, Torino.
1995b *The Reception of al-Fārābī's and Ibn Sīnā's Classifications of the Mathematical and Natural Sciences in the Hebrew Medieval Philosophical Literature*, in «Medieval Encounters», I, pp. 358-92.
1996 *La filosofia antica nel Medioevo ebraico*, Brescia.
1997a *Linee del pensiero islamico nella storia della filosofia ebraica medievale*, in «Annali dell'Istituto Universitario Orientale di Napoli», LVII, pp. 101-44, 450-83.
1997b *Fonti antiche e medievali della logica ebraica nella Provenza del Trecento*, in «Medioevo», XXIII, pp. 515-94.
1998 *L'autore del «De causis» pseudoaristotelico: una nuova ipotesi*, in

La diffusione dell'eredità classica nell'età tardoantica e medievale. Il «Romanzo di Alessandro» e altri scritti, a cura di R.B. Finazzi e A. Valvo, pp. 323-30, Alessandria.

1999 *Filosofia e religione nel Giudaismo medievale: un tentativo di panoramica storica*, in «Discipline filosofiche», IX, pp. 89-102.

2000 *Una disputa sugli universali nella logica ebraica del Trecento. Shemuel di Marsiglia contro Gersonide nel «Supercommentario all'Isagoge» di Yehudah ben Iṣḥaq Cohen*, in «Documenti e studi sulla tradizione filosofica medievale», XI, pp. 409-58.

2001 *Aristotle's Physics in Late-Medieval Jewish Philosophy* (14th-15th *Centuries) and a Newly-Identified Commentary by Yehudah Messer Leon*, in «Micrologus», IX, pp. 203-17.

Indici

Indice dei nomi

'Abd al-Giabbār al-Hamadhānī (m. nel 1025), teologo arabo musulmano iracheno, di scuola mutazilita, 16.

'Abd al-Laṭīf al-Baghdādī, *v.* al-Baghdādī, 'Abd al-Laṭīf.

'Abd al-Masīḥ Ibn Nā'ima al-Ḥimṣī, *v.* al-Ḥimṣī, 'Abd al-Masīḥ Ibn Nā'ima.

Abraham bar Ḥiyya (o bar Ḥayya). (1065-1136 ca.), filosofo e traduttore ebreo spagnolo, 75-77,102-5, 107n, 110n, 111n.

Abraham ben David di Posquières (1200 ca.), rabbino ebreo provenzale, 150.

Abraham ben Shem Tov Bibago (o Bibag) (m. prima del 1489), filosofo ebreo spagnolo, VI, 209, 225, 226 e n.

Abraham ben Yehudah Leon di Candia (seconda metà del sec. XIV), filosofo ebreo spagnolo, allievo di Ḥasdai Crescas, 211.

Abraham Bibago, *v.* Abraham ben Shem Tov Bibago.

Abraham Ibn Daud (1110-1180 ca.), filosofo giudeo-arabo spagnolo, 76, 99, 113-16, 117 e n, 119n, 211.

Abraham Ibn 'Ezra (1089-1164), filosofo e astrologo ebreo spagnolo, 5, 56, 75-77, 152, 174, 177.

Abraham Ibn Ḥasdai (prima metà del sec. XIII), traduttore ebreo spagnolo dall'arabo in ebraico, 44-45.

Abraham Maimonide (Ibn Maymūn) (1186-1237), filosofo giudeo-arabo egiziano, figlio di Mosè Maimonide, 239, 241.

Abraham Naḥmias (o Ibn Naḥmias) (ultimo quarto del sec. XV), traduttore ebreo spagnolo dal latino in ebraico, 209.

Abraham Shalom (m. nel 1492), filosofo e traduttore ebreo catalano, 209.

Abravanel, Yiṣḥaq, *v.* Yiṣḥaq Abravanel.

Abravanel, Yehudah, *v.* Leone Ebreo.

Abū 'Umar Yūsuf Ibn Ṣaddiq, *v.* Yosef Ibn Ṣaddiq.

Abū Bakr al-Rāzī, *v.* al-Rāzī, Abū Bakr.

Abū Bakr Ibn al-Ṣā'igh, *v.* Ibn Bāggia, Abū Bakr.

Abū l-Barakāt Hibatallāh Ibn Malka al-Baghdādī, *v.* al-Baghdādī, Abū l-Barakāt.

Abū Dāwūd Ibn Giulgiul, *v.* Ibn Giulgiul, Abū Dāwūd.

Abū l-Farağ Ibn al-Ṭayyib, *v.* Ibn al-Ṭayyib, Abū l-Farağ.

Abū Ḥāmid al-Ghazālī, *v.* al-Ghazālī, Abū Ḥāmid Muhammad.

Abū Maslama al-Mağrīṭī, *v.* al-Mağrīṭī, Abū Maslama.

Abū l-Qāsim Maslama al-Mağrīṭī, *v.* al-Mağrīṭī, Abū l-Qāsim Maslama.

Abū Naṣr al-Fārābī, *v.* al-Fārābī, Abū Naṣr Muhammad.

Baḥya Ibn Paqūda, *v.* Baḥya ben Yosef Ibn Paqūda.
Baneth, D. Z., 42.
Bar Ḥiyya, Abraham, *v.* Abraham bar Ḥiyya.
Baruk Ibn Ya'ish (ultimo quarto del sec. XV), filosofo e traduttore ebreo spagnolo, 210.
al-Battānī (858-929), astronomo arabo musulmano, 103-4.
Bausani, A., 13n, 40.
Benedetto XII (Jacques Fournier), papa dal 1334 al 1342, 178.
Ben-Shammai, Ḥ., 10n, 27.
Berman, L. V., 115.
Bertola, E., 55n.
Bibago, Abraham, *v.* Abraham ben Shem Tov Bibago.
Binyamin al-Nahāwandī (prima metà del sec. IX), autore giudeo-arabo della setta caraita, 11.
al-Bitrūǧī, Abū Isḥāq Nūr al-dīn (m. nel 1204), astronomo arabo musulmano spagnolo, 154.
Blumenthal, D., 242.
Boezio di Dacia (1245-1284 ca.), filosofo scolastico danese, attivo a Parigi, 175.
Brague, R., 133 e n, 134n, 137n, 140n, 144n, 145n.
Broadie, A., 112n.
Bruno, Giordano, *v.* Giordano Bruno.
Buridano, Giovanni, *v.* Giovanni Buridano.
Burley, Walter, *v.* Walter Burley.
Busi, G., 8n, 245n.
Busse, A., 20n.

Carlebach, J., 179.
Carusi, P., 44n.
Cassuto, U., 7n, 9.
Chiesa, B., v, 15n, 16, 26n, 156, 157n.
Cicerone, Marco Tullio (106-43 a.C.), oratore, politico e filosofo latino, 231.
Clemente VI (Pierre Roger), papa dal 1342 al 1352, 178.
Cohen, G. D., 117.
Costantino l'Africano (1030-1090 ca.), medico arabo cristiano attivo a Montecassino, traduttore dall'arabo al latino, 45.
Crescas, Ḥasdai, *v.* Ḥasdai Crescas.

D'Alverny, M.-T., 116 e n, 117n.
D'Ancona Costa, C., 40.
Daiber, H., 23.
Daniel al-Qūmisī (intorno al 900), teologo giudeo-arabo della setta caraita, 14.
Daniel Ibn al-Masīṭa (sec. XIII), autore giudeo-arabo egiziano, 241.
David al-'Adanī (intorno al 1300), esegeta giudeo-arabo della Bibbia, di area yemenita, 242.
David Messer Leon (1460-1530 ca.), scrittore e filosofo ebreo italiano, figlio di Yehudah Messer Leon, 210.
Davide (sec. X a.C.?), personaggio biblico, re d'Israele, 250.
Davide II Maimonide (Ibn Maymūn) (1335-1410 ca.), scrittore e filosofo giudeo-arabo egiziano, discendente di Mosè Maimonide, 241.
Davidson, H., 34, 36n, 37n, 79.
Dāwūd ibn Marwān al-Muqammiṣ (al-Raqqī) (prima metà del sec. IX), autore giudeo-arabo iracheno, 14, 16-18, 46n.
De Libera, A., 232.
Democrito (460-360 a.C. ca.), filosofo greco, 36n, 37n, 51.
Dicearco di Messina (sec. IV a.C.), filosofo greco, 36n.
Dobbs-Weinstein, I., 148n.
Domenico Gundisalvi (Domingo González) (sec. XII), traduttore spagnolo di testi filosofici e scientifici dall'arabo al latino, 57, 116 e n, 118.
Donnolo, Shabbetai, *v.* Shabbetai Donnolo.
Dukes, L., 81.
Dunash Ibn Tamim (intorno al 950), autore giudeo-arabo, allievo di Isaac Israeli, 44.

Nissim Girondi (1310-1375 ca.), filosofo ed esegeta ebreo catalano, 211, 212.
Nonno di Nisibi (sec. IX), filosofo arabo cristiano iracheno, 16.
Nuriel, A., 225.

Occam, Guglielmo di, *v.* Guglielmo di Occam.
Oresme, Nicole, *v.* Nicole Oresme.
Ovadyah Maimonide (Ibn Maymūn) (sec. XIII), autore giudeo-arabo egiziano, nipote di Mosè Maimonide, 241.

Paolo di Tarso (sec. I), santo, 227.
Paolo Veneto (m. nel 1429), filosofo scolastico italiano, professore a Padova, 231.
Piattelli, E., 56, 78.
Pico della Mirandola, Giovanni (1463-1494), filosofo italiano, 210.
Pietro d'Alessandria (prima metà del sec. XIV), frate agostiniano, traduttore dall'ebraico al latino degli scritti astronomici di Gersonide, 178-79.
Pietro Ispano (sec. XIII), autore dei *Tractatus*, forse erroneamente identificato con Giovanni XXI (Pedro Julião), papa dal 1276 al 1277, 175n.
Pines, S., 13, 78n, 79n, 113-14, 132, 175 e n, 240n.
Pitagora di Samo (sec. VI a.C.), matematico e filosofo greco, 36n, 115, 164, 210.
Platone (427-347), filosofo greco, 48 e n, 76, 83, 86, 88 e n, 115, 201-2, 232, 234-35, 237.
Platone di Tivoli (prima metà del sec. XII), traduttore italiano di testi scientifici arabi ed ebraici, attivo a Barcellona, 103.
Plotino (205-270 ca.), filosofo greco, fondatore del neoplatonismo, 39, 211.
Porfash (sec. XIV), filosofo ebreo provenzale, «allievo» di Gersonide, 175.
Porfirio di Tiro (sec. IV), filosofo greco, allievo di Plotino, 18, 20 e n, 115, 165n, 176.
Posnanski, A., 104.
Proclo (410-484), filosofo greco neoplatonico, 40, 211.
pseudo-Ammonio (sec. IX), autore arabo del *Libro delle opinioni dei filosofi*, 40.
pseudo-Empedocle (sec. IX?), autore arabo del *Libro delle cinque sostanze*, 40-41, 81, 85n, 152, 156n.
pseudo-Giāḥiẓ (sec. IX), autore arabo cristiano del *Libro delle prove e della riflessione sulla creazione e sulla provvidenza*, 42.
pseudo-Platone (sec. VI?), autore greco de *Le virtù dell'anima*, 23.
pseudo-Plutarco, *v.* Aezio.

Qāfiḥ, Y., 26-27, 28n, 34n, 131-32.
Qalonymos ben Qalonymos di Arles (1286-*post* 1328), traduttore ebreo provenzale di testi filosofici e scientifici arabi, 173.
al-Qirqisānī, Abū Yūsuf Ya'qūb (prima metà del sec. X), esegeta giudeo-arabo della Bibbia, della setta caraita, 14-16, 26.
Quintiliano, Marco Fabio (35-96), retore latino, 231.

Rabinowitz, I., 230n.
Raṣhavi, Y., 27, 57.
Ravitzky, A., 212.
al-Rāzī, Abū Bakr (865-925), filosofo arabo musulmano, 76.
al-Rāzī, Fakhr al-dīn (1149-1209), filosofo e teologo arabo musulmano, 176, 241.
Rigo, C., 152n, 156.
Roberto d'Angiò (1278-1343), re di Napoli, 178.
Rosenberg, S., 211.
Rosner, F., 130, 132.
Rothschild, J. P., 208n, 226.

Indice dei luoghi

Indice del volume